Test Guide to the

NEW
TOPIK

한국어능력시험 Ⅱ   실전 모의고사

TOPIK Ⅱ
Intermediate &
Advanced

Test Guide to the
NEW TOPIK
한국어능력시험 II 실전 모의고사

TOPIK II
Intermediate &
Advanced

Written by	The KyungHee University Global Campus Korean Education Research Group
	Textbook Researcher: Park Se-ah, Lee Hyun-jung, Park Su-mi
Translated by	Lee Eun-gin, Lee Eun-a
First Published	July 2014
2nd Published	January 2015
Publisher	Chung Kyudo
Editors	Lee Suk-hee, Kim Sook-hee, Baek Da-heuin
Cover Design	Yoon Ji-young
Interior Design	Yoon Ji-young, Yoon Hyun-ju
Proofread by	Ryan Paul Lagace
Illustrated by	AFEAL
Voice Actors	Jeong Ma-ri, Kim Ki-heung

DARAKWON

Darakwon Bldg., 211 Munbal-ro, Paju-si,
Gyeonggi-do, 413-120 Republic of Korea
Tel: 02-736-2031 Fax: 02-732-2037
(Marketing Dept. ext.: 250~252 Editorial Dept. ext.: 420~426)

Copyright © 2014, The KyungHee University Global Campus Korean Education Research Group
Textbook Researcher Park Se-ah, Lee Hyun-jung
TOPIK, Trademark® & Copyright© by NIIED(National Institute for International Education), KOREA

※ 한국어능력시험(TOPIK)의 저작권과 상표권은 한국 국립국제교육원에 있습니다.

Price: 19,000 won (with MP3 CD)

ISBN: 978-89-277-3126-9 18710
        978-89-277-3124-5 (set)

http://www.darakwon.co.kr
http://www.darakwon.co.kr/koreanbooks

Visit the Darakwon homepage to learn about our other publications and promotions and
to download the contents of the CD in MP3 format.

Test Guide to the
NEW
TOPIK

한국어능력시험 II   실전 모의고사

TOPIK II
Intermediate &
Advanced

DARAKWON

서문

　　올해부터 한국어능력시험(TOPIK)이 국내 연 5회, 국외 연 2회로 늘어났다. 이는 TOPIK 응시자의 요청과 수적 증가로 나타난 결과라 볼 수 있다. 한국의 위상이 높아진 것도 꼽을 수 있지만 무엇보다 K-pop과 한류 드라마가 지속적으로 인기를 끌고 있기 때문이다. 불과 10여 년 전만 해도 외국인들은 한국어를 개인적으로 학습할 뿐이지 TOPIK에 응시하려고 하지는 않았다. 그런데 외국인 학습자들이 점차 TOPIK에 적극적으로 응시하려는 방향으로 바뀌고 있다. 그 이유는 국내·외의 다양한 한국 관련 분야에 진출하여 활동하기 위해서는 TOPIK과 같이 한국어 능력을 증명할 수 있는 자격증이 필요하기 때문이다.

　　TOPIK 준비를 위한 많은 대비서들이 출판되었는데 그 중에서 TOPIK MASTER 시리즈를 아껴 주신 여러분들에게 먼저 감사하다는 말씀을 전하고 싶다. 여러분의 성원으로 이번 TOPIK 체제 개편과 함께 새로운 'Test Guide to the New TOPIK 한국어능력시험 Ⅰ/Ⅱ 실전 모의고사' 대비서를 선보이게 되었다. 새로운 시험 체제를 완벽히 분석하여 시험 및 문항 유형 분석과 전략 그리고 모의고사 3회분을 담았다. 여러분의 기대를 저버리지 않도록 철저한 준비와 분석을 바탕으로 성심성의껏 책을 만들었다. TOPIK의 개편으로 수험생 여러분들은 어떻게 시험에 대비할 수 있을지 걱정이 앞설 것이다. 이러한 고민을 덜어 주기 위해 국립국제교육원이 발행한 한국어능력시험 개편 체제에 관한 보고서와 예시 문항을 철저하게 검토하여 모의고사와 해설을 준비했다.

　　아무쪼록 이 책이 TOPIK 응시자나 TOPIK 강의를 담당하시는 선생님들께 조금이나마 도움이 되었으면 한다. TOPIK 응시자들은 이 책으로 잘 준비하여 한국어 능력이 향상되고 TOPIK에서 좋은 결과를 얻기 바란다. 끝으로 이 책의 집필에 혼신의 힘을 쏟아주신 경희대학교 국제캠퍼스 '경희 한국어교육 연구회'의 박세아, 이현정, 박수미 선생님께 심심한 감사의 뜻을 표한다. 이분들의 헌신이 없었으면 이 책의 출간은 불가능했을 것이다. 또한 이 책의 출간을 흔쾌히 허락해 주신 다락원 정규도 사장님과 이 책이 나오기까지 물심양면으로 많은 도움을 주신 다락원 한국어출판부 편집진께도 감사의 마음을 전한다.

경희 한국어교육 연구회 국제캠퍼스

Preface

From 2014, the Test of Proficiency in Korean (TOPIK) will be held 5 times a year in Korea and 2 times a year abroad. This is the result of the demand and growing number of TOPIK takers. Korea's heightened status can also be considered a reason, but above all is the continual popularity of K-pop and Korean dramas. Only a decade ago, foreigners studied Korean on their own without thinking of taking the TOPIK. However, the trend among Korean language learners has shifted to actively taking the test. This is because working inside and outside of Korea in a field related to Korea requires some kind of certification, such as the TOPIK, that proves one's proficiency in the Korean language.

We would first like to thank each and every person who has chosen the *TOPIK MASTER* series from the many TOPIK preparation materials currently available on the market. With your support, we are proud to put forward the *Test Guide to the New TOPIK 한국어능력시험 I/II 실전 모의고사*. This Guide is a complete analysis of the newly revised version of the TOPIK and consists of test and question type analyses and strategies as well as three practice tests. The Guide was put together after meticulous preparation and analysis in order to meet your needs and expectations. We understand that test takers may feel a little lost in preparing for the newly revised TOPIK. Thus, to ease your concern, our research team carefully selected the questions for the practice tests specifically for this publication based on the report and sample questions released by the National Institute for International Education on the newly revised TOPIK.

It is our wish that this Guide will be of help to the TOPIK takers and teachers alike. We truly hope that TOPIK takers will improve their Korean and reap great results from studying this Guide. Finally, we express our deepest gratitude to Park Se-ah, Lee Hyun-jung and Park Su-mi of KyungHee Korean Education Research Group, KyungHee University Global Campus. This publication would not have been possible but for their dedication. We would also like to thank President Chung Kyudo of Darakwon Inc. for agreeing to publish this book so willingly, and to all the members of the Darakwon Korean Editorial Team for putting their hearts and souls into this publication to the very end.

The KyungHee University Global Campus
Korean Education Research Group

이 책의 구성 및 활용 방법

이 책은 TOPIK 응시자들의 준비 학습을 위해 집필되었으며 그 구성은 TOPIK 체계를 따른다. 이 TOPIK 대비서는 크게 〈문항 분석 및 전략〉, 〈실전 모의고사 3회〉, 〈정답 및 해설〉로 구성되어 있다. TOPIK 구성에 맞추어 TOPIK II에는 듣기·쓰기·읽기 영역으로 총 3회분의 모의고사 문제를 수록하였다.

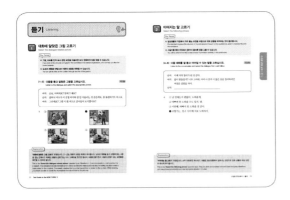

문항 분석 및 전략

'문항 분석 및 전략'에서는 한국어능력시험 개편 체제 샘플 문항의 출제 경향을 모두 분석한 후 유형별로 제시, 설명하여 전체적인 시험 경향을 파악할 수 있도록 하였다. 영역별로 각 유형의 문제를 어떻게 준비하고 공부해야 하는지에 대한 학습 전략도 제시하였다.

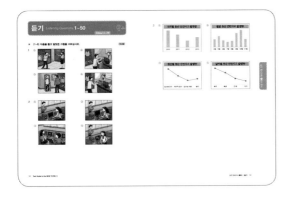

실전 모의고사

샘플 문항을 바탕으로 새롭게 바뀐 TOPIK 시험에 대비할 수 있는 모의고사 3회분을 수록하여 학습자들이 사전에 충분히 시험을 연습하고, 준비할 수 있도록 하였다.

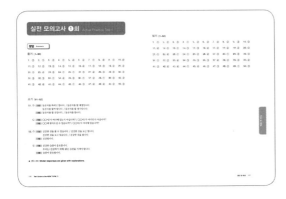

정답 및 해설

'정답 및 해설'은 모의고사의 정답과 풀이를 수록한 일종의 해설서이다. 〈듣기〉와 〈읽기〉에는 다양한 주제와 시사 정보를 실어 실전 경험을 쌓을 수 있도록 했고, 읽기와 듣기의 영어 번역 대본을 함께 수록하여 학습자들이 문제 풀이 후 정확한 내용을 확인할 수 있도록 했다. 〈쓰기〉에서는 문제 풀이의 핵심이 되는 간략한 설명과 함께 '작문 문제'에 대해서는 모범 답안을 제시하였다.

How to Use This Book

This book has been compiled as a study tool for TOPIK takers and follows the structure of the TOPIK. This Guide is comprised largely of <Question Type Analyses & Strategies>, <3 Actual Practice Tests> and <Answers & Explanations>. The practice tests follow the TOPIK structure. The TOPIK II practice tests consist of three listening, writing, and reading portions.

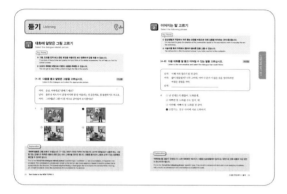

Question Type Analyses & Strategies

In order to grasp the overall structure of the new test, this section starts with an analysis of sample questions of the new TOPIK followed by a question and explanation. It also gives strategies on how to prepare and study for each question type.

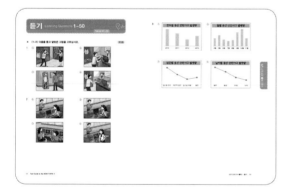

Actual Practice Tests

There are three practice tests modeled after the new question types, allowing test takers plenty of practice.

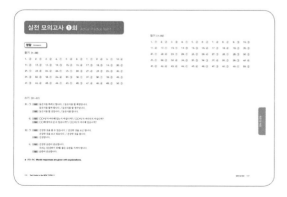

Answers & Explanations

This section provides an explanations along with the answer key. The <Listening> and <Reading> portions contain diverse themes and current issues so that learners can gain practical experience. The reading and listening portions also include English translations of the text so that the learners can check the exact content after answering a question. The <Writing> portion includes a brief explanation of the answer to the question and sample answer to all 'composition questions.'

차례 Contents

한국어능력시험 개편 안내

Newly Revised TOPIK Guidelines

한국어능력시험 안내
TOPIK Guidelines

신경향 Q&A
New Trend Q&A

한국어능력시험 안내

1. 시험의 목적

– 한국어를 모국어로 하지 않는 재외동포 · 외국인의 한국어 학습 방향 제시 및 한국어 보급 확대
– 한국어 사용 능력을 측정 · 평가하여 그 결과를 국내 대학 유학 및 취업 등에 활용

2. 응시 대상

한국어를 모국어로 하지 않는 재외동포 및 외국인으로서
– 한국어 학습자 및 국내 대학 유학 희망자
– 국내 · 외 한국 기업체 및 공공기관 취업 희망자
– 외국 학교에 재학 중이거나 졸업한 재외국민

3. 시험 시기

• 연간 총 5회 실시

시기		성적 발표	시행 지역
상반기	1월경	2월경	국내
	2월경	5월경	국내 · 외
하반기	7월경	8월경	국내
	10월경	11월경	국내 · 외
	11월경	12월경	국내

※ 시험 일정은 주관 기관 및 현지 사정 등에 의하여 변경될 수 있음

4. 시험의 수준 및 등급

– 시험 수준: TOPIK I (초급), TOPIK II (중 · 고급)
– 시험 등급: 6개 등급 (1급 ~ 6급)

• 등급별 평가 기준

등급	총괄 기준
1급	• 자기소개하기, 물건 사기, 음식 주문하기 등 생존에 필요한 기초적인 언어 기능을 수행할 수 있다. 또한 자기 자신, 가족, 날씨 등 매우 사적이고 친숙한 소재와 관련된 간단한 내용을 이해하고 표현할 수 있다. 약 800여 개의 기초 어휘와 기본 문법에 대한 이해를 바탕으로 간단한 문장을 생성할 수 있다. 또한 간단한 생활문과 실용문을 이해하고 구성할 수 있다.
2급	• 전화하기, 부탁하기 등의 일상생활에 필요한 기능과 우체국, 은행, 병원 등의 공공시설 이용에 필요한 기능을 수행할 수 있다. • 약 1,500~2,000개의 어휘를 이용하여 사적이고 친숙한 화제에 관해 문단 단위로 이해하고 사용할 수 있다. • 공식적 상황과 비공식적 상황에서의 언어를 구분해 사용할 수 있다.
3급	• 일상생활을 영위하는 데 별 어려움을 느끼지 않으며, 다양한 공공시설의 이용과 사회적 관계 유지에 필요한 기초적 언어 기능을 수행할 수 있다. • 친숙하고 구체적인 소재는 물론 자신에게 친숙한 사회적 소재를 문단 단위로 표현하거나 이해할 수 있다. • 문어와 구어의 기본적인 특성을 구분해서 이해하고 사용할 수 있다.

4급	• 공공시설 이용과 사회적 관계 유지에 필요한 언어 기능을 수행할 수 있으며, 일반적인 업무 수행에 필요한 기능을 어느 정도 수행할 수 있다. • 뉴스, 신문 기사 중 평이한 내용을 이해할 수 있다. 일반적·사회적·추상적 소재를 비교적 정확하고 유창하게 이해하고 사용할 수 있다. • 자주 사용되는 관용적 표현과 대표적인 한국 문화에 대한 이해를 바탕으로 사회·문화적인 내용을 이해하고 사용할 수 있다.
5급	• 전문 분야에서의 연구나 업무 수행에 필요한 언어 기능을 어느 정도 수행할 수 있다. • 정치, 경제, 사회, 문화 전반에 걸쳐 친숙하지 않은 소재에 관해서도 이해하고 사용할 수 있다. • 공식적, 비공식적 맥락과 구어적, 문어적 맥락에 따라 언어를 적절히 구분하여 사용할 수 있다.
6급	• 전문 분야에서의 연구나 업무 수행에 필요한 언어 기능을 비교적 정확하고 유창하게 수행할 수 있다. • 정치, 경제, 사회, 문화 전반에 걸쳐 친숙하지 않은 주제에 관해서도 이해하고 사용할 수 있다. • 원어민 화자의 수준에는 이르지 못하나 기능 수행이나 의미 표현에는 어려움을 겪지 않는다.

5. 성적 및 합격자 인증서 발급

구분		한국어능력인증서	성적표
대상		일반 한국능력시험 합격자	응시자 전원
발송	한국	개인별 우편 발송	홈페이지에서 직접 출력
	해외 국가	해외 시행기관에 일괄 송부 후 개인별 교부	

6. 시험 응시 안내

※ 홈페이지(http://www.topik.go.kr)를 참조하시기 바랍니다.

7. 응시 원서 교부 및 접수

• **국내**
– 홈페이지(http://www.topik.go.kr)를 통한 온라인 접수
– 지원자가 직접 인적 사항 및 지원 사항을 인터넷에 접속하여 입력
　※ 사진은 최근 3개월 이내 촬영한 사진을 첨부
– 응시 수수료는 신용카드 또는 무통장 입금으로 납부
– 수험표는 응시 수수료 납부 확인 후 인터넷에서 본인이 출력하여 시험일에 소지
– 접수 시간: 24시간 접수

• **국외**
– 해외에서는 해당 국가(지역) 시행 기관에서 정한 응시 지역의 지정 장소에서 교부 및 접수하시기 바랍니다.
　※ 각 국가별 원서 접수 일정 및 접수 기관은 홈페이지 공지사항 참조

8. 인증서의 유효 기간

결과 발표일로부터 2년 동안 유효합니다.

TOPIK Guidelines

1. Objectives

- To guide non-native speakers of Korean and overseas Koreans to methods of learning Korean and to expand the use of Korean around the world.
- To measure and evaluate the use of Korean performance and utilize the test results as a vehicle for overseas study and employment.

2. Target Applicant

For those who are non-native speakers of Korean, overseas Koreans, and overseas residential Koreans.
- Korean language learners and international students who want to study in Korea and overseas
- Jobseekers wishing to work at domestic and overseas-based Korean companies and public institutions
- Students studying overseas and graduates from an overseas school (overseas residential Koreans)

3. Test Dates

• **TOPIK is held 5 times a year**

Period		Result Announcement	Test Centers
1st half of the year	in January	in February	Korea
	in February	in May	Korea and Overseas
2nd half of the year	in July	in August	Korea
	in October	in November	Korea and Overseas
	in November	in December	Korea

※ Difference in the scheduled dates for testing may occur depending on regions and time differences.

4. Exam Levels and Difficulties

- Exam Difficulties: TOPIK I (Beginner), TOPIK II (Intermediate, Advanced)
- Exam Levels: 6 Levels (Level 1~6)

• **Proficiency Guideline**

Level	Scale
1st	• Can perform basic language skills needed for survival such as introducing oneself, shopping, and ordering at a restaurant. Can comprehend and express basic, personal and familiar topics such as oneself, family, weather, etc. Can produce simple sentences using 800 basic vocabulary words and basic grammar. Additionally, can comprehend and produce simple sentences for daily life and practical writing.
2nd	• Can perform basic language functions such as making a phone call, asking a favor, and making a suggestion and can perform functions necessary for the use of public facilities such as post offices, banks, and hospitals. • Can understand and express familiar and personal topics such as daily schedules, hobbies and appointments by employing 1,500~2,000 words. • Can use the Korean language appropriately according to formal and informal situations.
3rd	• Has little trouble leading one's daily life in Korea. Can perform language functions such as using public facilities like the immigration office, travel agencies, etc. and perform functions needed for maintaining social relationships like explaining, describing, rejecting, etc. • Can understand and express one's opinion at the paragraph level on familiar social topics such as occupations, events, nations, cultures, etc. as well as familiar personal topics.

	• Can understand the basic differences between written and spoken texts and produce them accordingly.
4th	• Can perform most language functions needed for the use of public facilities and for the maintenance of social relationships and also can perform to some extent language functions needed for general business such as drawing up brief documents and reports. • Can comprehend relatively easy news and newspaper articles. Can understand and express one's opinions on familiar social and abstract topics. • Based on the understanding of high-frequency idiomatic expressions and Korean culture, can understand and describe social and cultural matters.
5th	• Can perform to some extent language functions that are needed to carry out one's specialized research and business such as summarizing, arguing, inferencing, and discussing. • Can understand and express one's opinions on unfamiliar topics such as policy, economy, and culture. • Can use the Korean language appropriately according to formal/informal and written/spoken contexts and can understand and construct argumentative texts, reports, literary works, interviews, and discussions.
6th	• Can perform language functions required to carry out one's specialized research and business comparatively and fluently. • Can understand and express one's opinions on unfamiliar topics concerning policy, economy, and culture. • Although imperfectly, can perform most language skills and does not have difficulties in expressing oneself.

5. Testing Score & Test Certificate

		Test Certificate of the TOPIK	Testing Score
Test takers		Applicants who pass the test	All applicants
Sending	Korea	Mailed out to individuals	Print out from the website
	Overseas countries	Sent to the overseas institutes and then distributed to individuals	

6. Test Schedule

※ Please refer to the TOPIK website at http://www.topik.go.kr.

7. Registration Procedure

• Korea

- Online registration must be completed within the test application window(refer to http://www.topik.go.kr).
- Complete your application following the instructions on the website.
  ※ Attach a photo taken within the last 3 months.
- The registration fee can be paid by credit card or by bank transfer.
- After submitting your application fee and checking the registration summary, the examinee must print the examinee ID from the website and must take it to the test center on the day of the test.

• Overseas

- Overseas test takers must apply through their corresponding test centers.
  ※ Please refer to the TOPIK website and search for the test dates, test application windows, and test centers in your country.

8. The validity of Test Certificate

The Test Certificate is valid for 2 years from the date of the results are announced.

신경향 Q&A

변경된 한국어능력시험(TOPIK)에 대해 알아볼까요?

Q1 변경된 시험의 이름도 TOPIK인가요?

A 네, TOPIK이라는 이름 그대로 유지됩니다. 기존 3종에서 초급과 중·고급 2종 시험으로 바뀌고 초급은 TOPIK I, 중·고급은 TOPIK II로 불립니다. 시험 결과의 유효 기간도 똑같이 결과 발표일로부터 2년입니다.

Q2 언제부터 바뀐 시험을 보게 되나요?

A 2014년 7월 20일 시행하는 제35회 한국어능력시험부터 적용됩니다.

Q3 TOPIK의 등급은 어떻게 되나요?

A 기존 TOPIK은 3단계(초급, 중급, 고급) 6등급으로 이루어졌지요. 이것은 그대로 유지가 됩니다. 다만 여러분들이 시험을 신청할 때 3단계(초급, 중급, 고급) 중에 하나를 선택했다면 바뀐 시험은 초급과 중·고급으로 됩니다. TOPIK I 과 TOPIK II로 구분이 되는데 TOPIK I (1~2급)은 초급이고 TOPIK II(3~6급)는 중급과 고급이 통합됩니다.

Q4 평가 영역에 어휘·문법이 빠집니까?

A 네, 기존 4개의 평가 영역(어휘·문법, 쓰기, 듣기, 읽기)에서 TOPIK I 은 2개의 영역(듣기, 읽기)으로 TOPIK II는 3개의 영역(듣기, 쓰기, 읽기)으로 줄어듭니다.
초급인 TOPIK I 에서 어휘·문법과 쓰기를 제외하여 학습 경험이 많지 않은 학습자를 위해 부담 없이 자기 실력을 확인할 수 있도록 시험을 단순화하였습니다.
중·고급인 TOPIK II에서도 TOPIK I 과 같이 어휘·문법 영역은 제외되는데 쓰기가 추가되었습니다. 의사소통 능력을 평가하는 데에 중점을 두었기 때문에 간접적인 방식으로 평가되었던 쓰기 영역은 직접 글쓰기 능력을 평가할 수 있도록 하였습니다. 그리고 어휘·문법이 제외되고 듣기, 읽기, 쓰기 3개 영역이 선정되었고, 어휘·문법은 읽기와 쓰기를 통해 간접적으로 평가하게 됩니다.

Q5 평가 영역별 문항 수와 시간은 어떻게 되나요?

A TOPIK I 은 듣기가 30문항, 읽기가 40문항으로 총 70문항이 됩니다. 시간은 듣기가 40분, 읽기가 60분, 총 100분으로 1교시로 시험이 치러집니다. 기존 시험에 비해 104문제에서 70문제로 문항 수는 줄었지만 중간에 쉬는 시간 없이 1시간 40분 동안 시험을 보게 됩니다.
TOPIK II는 듣기가 50문항, 쓰기가 4문항, 읽기가 50문항으로 총 104문항이 됩니다. 시간은 듣기가 60분, 쓰기가 50분, 총 110분 동안 1교시가 진행되고, 읽기가 70분으로 2교시에 진행됩니다. 기존 시험과 비교했을 때 시험 영역수는 줄었지만 문항 수에서는 별 차이가 없습니다. 하지만 듣기와 읽기 영역의 문항 수가 늘어나서 시험 시간이 더 늘어났다고 보면 됩니다.

Q6 평가 영역별 배점은 몇 점인가요?

A 기존 시험은 각 영역별 100점으로 총점이 400점이었지만, TOPIK I 은 200점, TOPIK II는 300점입니다.

TOPIK I 의 읽기 영역에서는 1급 문항 20개(상8:중8:하4) 50점, 2급 문항 20개(상4:중8:하8) 50점으로 100점이 됩니다. 듣기 영역에서는 초급1 문항 15개(상6:중6:하3) 50점, 초급2 문항 15개(상3:중6:하6) 50점으로 100점 만점이 됩니다.

문항 수준		TOPIK I 읽기		TOPIK I 듣기	
		문항 수	배점	문항 수	배점
2급	상	4	50	3	50
	중	8		6	
	하	8		6	
1급	상	8	50	6	50
	중	8		6	
	하	4		3	

TOPIK Ⅱ의 듣기와 읽기는 3급 문항 12개(상4:중5:하3), 4급 문항 13개(상4:중5:하4), 5급 문항 12개(상4:중5:하3), 6급 문항 13개(상4:중:5:하4)로 각 문항 2점씩 영역당 100점 만점이 됩니다.

급	문항 수준	문항	
		문항 수	배점
6급	상	4	8
	중	5	10
	하	4	8
5급	상	4	8
	중	5	10
	하	3	6
4급	상	4	8
	중	5	10
	하	4	8
3급	상	4	8
	중	5	10
	하	3	6

쓰기 영역도 모두 4문항으로 100점 만점이 됩니다. 각 문항 당 배점은 3급, 4급 하 수준의 2문제가 각각 10점씩이고, 3급, 4급 중 수준의 한 문제가 30점, 5급, 6급 상 수준의 한 문제가 50점으로 구성됩니다.

문항 수준		문항 수	배점
6급~5급	상	1	50
4급~3급	중	1	30
3급~4급	하	2	20
합계		4	100

Q7 TOPIK의 등급은 어떻게 결정하나요?

A 먼저 과락 제도가 없어졌습니다. 기존 시험에서는 한 영역의 점수가 낮으면 종합 점수가 높아도 과락이 되었는데 바뀐 시험에서는 종합 점수에 의해 등급이 판정됩니다.

변경된 한국어능력시험에서는 출제가 완료된 후 문항별 수준 설정을 통하여 등급 판정에 필요한 수준을 정하게 됩니다. 이 결과를 바탕으로 탈락 점수와 등급 분할 점수가 결정됩니다. 즉 미리 등급별 합격 점수가 공고되지 않습니다. 예상 탈락 점수는 TOPIK I은 80점(200점 만점) 미만, TOPIK II는 종합 점수 120점(300점 만점) 미만으로 예상하나, 정확한 탈락 점수는 분할선 설정에 따라 다소 변경될 수 있습니다. 매회 시험 시행 후 등급별 점수를 공개하는 방식으로 수험생들은 성적표를 통해 자신의 한국어능력 수준을 정확하게 파악할 수 있습니다.

개편된 한국어능력시험의 등급 판정 내용은 아래와 같습니다.(제35회, 2014.7.20 시험부터 적용)

변경된 한국어능력시험(TOPIK)의 등급은 획득한 종합 점수를 기준으로 판정되며, 등급별 분할 점수는 아래 표를 참고하시기 바랍니다.

구분	한국어능력시험 I		한국어능력시험 II			
	1급	2급	3급	4급	5급	6급
등급 결정	80점 이상	140점 이상	120점 이상	150점 이상	190점 이상	230점 이상

Q8 변경된 TOPIK 시험 시간을 알려 주세요.

A TOPIK 시험 시간은 다음과 같습니다.

구분	교시	영역	중국 등			한국, 일본			기타 국가			시험 시간 (분)
			입실 시간	시작	종료	입실 시간	시작	종료	입실 시간	시작	종료	
TOPIK I	1교시	듣기 읽기	08:40	09:00	10:40	09:30	10:00	11:40	09:10	09:30	11:10	100
TOPIK II	1교시	듣기 쓰기	11:40	12:00	13:50	12:30	13:00	14:50	12:10	12:30	14:20	110
	2교시	읽기	14:10	14:20	15:30	15:10	15:20	16:30	14:40	14:50	16:00	70

※ 중국 등: 중국(홍콩 포함), 몽골, 대만, 필리핀, 싱가포르, 브루나이
※ 시험 시간은 현지 시간 기준 / TOPIK I 과 TOPIK II 복수 지원 가능.
※ TOPIK I 은 1교시만 실시함.

Q9 변경된 TOPIK 시험 준비를 어떻게 하면 될까요?

A TOPIK I 시험 준비 전략을 알려 드리겠습니다.

TOPIK I 은 듣기와 읽기 두 영역만 시험을 실시합니다. 어휘·문법이 없어져 시험의 체감 난이도는 좀 쉬워졌다고 할 수 있습니다. 하지만 어휘·문법이 완전히 없어진 것이 아니라, 읽기 영역에서 몇 문제가 출제됩니다. 그리고 듣기와 읽기 시험을 잘 보기 위해서는 어휘·문법이 바탕이 되어야 하기 때문에 어휘·문법 공부를 하지 않아도 된다는 것은 아닙니다.

변경된 TOPIK I 에서 가장 문제가 되는 부분은 읽기입니다. 기존 시험과 달리 문항 수가 늘었기 때문에 여러분이 좀 더 긴 지문 40문항을 풀어야 합니다. 기존 시험의 유형과 다른 유형이 출제되는 것이 아니라, 문항 수만 좀 더 늘었다고 볼 수 있습니다. 그래서 정해진 시간인 60분 동안 40문항을 모두 풀 수 있도록 시간에 맞춰 문제를 푸는 훈련이 필요합니다. 본 교재의 읽기 모의시험을 풀면서 1시간 동안 내가 문제를 얼마나 풀 수 있는지 체크를 해 보십시오. 시간 내에 문제를 풀지 못하는 경우, 지문을 좀 더 빨리 읽을 수 있도록 훈련해야 합니다. 지문을 읽는 데 시간이 많이 걸리는 수험자들은 문제의 지시문을 먼저 읽고 읽기 텍스트를 읽도록 합시다. 그러면 지문을 읽으면서 문제의 답을 바로 찾을 수 있기 때문에 문제 푸는 시간을 절약할 수 있습니다.

다음으로 TOPIK II 시험 준비 전략을 알려 드리겠습니다.

TOPIK II 는 중·고급 수준의 학생들이 같은 시험을 보기 때문에 중급 수준의 수험자들에게는 힘들 수 있습니다. 가장 어려운 부분은 시간 내에 많은 문항의 문제를 풀어야 한다는 것입니다. 듣기의 경우, 60분 동안 50문항을 풀어야 합니다. 여러분들에게 가장 필요한 것은 60분 동안 계속해서 듣기 문제를 풀 수 있는 집중력을 키우는 것입니다. 1시간 동안 듣기 평가가 실시되기 때문에 시간이 지날수록 피로가 몰려오며 집중력이 떨어질 수 있습니다. 그래서 1시간 동안 집중해서 듣기 문제를 푸는 훈련을 미리 해야 합니다. 중급 수준의 수험자들은 본 교재의 듣기 시험 모의고사로 꼭 연습을 해 봐야 합니다.

그리고 듣기 문항 30번부터 고급 수준의 문제가 출제되기 때문에 여기부터 문제 푸는 것을 듣기 시험 시간이 정해져 있기 때문에 끝까지 듣기 지문을 들어야 합니다. 듣기 문제가 나오는 동안 쓰기 문제를 푸는 것도 한 방법입니다. 듣기도 100점, 쓰기 수준의 듣기 문제에 어려움을 느끼는 경우, 쓰기 영역에서 시간을 충분히 듣기와 쓰기가 60분, 50분, 총 110분으로 1교시에 함께 치러지므로 중 더 할애하는 것이 유리할 수 있습니다. 다만 듣기 앞부분에 거의 실수가 없 야 합니다.

읽기도 50 에는 읽기 텍스트의 길이가 점점 길어지고 친숙하지 않은 주제들이 나오기 만 포기하지 말고 끝까지 집중해서 문제를 푸는 끈기가 있어야 합니다. 당락이 읽기라고 봅니다. 끝까지 포기하지 않고 문제를 푸느냐, 중간에 포 정된다고 할 수 있습니다. 그렇기 때문에 중급 수험자들은 70분 동안 긴 글 다. 꼭 본 교재의 모의고사 문제로 연습을 여러 번 해 보세요.

Q10 TOPIK II의 쓰기 준비를 어떻게 하면 될까요?

A TOPIK II 쓰기는 4문제가 출제됩니다. 1번은 '양식에 맞는 글쓰기'입니다. 여러 가지 서식에 맞는 문장 쓰기로 생활에서 접할 수 있는 양식들이 제시됩니다. 글에서 힌트가 되는 정보들이 많으니 그것을 이용해 적절한 표현을 쓰시면 됩니다. 비교적 쉬운 문제이기 때문에 좋은 점수를 받을 수 있게 쓰세요. 문장을 길게 쓸 필요는 없습니다. 2번 문제는 기존 토픽의 쓰기에서도 출제된 유형으로 글의 괄호 부분에 알맞은 문장을 쓰는 것입니다. 글의 내용 파악이 중요하고 앞, 뒤 문맥에 맞는 내용을 한 문장으로 쓰면 됩니다. 유사한 유형이기 때문에 낯설지 않을 겁니다.

3번과 4번은 긴 글을 완성하는 작문 문제입니다. 3번은 표에 작성해야 할 내용들이 제시되어 있습니다. 그것을 어떻게 잘 연결하여 한 단락을 만드는지가 관건이기 때문에 적절한 연결 표현을 이용해 논리적으로 글을 써야 합니다. 그리고 표에 제시된 내용을 바탕으로 자기의 의견을 덧붙이면서 글을 마무리하면 됩니다. 중급 수준의 수험자들은 3번까진 어렵게 생각되지 않을 겁니다. 4번에서 중급과 고급이 나누어지게 되는데, 중급 수험자들이 4번 문제에 글을 풍성하게 만들 내용과 표현을 사용해서 답하기 어려우므로 중급과 고급이 구분될 수 있습니다. 글에 포함되어야 하는 내용이 제시되기 때문에 그것을 바탕으로 글의 구성과 뒷받침 내용 선정, 고급 수준의 어휘와 표현으로 논리적인 글을 작성하면 됩니다. 중급 수준 수험자들도 연습만 하면 점수를 받을 수 있으니 본 교재의 쓰기 모의고사 문제로 계속 연습하십시오. 정확하게 오류 없이 쓰는 것도 중요하지만 이것보다 내용과 문장 표현이 더 중요하니 작문 쓰기도 많이 연습하세요.

New Trend Q&A

Let's find out about the new Test of Proficiency in Korean (TOPIK)!

Q1   Is the new test also called the TOPIK?

A   Yes, the name of the test is the same. The former test of three levels has been changed to a test with two levels - the beginner level and the intermediate/advanced level. The beginner level is called TOPIK I and the intermediate/advanced level is called TOPIK II. The test scores remain valid for two years from the date the results are announced.

Q2   From when will the new test be given?

A   The new test will be administered from the 35th Test of Proficiency in Korean that will be held on July 20, 2014.

Q3   How are the TOPIK levels divided?

A   The former TOPIK was divided into 3 exams (beginner, intermediate, advanced) covering 6 levels. The 6 levels will remain the same. However, the new test is divided into 2 exams (beginner and intermediate/advanced). TOPIK I (covering levels 1~2) is the beginner level, and TOPIK II (covering levels 3~6) is a combination of the intermediate and advanced levels.

Q4   Has the vocabulary/grammar section been dropped from the exam?

A   Yes. The previous TOPIK evaluated four areas (vocabulary/grammar, writing, listening, reading) but TOPIK I has been reduced to 2 areas (listening, reading) and TOPIK II has been reduced to 3 areas (listening, writing, reading).
As with TOPIK I, TOPIK II has no vocabulary/grammar section, but a writing section has been added. Whereas writing ability was evaluated indirectly, the focus has been shifted to communication ability, so that the modified writing section evaluates the actual writing ability of the test taker. Although there is no longer a vocabulary/grammar section, knowledge of vocabulary and grammar will be evaluated indirectly through the reading and writing sections.

Q5   How many questions and how much time is allotted for each section?

A   TOPIK I will have 30 listening questions and 40 reading questions, for a total of 70 questions. Regarding time, the listening section will last 40 minutes and the reading section is 60 minutes, for a total of 100 minutes. Although the number of questions has been reduced from 104 to 70, the test will last 1 hour and 40 minutes without a break.
TOPIK II will have 50 listening, 4 writing, and 50 reading questions, for a total of 104 questions. The listening and writing sections will be held first, lasting 60 minutes and 50 minutes, respectively, for a total of 110 minutes. The reading section of 70 minutes will be held in class 2. Compared to the former test, the number of sections has been reduced but the number of questions remains similar. The duration of the time, however, has lengthened as the number of questions for the listening and reading section has increased.

Q6 **How many points are allotted for each section?**

A The score for the old test was out of 400 points, with 100 points for each section. The score for TOPIK I will be out of 200 points, and 300 points for TOPIK II.

For the TOPIK I reading section, there will be 20 level 1 questions (8 high; 8 mid; 4 low) that account for 50 points, and 20 level 2 questions (4 high; 8 mid; 8 low) that account for 50 points, for a total of 100 points. The listening section will have 15 level 1 questions (6 high; 6 mid; 3 low) that account for 50 points, and 15 level 2 questions (6 high; 6 mid; 6 low) that account for 50 points, for a total of 100 points.

Level		TOPIK I Reading		TOPIK I Listening	
		Questions	Points	Questions	Points
2	High	4		3	
	Mid	8	50	6	50
	Low	8		6	
1	High	8		6	
	Mid	8	50	6	50
	Low	4		3	

The listening and reading sections of TOPIK II each have 12 level 3 questions (4 high; 5 mid; 3 low), 13 level 4 questions (4 high; 5 mid; 4 low), 12 level 5 questions (4 high; 5 mid; 3 low), and 13 level 6 questions (4 high; 5 mid; 4 low). Each question is worth 2 points, for a total of 100 points for each section.

Level	Level of Questions	Questions	
		No. of Questions	Points
6	High	4	8
	Mid	5	10
	Low	4	8
5	High	4	8
	Mid	5	10
	Low	3	6
4	High	4	8
	Mid	5	10
	Low	4	8
3	High	4	8
	Mid	5	10
	Low	3	6

The 4 questions in the reading section also add up to a total of 100 points. Two questions at the beginner level of levels 3-4 are each worth 10 points; 1 question is at the intermediate level and worth 30 points; and 1 question is at the advanced level of levels 5-6 and worth 50 points.

Level of Questions		No. of Questions	Points
6~5	High	1	50
4~3	Mid	1	30
3~4	Low	2	20
Total		4	100

Q7 How are the TOPIK levels determined?

A In the old test, there was a cut-off score for each section. This is no longer the case with the new test, as a level is determined based on the total score.

In the revised TOPIK, once the questions are selected, the level of each question is determined according to a set standard. The 'fail' score and individual level scores are determined according to these results. Thus, the 'pass' score for each level isn't announced beforehand. The estimated 'fail' scores are scores below 80 points (total 200 points) for TOPIK I, and scores below 120 points (total 300 points) for TOPIK II. The exact scores, however, could fluctuate depending on the decision for the dividing line. A notification of the scores for each level are given after every test, and test takers will receive their results with an accurate evaluation of their level of Korean.

The standard for determining the level in the changed Test of Proficiency in Korean is as shown below. (Applied from the 35th TOPIK to be held on July 20, 2014)

The levels for the changed Test of Proficiency in Korean (TOPIK) will be based on the overall achieved score. For the cut score, refer to the chart below.

Level	Test of Proficiency in Korean I		Test of Proficiency in Korean II			
	1	2	3	4	5	6
Score	80 or above	140 or above	120 or above	150 or above	190 or above	230 or above

Q8 What is the schedule for the new TOPIK?

A The schedule for the TOPIK is as follows.

Exam	Class	Area	China, etc.			ROK, Japan			Other Countries			Duration (mins)
			Time of Entry	Start	End	Time of Entry	Start	End	Time of Entry	Start	End	
TOPIK I	1	Listening Reading	08:40	09:00	10:40	09:30	10:00	11:40	09:10	09:30	11:10	100
TOPIK II	1	Listening Writing	11:40	12:00	13:50	12:30	13:00	14:50	12:10	12:30	14:20	110
	2	Reading	14:10	14:20	15:30	15:10	15:20	16:30	14:40	14:50	16:00	70

※ China, etc. : China (including Hong Kong), Mongolia, Taiwan, the Philippines, Singapore, Brunei

※ Test time is according to local time / It is possible to register for and take both TOPIK I and TOPIK II on the same day.

※ The entire TOPIK I exam is given in one timed session.

Q9 How should test takers prepare for the new TOPIK?

A Here are some strategies to prepare for TOPIK I. TOPIK I only consists of 2 sections, listening and reading. As the vocabulary/grammar section has been taken out, the test may feel easier. However, it's not that the vocabulary/grammar is completely gone, because there are a few questions in the reading section. Furthermore, a good grasp of vocabulary/grammar will help you do well in the listening and reading sections. Therefore, it doesn't mean you should rule out vocabulary/grammar study altogether.

The most difficult part of the new TOPIK I is the reading. There are more questions than the old test, meaning test takers will have to read 40 longer texts. The question types haven't changed from the old test; only the number of questions has increased. Thus, it is necessary to practice answering all 40 questions in 60 minutes. You can check how many questions you answered in 1 hour by doing the practice tests in this book. If you can't finish the questions in time, practice reading the texts faster. For those of you who take longer to read a text, first read the questions, then the text. In this way, you will be able to answer the question while reading the text and thereby save time.

Here is how to strategically prepare for TOPIK II.

TOPIK II is for test takers in the intermediary·advanced level, so it may be difficult for those in the intermediary level. The most difficult thing is to answer the large number of questions within the given time. In case of the listening section, you must answer 50 questions in 60 minutes. What you need most is the ability to remain focused throughout the 60 minutes. As the listening questions continue for 1 hour without a break, you could become tired of listening and lose focus. For this reason, it is important to practice answering the listening questions for 1 hour. Test takers in the intermediary level should take the listening practice tests in this book.

Also, make your own listening strategy. Question 30 and onward are all at the advanced level, so some test takers could give up answering the questions from here. But because the test time is set, you must listen to the questions to the end. If you give up answering the advanced questions, you could use this time to start the writing section. As both the listening and the writing sections are worth 100 points each, if you find the advanced listening questions to be too difficult, you could spend more time on the writing section to bring up your score in writing. As the listening and the writing sections, lasting 60 minutes and 50 minutes respectively, are taken together for a total of 110 minutes in class 1, it will be strategic for test takers to spend more time on the writing section. However, keep in mind that this strategy is only valid if you haven't made any mistakes in the first part of the listening section.

The reading section of 50 questions must also be answered in 70 minutes. As the reading texts in the intermediary/advanced level become longer and deal with unfamiliar themes, you will find the questions increasingly difficult as you answer them. But don't give up and answer them with perseverance to the end. The key to intermediary level test takers receiving an advanced level result lies in the reading section. Therefore, intermediary level test takers must spend a lot of time practicing reading long texts and answering questions in 70 minutes. Practice answering the questions in this book multiple times.

Q10 How should the TOPIK II writing section be prepared for?

A There are 4 questions in the TOPIK II writing section. The first question is 'writing in the given format.' This requires writing a sentence according to different standardized forms that have contents related to everyday life. The given text gives many clues, so you can write the appropriate expression using them. Aim to receive a good score as the question is comparatively easy. You don't have to write a long sentence. The second question was also given in the old TOPIK that requires writing the appropriate sentence in the blank. It is important to understand the content and to write a sentence that flows with the sentences that come before and after it. This question will be familiar because it is similar to the question in the former test.

Questions 3 and 4 both require writing long answers. Question 3 provides contents for a graph. The aim is to complete a single paragraph by connecting the contents, so you must make sure the writing has logical flow by filling in the appropriate connecting expressions. Also, based on the given contents in the graph, you must complete the writing with your own thought. Test takers in the intermediary level won't find the writing section up to question 3 to be difficult. The advanced level test takers are distinguished from the intermediary level test takers in question 4 because those in the intermediary level aren't able to answer question 4 using ample content and expressions. The question provides the content that must be included in the writing. You must answer the question based on the given content, using the appropriate information, vocabulary, and grammar to support your writing. With sufficient practice, intermediary level test takers can answer the question, so practice hard with the questions in this book. Writing accurately is important, but the right content and usage of good expressions are even more important, so practice these in your writing.

신경향 문항 분석

Analysis of New Trend Questions

듣기 분석
Listening Analysis

 쓰기 분석
Writing Analysis

읽기 분석
Reading Analysis

듣기 Listening

대화에 알맞은 그림 고르기
Select the dialogue-related picture

Key Points

□ 그림, 도표를 먼저 보고 관련 표현을 떠올리면 보다 정확하게 답을 찾을 수 있습니다.
If you look at the pictures and graphs first and think of the related expressions, this will help you find the correct answer.

□ 도표의 제목을 바탕으로 지문의 내용을 추측할 수 있습니다.
You can get an idea of the content through the title of the graphs.

〔1~3〕 다음을 듣고 알맞은 그림을 고르십시오. 각 2점
Listen to the dialogue and select the appropriate picture.

여자: 손님, 어떠세요? 맘에 드세요?

남자: 줄무늬 셔츠가 이 검정 바지와 잘 안 어울리는 것 같은데요. 좀 불편하기도 하고요.

여자: 그러세요? 그럼 이 흰 셔츠로 갈아입어 보시겠어요?

1 ①  ❷

③  ④

Explanation

'대화에 알맞은 그림 고르기' 유형입니다. [1~2]는 대화가 3번은 독백이 제시됩니다. 남녀의 대화를 듣고 상황에 맞는 그림을 찾는 문제이고 독백은 내용과 관련 있는 차트·그래프를 찾으면 됩니다. 내용을 들으면서 그림과 관계가 있는 표현들을 확인할 수 있어야 합니다.

This is the '**Select the dialogue-related picture**' question type. Questions 1~2 are conversations, and question 3 is a speech. The conversations are between a man and a woman and these questions require finding the picture that is appropriate for the situation. The speech requires finding a chart/graph that is related to the content. While listening, you should be able to check the expressions that are related to the pictures.

문제 유형 2 이어지는 말 고르기
Select the following phrase

Key Points

□ 일상생활과 직장에서 자주 듣는 표현을 바탕으로 대화 상황을 파악하는 것이 중요합니다.
It's important to grasp the situation of the conversation based on the expressions used in everyday life and the workplace.

□ 서술어를 특히 주목해서 들어야 올바른 답을 고를 수 있습니다.
You will be able to find the correct answer if you listen carefully to the predicates.

(4~8) 다음 대화를 잘 듣고 이어질 수 있는 말을 고르십시오.　　　각 2점
Listen to the conversation and select the dialogue that could follow.

> 남자:　이제 거의 정리가 된 것 같다.
> 여자:　많이 힘들었지? 너무 고마워. 아마 나 혼자 이 많은 짐을 정리하려면
> 　　　　며칠은 걸렸을 거야.
> 남자:　＿＿＿＿＿＿＿＿＿＿＿＿＿＿＿＿＿＿＿＿

4　① 난 언제든지 괜찮아. 도와줄게.

　　② 바쁘면 못 도와줄 수도 있지. 뭐.

　　③ 미안해. 바빠서 못 도와줄 것 같아.

　　❹ 고맙기는. 친구 사이에 서로 도와야지.

Explanation

'**이어지는 말 고르기**' 유형입니다. 모두 대화로만 제시되고, 내용은 일상생활에서 일어나는 장면으로 전화 상황과 직장 장면이 하나씩 추가됩니다.

This is the '**Select the following phrase**' question type. They are all in conversation form and cover everyday situations, with one phone conversation and one workplace situation included.

이어서 할 행동 고르기
Select the following action

Key Points

□ 이어서 할 행동의 주체가 남자인지 여자인지를 먼저 파악해야 합니다.
Read the question carefully and identify who is going to be asked to perform the action.

□ 대화의 마지막 부분을 집중해서 듣는 것이 중요합니다.
It's important to listen carefully to the last part of the conversation.

〔9~12〕 다음 대화를 잘 듣고 남자/여자가 이어서 할 행동으로 알맞은 것을 고르십시오.
Listen carefully to the dialogue and select the action that the man/woman will take. 각 2점

남자: 어서 와. 집 찾기는 힘들지 않았어?

여자: 아니, 지하철역에서 가까워서 찾기 쉬웠어. 이렇게 많은 음식을 혼자
준비하려면 바빴겠다. 내가 뭐 도와줄 일 없어?

남자: 괜찮아. 거의 준비 끝났어. 근데 음식 냄새가 좀 나지 않아? 창문 좀 열까?

여자: 알았어. 환기 좀 시킬게.

---

9 ❶ 창문을 연다.   ② 상을 차린다.

   ③ 음식을 준비한다.   ④ 친구를 도와준다.

Explanation

'**이어서 할 행동 고르기**' 유형입니다. 남녀의 대화를 듣고 남자/여자가 이어서 할 행동을 찾는 문제입니다. 전체 대화 내용이
어떤 상황인지 먼저 파악해야 하고 마지막 남자/여자의 대화를 더 집중적으로 들어야 합니다. 마지막 남자/여자의 말이 끝
나고 바로 하는 행동이기 때문에 마지막 말이 가장 중요합니다.

This is the '**Select the following action**' question type. Listen to the conversation between the man and the woman and
select the action that the man/woman will take. You must first understand the situation of the whole conversation, and
focus more on the words of the last person to speak. The last words are the most important, as the action will immediately
follow the conversation.

세부 내용 파악하기
Understand the details

문제 유형
4

(Key Points)

☐ **문제를 먼저 읽어서 묻고자 하는 대상이나 핵심 어구를 꼭 기억해 두어야 합니다.**
Read the question first and take note of the target of the question or the main phrase.

☐ **지문에 등장했던 어휘를 사용한 오답에 속지 않도록 주의해야 합니다.**
Make sure you don't confuse the correct answer with answer choices that have the vocabulary used in the question.

〔13~16〕 **다음을 듣고 내용과 일치하는 것을 고르십시오.**　　　각 2점
Listen to the dialogue and choose the correct statement.

> 남자:　우리 일주일에 한두 번은 자전거로 출퇴근해 보는 건 어때?
>
> 여자:　자전거로? 그리고 싶기는 한데 난 자전거가 없어.
>
> 남자:　요즘 지하철역에서 자전거를 빌려 준대. 헬멧이랑 보호 장비들도 같이 빌려 준다던데.
>
> 여자:　그래? 그럼 한번 가 볼까? 근데 얼마래? 비싼가?
>
> 남자:　나도 안 빌려 봐서 정확하게는 모르겠는데, 아마 하루에 만 원쯤 하는 거 같아. 자세한 건 직접 가서 물어보자. 요 앞 지하철역에서도 빌려 준다고 들었어.

13　① 남자는 자전거로 출퇴근을 하고 있다.

　　② 지하철역에서는 무료로 자전거를 빌려준다.

　　❸ 남자는 아직 자전거를 빌려서 타 본 적이 없다.

　　④ 지하철역에 자전거를 맡기고 지하철을 탈 수 있다.

(Explanation)

'세부 내용 파악하기' 유형입니다. 텍스트의 형식은 대화와 독백이 2개씩 나오는데 개인적인 대화, 강의, 뉴스, 인터뷰가 각각 하나씩 출제됩니다. 강의의 경우, 공지사항이나 안내 등의 정보 전달이, 뉴스의 경우 아나운서가 일기 예보, 사건·사고를 전달합니다. 인터뷰의 경우는 기자가 질문을 하면 그것에 대한 본인의 생각, 의견을 말하고 있습니다. 전체적인 내용을 파악하고 내용과 일치하는 것을 고르는 문제입니다.

This is the **'Understand the details'** question type. The text is in the form of two conversations and two speeches, with one conversation, one lecture, one news feature, and one interview. The lecture is about delivering information such as an announcement or notice, and the news feature is a reporter giving the weather forecast or reporting on an incident/accident. The interview is about sharing one's thoughts or views on a question. You must understand the overall contents and select the corresponding answer.

문제 유형 5

중심 생각 고르기
Select the main idea

Key Points

☐ 문제를 먼저 읽어서 묻고자 하는 대상이 누구인지 꼭 기억해야 합니다.
Read the question carefully and identify which speaker the question is asking about.

☐ 대화의 첫 부분에 화제와 관련된 내용이 언급되는 경우가 많으므로 주의해서 들어야 합니다.
Listen carefully to the beginning of the conversation as the content related to the topic is usually mentioned first.

〔17~20〕 다음을 듣고 남자/여자의 중심 생각을 고르십시오.　　　　**각 2점**
Listen to the dialogue and select the main idea of the man/woman.

> 여자: 이번 방학에는 해외에 나가서 이것저것 많이 구경도 하고 경험도 하고 싶은데 경제적으로 여유가 없어서 못 할 것 같아.
>
> 남자: 다녀오고 싶으면 경제적으로 좀 어려워도 다녀와. 나중에 취직해서 직장 다니다 보면 일 때문에 시간이 별로 없어서 여행은 생각도 못 해. 경제적으로 힘든 건 학생이나 직장인이나 다 마찬가지고. 조금이라도 시간적으로 더 자유로운 학생 때, 여기저기 많이 다니면서 다양한 경험을 쌓는 게 좋다고 봐, 난.

17　① 무리하게 해외여행을 할 필요가 없다.
　　② 취직을 하면 해외여행을 할 기회가 많다.
　　❸ 시간 여유가 있을 때 다양한 경험을 쌓는 게 좋다.
　　④ 해외여행은 경제적으로 여유가 있을 때 가는 게 좋다.

Explanation

'**중심 생각 고르기**' 유형입니다. 텍스트 모두 대화이며 남자/여자가 어떤 문제·질문에 대해 어떤 생각이나 의견을 가지고 있는지 파악해야 합니다. 20번까지가 중급(4급)의 중(中) 정도의 난이도이기 때문에 중급 실력을 가진 학생들은 여기까지 집중해서 문제를 풀어야 합니다.

This is the '**Select the main idea**' question type. The entire text is a conversation, and you must grasp the opinion the man/woman has on a certain topic/question. The level of difficulty up to question 20 is about the middle of the intermediate level (level 4). Therefore, intermediate-level students should be more focused on answering questions up to here.

다양한 문제 유형 풀기

Solve a variety of questions

Key Points

□ 문제를 먼저 읽어 고유 명사나 특정 정보를 파악해야 두 문제를 한꺼번에 풀 수 있습니다.
  You will be able to answer both questions at once if you first read the questions and grasp the proper nouns or specific information.

□ 가장 많이 출제되는 유형은 '세부 내용 파악하기'입니다.
  The most common question type is 'Understand the details.'

〔25~30〕 다음을 듣고 물음에 답하십시오. 　　　　　　　　　　　　　　　　　　　各 2점
　　　　　　　Listen to the dialogue and answer the questions.

> 여자: 요즘은 회사 일 끝나고 자기계발을 위해 공부하는 직장인이 많아진 것 같아요.
> 남자: 그렇죠. 퇴근 후의 시간을 얼마나 잘 활용하느냐에 따라 미래가 달라질 수 있으니까요.
> 여자: 하지만 퇴근 후에 또 다른 공부는 휴식 시간을 빼앗는 거라고도 할 수 있지 않아요? 요즘 직장인들은 회사 일도 하고 퇴근 후에는 학원에 다니고 너무 피곤한 하루하루를 보내는 것 같아요.
> 남자: 저 같은 경우에는 오히려 퇴근 후 무슨 일을 하면서 바쁘게 지낼 때가 아무것도 안 할 때보다 시간이 더 많다고 느껴요. 피곤하다고 집에만 누워 있다 보면 시간이 정말 빨리 가는 것처럼 느껴지던데요.

25　남자의 중심 생각으로 맞는 것을 고르십시오.

　① 요즘 직장인들의 생활은 너무 피곤하다.
　② 퇴근 후에는 충분한 휴식을 갖는 것이 좋다.
　❸ 퇴근 후의 시간을 계획성 있게 보내야 한다.
　④ 바쁜 생활로 시간이 너무 빨리 가는 것 같다.

Explanation

21번부터 텍스트 하나에 두 개의 문항이 제시됩니다. 20번까지의 문항 유형들이 반복해서 출제가 됩니다. 텍스트 형식은 대화와 독백입니다. 텍스트의 종류는 개인적인 대화, 인터뷰, 토론, 축사, 연설 등 다양한 장르가 출제됩니다. 가장 많이 출제되는 문제는 '**세부 내용 파악하기**'이고 그 외 '**중심 생각 고르기**', '**남자/여자의 행동 파악하기**', '**남자/여자의 할 일 고르기**', '**이유·의견 파악하기**', '**남자/여자의 직업 파악하기**', '**주제 파악하기**', '**남자/여자의 태도 파악하기**' 유형입니다.

From question 21, each text will have two questions. The question types up to question 20 will appear again. The text type will be dialogues or speeches. The texts will be personal conversations, interviews, debates, congratulatory addresses, speeches, etc. The most often used question type is '**Understand the details.**' The other question types are '**Select the main idea,**' '**Understand the man/woman's action,**' '**Select the work the man/woman should do,**' '**Understand the reason/opinion,**' '**Find the man/woman's vocation,**' '**Grasp the theme,**' and '**Understand the man/woman's attitude.**'

전문적인 텍스트 이해하기
Understand the specialized content

Key Points

□ 고급 단계의 문제 위주로 구성되어 전문적이고 시사성이 있는 글이 제시됩니다.
As the questions are advanced, they are mainly about specialized themes or current affairs.

□ 지시문에 제시된 글의 장르를 미리 잘 파악해야 합니다.
Quickly grasp the genre of the given text.

〔37~50〕 다음은 교양 프로그램/대담/강연/다큐멘터리입니다. 잘 듣고 물음에 답하십시오. 각 2점

The following is an educational program/talk/lecture/documentary. Listen carefully and answer the questions.

> 여자: 박사님, 최근 일부에서는 간판 없는 가게나 브랜드 이름을 지운 상품이 새로운 마케팅 전략으로 나타나고 있다고 하는데요, 그 이유가 무엇입니까?
>
> 남자: 네, 요즘은 광고나 정보가 끊임없이 쏟아지는 시기잖아요. 그러한 정보의 홍수 속에서 오히려 자신의 존재를 숨기는 게 낫다는 생각에서 비롯된 전략이라고 할 수 있습니다. 이러한 마케팅 전략은 궁금증을 유발하게 하는 전략이 담겨 있다고 할 수 있겠습니다. 이러한 현상은 마케팅 경쟁이 과열되다 보니 상품의 광고나 브랜드를 신뢰하지 않는 사람들이 많다는 것으로 해석될 수도 있습니다. 즉, 사람들이 홍보보다는 품질과 서비스의 질을 더 중시하게 된 결과라고 할 수 있겠습니다.

37 남자의 중심 생각을 고르십시오.

① 마케팅 경쟁이 너무 과열화되었다.
② 요즘은 브랜드가 유명해야 성공한다.
③ 정보의 홍수 속에서 신중한 선택이 필요하다.
❹ 요즘은 광고보다는 상품의 질을 더 중요시한다.

38 여기에서 소개하고 있는 마케팅 전략의 내용과 일치하는 것을 고르십시오.

① 브랜드의 가치를 높여라.
❷ 고객의 호기심을 자극해라.
③ 끊임없이 고객에게 홍보해라.
④ 상품의 장점을 최대한 드러내라.

37번부터는 고급 단계로 5급 상(上), 6급에 해당하는 문제들이 시작되기 때문에 내용도 전문적이고 시사성이 짙은 텍스트가 제시됩니다. [21~36]번과 형태는 유사한데 다른 점은 지시문에 텍스트의 종류를 직접 제시하고 있다는 것입니다. 종류는 교양 프로그램과 다큐멘터리 방송, 사회자와 전문가의 대담, 전문 강사와 교수의 강연입니다. 한 텍스트에 두 개의 문항이 출제되고 두 개 중 하나는 '**세부 내용 파악하기**'이고 나머지 하나는 '**중심 생각 고르기**', '**앞/뒤의 내용 파악하기**', '**남자/여자의 의견, 생각 파악하기**', '**이유·의견 파악하기**', '**남자/여자의 태도 파악하기**' 유형입니다.

From question 37, it is the advanced stage with questions at levels 5 and 6. Therefore, the content is more specialized and deals with current affairs. The questions are similar to the question types of questions 21~36, but different in that the type of text is presented in the questions directly. The types are educational programs, documentary broadcasts, talks between an emcee and an expert, and lectures by experts and professors. For each text, there are two questions. One question is '**Understand the details**,' and the other is one of '**Select the main idea**,' '**Understand the previous/following content**,' '**Understand the man/woman's opinion or thought**,' '**Understand the reason or opinion**,' or '**Understand the man/woman's attitude**.'

쓰기 Writing

문맥에 맞는 문장 쓰기
Write a sentence appropriate to the context

> **Key Points**
>
> ☐ 글의 목적과 괄호 안에 들어가야 할 정보가 무엇인지 파악하는 것이 가장 중요합니다.
> It's important to grasp the purpose of the content and appropriate information for the blank.
>
> ☐ 조사나 철자 오류는 감점이 되므로 유의해야 합니다.
> Remember that points will be deducted for postpositional or spelling errors.
>
> ----
>
> **Tip** 쓰기 문제에 대하여 여러 명의 채점위원이 채점하여 점수를 내는데, 채점 시 중점적으로 보는 내용은 어휘와 문법의 사용 수준, 글쓰기 과제의 수행 여부 등입니다.
> The writing questions are scored by many test graders. The graders mainly look at the level of vocabulary and grammar, ability to carry out the writing task, etc.

[51~52] 다음을 읽고 ( )에 들어갈 말을 각각 한 문장씩으로 쓰십시오. `각 10점`
Read the text and fill in each ( ) with one sentence.

초대합니다.

한 달 전에 이사를 했습니다.

그동안 집안 정리 때문에 정신이 없었는데 이제 좀 정리가 됐습니다.

그래서 저희 집에서 (㉠ 집들이를 할까 합니다 / 집들이를 할 생각입니다).

(㉡ ○월 ○일 ○시에 와 주시겠습니까 / 다음 주 ○요일에 시간이 되십니까)?

그 시간이 괜찮으신지 연락 주시면 감사하겠습니다.

'**문맥에 맞는 문장 쓰기**' 유형입니다. 글의 종류와 문맥에 맞는 문장을 하나 또는 두 개를 쓰는 문제입니다.

51번 문항은 초대장, 카드, 안내장, 신청서 등의 서식이 있는 글이 출제됩니다. 먼저 글의 목적을 파악하는 것이 중요합니다. 초대하는 글에서 초대의 목적이 무엇인지, 신청서를 작성할 때는 무엇을 신청하는지를 알아야 목적에 맞는 어휘를 넣어 문장을 쓰게 됩니다. (예 집들이, 돌잔치, 도서 대출, 문화센터 회원 가입 등) 그리고 서식에 꼭 들어가야 하는데 빠져 있는 정보가 괄호로 되어 있습니다. 이 부분의 내용을 정확한 표현으로 작성하면 됩니다. 글의 목적과 빠진 정보가 무엇인지 파악하는 것이 가장 중요합니다.

52번 문항은 짧은 서술문이 제시되는데 기존 TOPIK 쓰기 문제 유형과 같습니다. 글의 내용을 파악한 후 괄호 앞의 내용과 논리적으로 연결이 되도록 문장을 작성해야 합니다. 괄호 앞에 접속부사가 있을 경우 그것을 이용해서 문맥에 맞는 문장을 쓰도록 합시다.

This is the '**Write a sentence appropriate to the context**' question type. It requires writing one or two sentences that are appropriate to the context and the type of writing.

Question 51 is a text with a format, such as an invitation, a card, a notice, or an application form. It is important to grasp the purpose of the text. You must understand the purpose of the invitation or application to write the sentence using the appropriate vocabulary. (Ex housewarming party, birthday party, borrowing books from the library, applying for membership to a cultural center). Moreover, content that must be included in the form but is missing is in parentheses. You need to write the content using accurate expressions. It is most important to grasp the purpose of the text and the missing information.

Question 52 is a short declarative sentence and is the same question type as the existing TOPIK writing questions. After grasping the content, you must write the sentence to be logically coherent to the content before the parentheses. If there is a conjunctive adverb before the parentheses, use the adverb to write the sentence in the appropriate context.

주어진 정보를 이용한 글쓰기
Write with the given information

Key Points

□ 주어진 정보를 그대로 옮겨 써서는 안 됩니다.
You must not copy the given text.

□ 반드시 개요 작성을 먼저 한 후, 글을 이어가야 합니다.
Make sure to write after you have an outline.

〔53〕 다음 표를 보고 (인터넷의 장단점)에 대해서 쓰고, (인터넷을 잘 이용하)기 위해서
는 어떻게 해야 하는지 200~300자로 쓰십시오.　　30점

Look at the chart and write about (the pros and cons of the internet), then write about what needs to
be done (to use the internet well). Write in 200~300 characters.

인터넷의 장단점	
인터넷의 장점	인터넷의 단점
① 정보를 빠르게 검색할 수 있다. ② 언제든지 쇼핑을 편리하게 할 수 있다.	① 믿을 수 없는 거짓 정보가 많다. ② 인터넷에 중독이 될 수 있다.

〈원고지 쓰기 예〉

한	국		사	람	은		'	우	리	'	라	는		말	을		자	주
쓴	다	.		이	는		가	족	주	의	에	서		비	롯	되	었	다	.

Explanation

'**주어진 정보를 이용한 글쓰기**' 유형입니다. 쓰기 과제로 제시된 정보가 간략하게 표로 제공됩니다. 이 정보를 이용해서 완성된 글을 써야 합니다. 가장 중요한 것은 주어진 정보가 간략한 단문으로 되어 있는데 이것을 그대로 옮겨 쓰기를 하면 안 된다는 것입니다. 이 단문을 한 문장으로 연결하여 장문으로 작성해야 합니다. 글의 구성은 '머리말, 가운데, 맺음말'로 만듭니다. 머리말은 도입으로 글의 주제(인터넷)에 대해 간략하게 설명을 하고, 가운데 부분은 표를 보고 주어진 문장(인터넷의 장단점)을 연결해서 한 단락으로 글을 씁니다. 마지막 맺음말에는 자신의 의견이 들어가야 합니다. 무작정 자신의 의견을 쓰는 것이 아니라 무엇을 써야 하는지도 지시문에 제시되어 있습니다(인터넷 이용 방법). 주어진 정보를 논리적으로 잘 연결하여 완성된 글을 작성하면 좋은 점수를 받을 수 있습니다.

원고지 분량 200~300자를 채우는 것이 좋습니다. 대략 250자 정도는 작성하도록 합시다. 문어체로 작성하고 어휘와 문법도 정확하게 써야 합니다. 제목은 작성하지 않고 서론-본론-결론으로 글을 완성합니다.

This is the '**Write with the given information**' question type. The information given for the writing task is provided in a simple chart. You must use the information to complete a piece of writing. The information is given in short sentences, and it is the most important that you don't simply copy them. You must make the short sentences into long ones. The writing should be organized with 'an introduction, a body, and a conclusion.' The introduction should give a simple summary of the theme (internet). The body should be in one paragraph and linked to the given sentence (pros and cons of the internet) from the chart. The conclusion can include your thoughts, but do not make that the focus of your writing. The question tells you what you must write about (method of using the internet). You will score high if you write a complete piece with a logical flow.

It is ideal to write 200~300 characters. Aim to write about 250 characters. Write in literary style, using accurate vocabulary and grammar. Without a title, write in introduction-body-conclusion format.

♣ 한국어능력시험 작문 채점 기준 TOPIK Scoring Criteria of the Writing Section

구분 Type	채점 근거 Criteria of Scores
내용 및 과제 수행 Content & Task Fulfillment	① 주제에 맞게 글을 완성하였는가? ② 제시된 내용을 모두 포함하고 있는가? ③ 내용을 풍부하고 다양하게 표현하였는가? ① Has the writing been completed in accordance with the theme? ② Does it include all the given content? ③ Is the content sufficiently and diversely expressed?
글의 전개 구조 Structure	① 시작과 마무리를 적절하게 구성하였는가? ② 내용의 전환에 따라 문단을 적절히 구성하였는가? ③ 단락 간의 연결이 긴밀하며 자연스러운가? ① Are the beginning and end adequately structured? ② Are the paragraphs appropriately composed? ③ Do the paragraphs connect and flow in a natural way?
언어 사용 Use of language	중·고급 수준의 어휘와 문법을 다양하게 사용하였는가? 중·고급 수준의 어휘와 문법을 정확하게 사용하였는가? Has the writing used a diverse range of intermediate/advanced level vocabulary and grammar? Has the writing accurately used intermediate/advanced level vocabulary and grammar?
사회언어학적 기능 Sociolinguistic function	문어적 특징이 드러나는 어휘나 문법(종결형, 어미, 조사 등)을 사용해 문어의 특성을 살려 글을 썼는가? Does the writing use the appropriate vocabulary and grammar (final form, ending, postposition, etc.) for the written language and make full use of the characteristics of the written language?

문제 유형 3 주제에 맞는 글쓰기

Write in accordance with the theme

> **Key Points**
>
> ☐ 반드시 들어가야 하는 항목들을 먼저 확인한 뒤, 주제에 맞게 글을 써야 합니다.
>
> First check the information that must be included and then write in accordance with the theme.
>
> ☐ 타당한 근거를 바탕으로 주장하는 글을 써야 하며, 문어체로 작성해야 합니다.
>
> Write an opinion writing based on explanation to back the opinion, and write in literary style.

[54] 다음을 주제로 하여 자신의 생각을 600∼700자로 글을 쓰십시오. [50점]

Write your thoughts on the given theme using 600~700 characters.

> 최근 세계적으로 환경오염을 줄이기 위해 많은 노력을 기울이고 있습니다. 환경오염을 줄일 수 있는 효과적인 방법에 대해 아래의 내용을 중심으로 주장하는 글을 쓰십시오.

> • 환경오염으로 인해 어떤 문제가 생기고 있습니까?
> • 환경오염을 줄이기 위해 어떤 노력이 필요합니까?
> • 사람들이 실천할 수 있는 효과적인 방법은 무엇입니까?

〈원고지 쓰기 예〉

	한	국		사	람	은		'	우	리	'	라	는		말	을		자	주
쓴	다	.		이	는		가	족	주	의	에	서		비	롯	되	었	다	.

기존 토픽의 작문 문제로 '**주제에 맞는 글쓰기**' 유형입니다. 주어진 주제에 맞게 반드시 들어가야 할 항목들을 체크하면서 논리적으로 글을 작성해야 합니다. 쓰기 과제에 어떤 주제와 내용이 포함되어야 하는지 제시되어 있습니다. 그렇기 때문에 가장 중요한 것은 글의 구성입니다. 논리적인 글이 되기 위해 개요 작성을 간략하게 하고 글쓰기를 하는 것이 효과적입니다. '머리말, 가운데, 맺는말'로 구성되며, 머리말은 전체적인 글을 시작하기 위해 주제에 관한 일반적인 현황, 전반적인 경향에 대해 서술합니다. 가운데 부분은 주어진 질문에 해당하는 내용으로 몇 단락으로 구성할지 결정해서 작성해야 합니다. 세 가지 질문에 두 가지는 가운데, 마지막 질문에 해당하는 내용은 맺는말로 구성하면 됩니다. 혹은 마지막 질문까지 가운데로 하고 맺는말에는 자기의 의견으로 마무리해도 좋습니다. 다만 글을 풍부하게 하기 위해 관련 지식이 있어야 하기 때문에 전문적, 시사적인 문제에 관해 관심을 갖고 스크랩해 두는 것이 좋습니다. 읽기 영역의 내용들도 쓰기 영역에서 좋은 정보가 될 수 있습니다.

원고지 분량 600~700자를 채우는 것이 좋습니다. 대략 650자 정도는 작성하도록 합시다. 주장하는 글은 자기의 주장과 그 주장의 뒷받침해 주는 설명이 타당해야 합니다. 이 점을 확실히 드러나게 글을 쓰도록 합시다. 더불어 쓰기이기 때문에 말하듯이 구어체로 작성하면 감점이 있습니다. 문어체로 작성하고 어휘와 문법도 정확하게 써야 합니다. 제목은 작성하지 않고 서론-본론-결론으로 글을 완성합니다. 여기서도 어휘와 문법을 정확하게 써야 합니다.

This is the '**Write in accordance with the theme**' question type that already exists in TOPIK. You must write logically, checking the list of contents in accordance with the theme that must be included. The theme and contents that need to be included are given in the question. Therefore, the organization of the writing is most important. For a logical piece of writing, it is efficient to first write a simple outline. In the 'introduction, body, conclusion,' the introduction, to begin the writing, should include general information and overall trends of the theme. The body should be about the given question and written after you decide on the number of paragraphs. Of the three questions, two should be answered in the body and the last answered in the conclusion. Another option is to include all three questions in the body, then write your own thoughts in the conclusion. Only remember that in order for the writing to be rich in content, you must include a lot of information. To this end, it will be helpful to read and even collect articles on specific topics and current affairs. Contents in the Reading section will also be useful information for the Writing section.

It is ideal to write 600~700 characters. Aim to write about 650 letters. An opinion writing should include your opinion and an explanation to back the opinion, which must all be valid information. Make sure to show this clearly in your writing. Furthermore, as this is the Writing section, points will be deducted if you write in colloquial style. Write in literary style, using accurate vocabulary and grammar. Without a title, complete the writing in introduction-body-conclusion format. Again, use accurate vocabulary and grammar.

읽기 Reading

 문장에 맞는 어휘·문법 고르기
Select the appropriate vocabulary & grammar

> **Key Points**
>
> □ **제시된 문장을 읽고 어떤 문법 또는 어휘를 묻고 있는지 파악해야 합니다.**
>   First read the given sentence, then grasp the grammar or vocabulary that is being asked.
>
> □ **중급 문법을 의미와 기능별로 미리 공부해 두는 것이 중요합니다.**
>   It's important to study intermediate grammar by meaning and function before taking the exam.

〔1~2〕 ( ) 안에 들어갈 가장 알맞은 것을 고르십시오.　　　　　　　 각 2점
　　　　　 Select the appropriate phrase for ( ).

> 방금 들은 전화번호를 ( ) 수첩에 빨리 적었다.

1　 ① 생각할수록　　　　　　② 기억할 테니

　　　 ③ 떠올리느라고　　　　　**❹ 잊어버릴까봐**

> **Explanation**

'문장에 맞는 어휘·문법 고르기' 유형입니다. 기존 토픽의 어휘·문법 문제입니다. 중급에 해당하는 문법들이 출제됩니다. 문장에서 나타내고자 하는 의미에 가장 적합한 문법 항목을 찾으면 됩니다. 중급 문법을 의미와 기능별로 공부해 둡시다.

This is the **'Select the appropriate vocabulary & grammar'** question type. It is an existing TOPIK vocabulary/grammar question. Intermediate-level grammar is used. You must find the phrase with the most appropriate grammar for the meaning of the sentence. Study the intermediate-level grammar in terms of meaning and function.

문제 유형 2 비슷한 의미의 표현 고르기
Select the expression closest in meaning

> **Key Points**

□ 문장의 의미를 정확하게 파악해야 비슷한 의미의 다른 표현을 찾을 수 있습니다.
  You will be able to find the similar meaning and expressions only if you fully understand the meaning of the sentence.

□ 관용 표현 및 의미가 유사한 표현을 미리 익혀 두는 것이 좋습니다.
  It will be helpful to study common expressions and expressions with similar meanings.

〔3~4〕 다음 밑줄 친 부분과 의미가 비슷한 것을 고르십시오. 각 2점
Select the phrase that has the closest meaning to the underlined.

> 산 지 오래된 옷이기는 하지만 한두 번밖에 입지 않아서 <u>새 옷이나 마찬가지다.</u>

2 ① 새 옷일 게 뻔하다   ❷ 새 옷이나 다름없다

   ③ 새 옷에 지나지 않는다   ④ 새 옷이라고 볼 수 없다

> **Explanation**

'**비슷한 의미의 표현 고르기**' 유형입니다. 기존 토픽의 어휘·문법 문제입니다. 대화 형태로 제시된 문제들이 한 문장으로 출제됩니다. 밑줄 친 부분과 바꿔 쓸 수 있는 표현을 고르는 문제입니다. 유사 의미의 표현들을 공부해야 합니다.

This is the '**Select the expression closest in meaning**' question type. It is an existing TOPIK vocabulary/grammar question. These are dialogue form questions that are given as a single sentence. You must find the expression that can replace the underlined part. Study expressions with similar meanings.

핵심 내용 고르기
Select the main idea

Key Points

☐ 표어, 광고지, 전단지에서 주로 사용하는 어휘를 익혀 두는 게 좋습니다.
   It will be helpful to study vocabulary that is used in slogans, advertisements, and flyers.

☐ 글의 주제를 드러내는 핵심 단어를 찾는 것이 중요합니다.
   It's important to find the key words that reveal the theme.

[5~8] 다음은 무엇에 대한 글인지 고르십시오. [각 2점]
Select what the text is about.

지역별 평균 집값, 전세금을 알면 **살** 곳이 보인다!

5   ① 은행   ② 저축   ③ 컴퓨터   ❹ 부동산

Explanation

'**핵심 내용 고르기**' 유형입니다. 표어, 광고지, 전단지의 글을 읽고 글의 주제를 찾는 문제입니다. 글에서 주제를 드러내는 핵심적인 단어를 찾는 것이 중요합니다. 그 단어는 대부분 제목에서 강조되어 있으니 문제를 풀 때 힌트가 될 수 있습니다.

This is the '**Select the main idea**' question type. You must find the theme of the slogan, advertisement, or flyer. It is important to find the main words that reveal the theme. Most of those words are emphasized in the title, so this may help to answer the question.

세부 내용 파악하기 Ⅰ
Understand the details

Key Points

☐ 문장 형태가 아닌 단어, 숫자를 통해 내용을 파악할 수 있어야 합니다.
　 You must be able to understand the content by looking at the words and numbers, not the sentences.

☐ 보기와 관련된 부분을 찾아서 세부 내용을 대조해 보는 것이 좋습니다.
　 It will be helpful to find the part related to the given text and compare the details.

[9~12] 다음 글 또는 도표의 내용과 같은 것을 고르십시오. 　　　　각 2점
　　　　Select the answer with the same content as the text or chart.

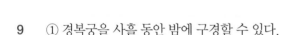

경복궁 야간 개장

◆ 기간: 2013년 5월 22일 (수) ~ 5월 26일 (일)

◆ 시간: 저녁 6시 30분~ 10시 (입장 마감: 저녁 9시까지)

◆ 관람료: 3천 원 (65세 이상 노인, 18세 이하 청소년 무료)

◆ 인터넷 예매: 관람 당일 오후 2시 30분까지 가능

◆ 기타: 26일 관람권은 인터넷 예매 3천 명까지만 접수 받을 예정임

9　① 경복궁을 사흘 동안 밤에 구경할 수 있다.

　② 25일 밤에는 경복궁 야간 개장을 하지 않는다.

　❸ 밤에 경복궁을 구경하려면 저녁 9시까지 가야 한다.

　④ 관람하려고 하는 날에는 언제든지 인터넷으로 예매하면 들어갈 수 있다.

Explanation

'세부 내용 파악하기' 유형입니다. 텍스트는 글 또는 도표로 안내문, 도표, 기사문, 설명문이 제시됩니다. 보기의 문장을 읽으면서 글 또는 도표의 내용을 확인합시다.

This is the 'Understand the details' question type. The text is a piece of writing or a chart with an announcement, chart, article, or notice. Read the given sentences and check the content of the text or chart.

문제 유형 5

순서대로 문장 나열하기
Put the sentences in the correct order

> **Key Points**
>
> □ 두 개의 문장이 고정되어 제시되기 때문에, 이를 바탕으로 다음 내용을 추측해야 합니다.
>   As the answer choices present two choices for the first sentence, you must deduce the content based on this.
>
> □ 문장에서 보이는 접속부사나 부사 등으로 문장 간의 관계를 파악할 수 있습니다.
>   You must be able to grasp the relationship between the sentences using the conjunctive adverb, adverbs, etc. of the sentences.

[13~15] 다음을 순서대로 맞게 나열한 것을 고르십시오.
Select the answer with the correct order.

각 2점

> (가) 따라서 경찰은 당분간 이 제도를 계속 실시할 계획이다.
>
> (나) 얼마 전부터 음주운전자를 112에 신고하면 신고포상금을 주고 있다.
>
> (다) 음주운전 신고포상금제도를 실시한 후에 음주운전이 크게 줄었다.
>
> (라) 또한 교통사고도 감소하는 효과가 나타나고 있다.

13 ❶ (나) – (다) – (라) – (가)   ② (다) – (라) – (나) – (가)

③ (나) – (다) – (가) – (라)   ④ (다) – (가) – (라) – (나)

Explanation

'**순서대로 문장 나열하기**' 유형입니다. 네 개의 문장을 내용에 맞게 순서대로 나열한 것을 고르는 문제입니다. 담화표지(그래서, 그러나 ……)가 힌트가 될 수 있습니다. 그리고 보기에서 두 개의 문장이 고정되어 제시되기 때문에 둘 중에 하나가 첫 번째 순서가 됩니다.

This is the '**Put the sentences in the correct order**' question type. You must choose the answer that arranges the four sentences in the correct order based on the contents. Look for discourse markers (therefore, but, etc.) to help arrange the order. Also, only two options are given for the first sentence, so one of them will be first.

문맥에 맞는 내용 고르기 Ⅰ
Select the appropriate content in context

Key Points

□ 먼저 전체 글이 어떤 내용인지 빠르게 파악합니다.
  It's important to first grasp the content of the entire text quickly.

□ 괄호가 포함된 문장을 정확히 이해한 뒤, 알맞은 답을 골라야 합니다.
  After understanding what should go in parentheses, select the appropriate answer.

〔16~18〕 다음을 읽고 (　　)에 들어갈 내용으로 가장 알맞은 것을 고르십시오.　각 2점
Read the text and select the most appropriate phrase for (　　).

> 어느 한 도시에서 재활용 쓰레기가 잘 모이지 않아서 고민이었다. 그러다가 누군가 평범한 재활용 통을 곰 인형 모양으로 바꿔 보자고 제안하였다. 그 후 재활용 쓰레기가 전보다 많이 모이기 시작했다. 특히 아이들이 열심히 재활용 쓰레기를 모으기 시작했는데 (　　　　　　　　　　　　).

16　① 재활용 문제가 심각해졌기 때문인 것 같다
　　② 재활용 쓰레기봉투가 많아졌기 때문인 것 같다
　　③ 재활용 쓰레기의 중요성을 이해했기 때문인 것 같다
　　❹ 재활용 쓰레기를 모아 버리는 일이 재미있어졌기 때문인 것 같다

Explanation

'문맥에 맞는 내용 고르기' 유형입니다. 기존 토픽에서 출제된 유형입니다. 전체 글의 내용을 파악한 후 괄호 앞의 내용과 논리적으로 연결이 되게 맞는 내용을 선택하면 됩니다.

This is the 'Select the appropriate content in context' question type. It is an existing TOPIK question type. After grasping the overall content of the text, select the answer that will logically follow the information before the parentheses.

신경향 문항 분석 | 읽기　47

내용과 일치하는 답 고르기

Select the answer in accordance with the content

Key Points

□ **지문 하나에 두 개의 문제를 풀어야 하기 때문에 시간 관리가 중요합니다.**
As you must answer two questions for each text, it's important to manage the time.

□ **지문을 끝까지 읽지 않고 풀 수 있는 문제를 먼저 풀면 시간을 단축할 수 있습니다.**
You can save time by first answering the question for which you don't have to read the entire text.

〔19~24〕 다음을 읽고 물음에 답하십시오.   각 2점
Read the text and answer the questions

> 디지털 기계 덕분에 우리의 생활은 전보다 많이 편해졌다. 모르는 것이 있어도 컴퓨터에서 바로 찾아볼 수 있고 힘들게 전화번호를 외울 필요도 없다.
> (   ) 디지털 기계 사용이 지나치게 늘어나면서 뇌를 사용하지 않는 부작용도 생겼다. 뇌를 자꾸 사용하지 않으면 기억력이나 계산 능력이 점점 떨어지게 된다. 마치 높은 건물을 오를 때 계단 대신 엘리베이터를 이용하기 때문에 다리가 약해지는 것과 같다.

20 이 글의 내용과 같은 것을 고르십시오.

① 시간이 지날수록 디지털 기술을 더 발전시켜야 한다.
② 디지털 기술이 발달할수록 엘리베이터 대신 계단을 사용해야 한다.
❸ 디지털 기술이 발달할수록 뇌를 더 많이 사용하는 습관을 길러야 한다.
④ 디지털 기술이 발달할수록 뇌를 사용하지 않기 때문에 컴퓨터 사용법을 익혀야 한다.

Explanation

[19~24]까지는 텍스트 하나에 문항이 두 개가 제시됩니다. 중급(4급)의 중(中)~상(上) 정도의 문제가 출제되고 문제 유형은 **'세부 내용 파악하기'**, **'중심 생각 고르기'**로 내용과 일치하는 것을 고르는 문제가 나옵니다. 그리고 **'문장에 알맞은 어휘 고르기'** 유형으로 부사와 관용 표현 문제가, **'글쓴이의 태도·심정 파악하기'** 유형으로 밑줄 친 부분에 글쓴이의 기분을 묻는 문제가 출제됩니다.

Questions 19~24 will have two questions for each text. The questions will be at the middle of the intermediate level (level 4). The question types will be **'Understand the details'** and **'Select the main idea'** that requires selecting the answer in accordance with the content. Furthermore, the other given question types are **'Select the appropriate phrase for the sentence,'** which focuses on adverbs and idiomatic expressions, and **'Grasp the writer's attitude or feelings,'** which asks about the writer's feeling in the underlined part.

내용과 일치하는 답 고르기
Select the answer in accordance with the content

문제 유형 8

Key Points

☐ 신문 기사의 축약된 제목을 보고 잘 해석한 문장을 찾아야 합니다.
You must find the sentence understood after reading the newspaper headlines.

☐ 명사형의 제목이 갖는 의미를 앞뒤 문구의 내용에 따라 잘 파악해야 합니다.
You must grasp the meaning of the noun form title through the preceding and subsequent words.

〔25~27〕 다음은 신문 기사의 제목입니다. 가장 잘 설명한 것을 고르십시오. 〔각 2점〕
The text is the title of a newspaper article. Select the statement that best explains it.

> 물놀이 철, 방수 전자 제품 출시 '속속'

25 ❶ 방수 전자 제품들이 물놀이 시기에 때맞춰 잇따라 나왔다.

② 물놀이 시기에 나온 방수 전자 제품들의 인기가 매우 높다.

③ 물놀이 시기이지만 방수 전자 제품들은 조금 늦게 나올 예정이다.

④ 방수 전자 제품들이 물놀이 시기에 나왔으나 잘 판매되지 않고 있다.

Explanation

'제목 보고 내용 파악하기' 유형입니다. 신문 기사의 축약된 제목을 보고 잘 해석한 문장을 찾는 문제입니다. 신문 기사의 제목은 완전한 문장 형태가 아닌 명사형으로 끝나거나 강조하고픈 부분만 뽑아서 제시하기 때문에, 앞뒤 문구의 내용을 잘 파악하는 것이 중요합니다.

This is the 'Grasp the content by the title' question type. You must find the sentence that has well interpreted the concise title of the newspaper article. The title isn't a full sentence, but ends with a noun or only provides the part it wants to emphasize. Therefore, it is important to grasp the content of the previous and following phrases.

신경향 문항 분석 | 읽기

문제 유형 9

문맥에 맞는 내용 고르기 II
Select the appropriate content for the context

〔28~31〕 다음을 읽고 (　　)에 들어갈 내용으로 가장 알맞은 것을 고르십시오. 〔각 2점〕
Read the text and select the most appropriate phrase for (　　).

> 해마다 전국 각지에서 관광객을 유치하기 위해 그 지역의 이름을 내건 축제들을 개최하고 있다. 그런데 실제로 지역 축제들이 서로 별반 다르지 않다. 그 지역만의 특색을 나타내기는커녕 (　　　　　　　　　　　) 있는 실정이다. 또 축제의 원래 취지와 맞지 않는 프로그램들로 구성되기도 한다.

28 ① 홍보하는 데 지출을 많이 하고
   ❷ 인기 있는 축제를 그대로 따라하고
   ③ 개성 있는 축제의 필요성을 깨닫고
   ④ 준비 기간에 들이는 시간을 허비하고

문제 유형 10 세부 내용 파악하기 II

Select the appropriate content for the context

> **Key Points**
>
> □ 난이도가 높지만 비교적 짧은 글이 제시됩니다.
>   The text is difficult but comparatively short.
>
> □ 저빈도의 어휘들이 나오므로 문맥을 통해 단어의 의미를 유추할 수 있는 능력을 길러야 합니다.
>   Develop the ability to infer the meanings of words from the context, as the text included uncommon vocabulary.

[32~34] 다음을 읽고 내용이 같은 것을 고르십시오. 각 2점

Read the text and select the answer with the same content.

> 인간의 목소리는 허파에서 나온 공기가 입, 코 등을 통과하면서 발생하는 것이다. 개개인의 목소리는 신체 구조와 습관, 경험에 따라 형성되는 고유한 파장이 있다. 이것이 바로 목소리 지문인데 이를 통해 인간의 심리 상태와 성격, 건강 상태까지 파악할 수 있다. 따라서 최근에는 음성 신원 확인 시스템과 범인 확인 증거로 이용되고 있다.

32 ① 목소리는 심장에서 입, 코를 거쳐 발생한다.

② 목소리 파장은 신장, 체중, 피부색에 따라 다르다.

❸ 목소리에는 고유한 파장이 있어 그 사람의 상태를 알 수 있다.

④ 목소리 파장으로 건강 상태를 알 수는 없지만 범인 확인에는 유용하다.

> **Explanation**
>
> '**세부 내용 파악하기**' 유형입니다. [9~12]의 유형과 같지만 텍스트는 짧은 글만 제시됩니다. 고급(5급) 중상 수준의 전문적, 추상적 내용의 설명문과 보고문이 제시됩니다. 난이도가 높고 저빈도의 어휘들이 출현하기 시작하기 때문에 어려울 수 있습니다.
>
> This is the '**Understand the details**' question type. It is the same question type as questions 9~12, but the text is only in the form of short writing. Expository writing and reports with expert, abstract contents at the intermediate to advanced level (level 5) are given. They may be difficult as the level is advanced with rare vocabulary.

주제 고르기
Select the theme

〔35~38〕 다음 글의 주제로 가장 알맞은 것을 고르십시오.   각 2점
Select the answer that is most appropriate as the theme of the text.

> 운하는 배를 운항하기 위해 인공적으로 만든 물길이다. 이 물길은 옛날에 곡물과 생필품을 각 지역에 신속히 실어 나르기 위해 건설된 것이다. 그러나 이것은 각 지역의 수로를 따라 이어져 있어 전국을 하나로 통합해 주는 기능이 있으므로 강력한 정치적 상징이기도 했다. 또 각 지방의 풍습들을 받아들여 전파해 주는 문화의 통로 역할도 하였다.

35   ① 운하는 국민들의 생존을 책임지는 중요한 도구였다.

　　 ② 운하는 정치적 기능을 담당했지만 부차적인 것이었다.

　　 ❸ 운하는 실용적 기능 이상의 여러 가지 의미를 지녔다.

　　 ④ 운하는 문화적 다양성을 인식하게 되는 계기가 되었다.

문제 유형 12 문장 위치 파악하기
Find the sentence location

Key Points

□ 글의 논리적 흐름상 주어진 문장이 위치하기에 가장 적절한 곳을 찾아야 합니다.
  You must find the most appropriate place for the sentence in the logical flow of the text.

□ 문장에서 보이는 접속부사가 힌트가 될 수 있습니다.
  The conjunctive adverbs in the sentences can be clues.

〔39~41〕 다음 글에서 〈보기〉의 문장이 들어가기에 가장 알맞은 곳을 고르십시오. 각 2점
Find the most appropriate place for the given sentence in the text.

폭우가 쏟아지면 모기는 25초에 한 번꼴로 빗방울을 맞는다. (㉠) 이때 모기는 빗방울이 떨어지면서 중력 가속도의 100배에서 300배나 되는 큰 충격을 받게 된다. (㉡) 하지만 모기는 무게가 매우 가벼워 공기에 대한 저항력이 거의 없기 때문에 아무런 외상도 입지 않는다. (㉢) 공중에 떠 있는 풍선을 손으로 아무리 쳐도 터지지 않는 것과 유사한 원리이다. (㉣)

〈 보 기 〉

무게로 따지면 사람을 덮친 자동차와 거의 다름없는 것이다.

---

39 ① ㉠   ❷ ㉡   ③ ㉢   ④ ㉣

Explanation

'문장 위치 파악하기' 유형입니다. 글에서 가장 알맞은 위치를 찾아 문장을 넣는 문제입니다. 글의 논리적 흐름을 파악해야 합니다. 보기의 문장에서 접속부사가 힌트가 될 수 있으니 잘 이용합시다.

This is the **'Find the sentence location'** question type. You must find the most appropriate place for the sentence in the text. To this end, you must grasp the logical flow of the text. The conjunctive adverb of the given sentence may help you.

다양한 문제 유형 풀기

Solve a variety of questions

Key Points

□ 고급 수준의 문항이 한 글에 두 개가 제시되므로, 시간 관리에 주의해야 합니다.
As two advanced level questions are given for each text, it's important to manage the time.

□ 기사문, 논설문의 기본 구성을 알아 두면 글의 흐름을 예상할 수 있습니다.
If you know the basic constructions of articles and rhetorical writing, you can get the flow of the text.

〔42~50〕 다음을 읽고 물음에 답하십시오.   각 2점

Read the text and answer the questions.

황철이는 우선 입장권을 사 가지고 와 우리에게 한 장씩 나눠 주며 명령을 하는 것이다. 즉 우리들이 넷으로 나뉘어서 앉아 있다가 우리 악사만 나오거든 덮어놓고 손바닥을 치며 재청이라고 악을 쓰라는 것이다. 그러면 암만 심사위원이라도 청중을 무시하는 법은 없으니까 일등은 반드시 우리의 손에 있다고. 그러나 다른 악사가 나올 적에는 손바닥은커녕 아예 끽소리도 말라고.

"알았지, 응?" (중략)

얼마쯤이나 잤는지는 모르나 옆의 황철이가 흔들어 깨워 고개를 들어 보니 비로소 우리 악사가 등장한 걸 알았다. 중학 교복으로 점잖게 바이올린을 켜고 서 있는 모습이 귀엽고도 한편 앙증맞아 보인다. 나는 졸음을 참지 못하여 눈을 감은 채 손바닥을 서너 번 때렸으나 그러나 잘 생각하니까 다른 애들은 다 가만히 있는데 나만 치는 것이 아닌가. 게다가 황철이가 옆을 콱 치면서,

"이따 끝나거든."

하고 주의를 주므로 나도 정신이 좀 들었다. 나는 그 바이올린보다도 응원에 흥미를 갖고 얼른 끝나기만 기다렸다.

---

42 밑줄 친 부분에 나타난 황철이의 말투로 알맞은 것을 고르십시오.

➀ 퉁명스럽다

② 능청스럽다

③ 의아스럽다

④ 익살스럽다

43 이 글의 내용과 같은 것을 고르십시오.

➀ 나는 공연보다 응원에 마음이 쏠려 있었다.

② 친구들은 모두 공연장 한곳에 모여 앉았다.

③ 황철이는 공연이 끝나기도 전에 박수를 쳤다.

④ 심사위원은 공연 중 관객의 재청 요구를 금지했다.

Explanation

42번부터 한 텍스트에 문항이 두 개 제시됩니다. 고급(6급) 수준의 난이도 중상에 해당하는 문항들이 출제됩니다. 텍스트의 종류는 문학인 소설, 전문적 내용의 기사문, 시사성이 있는 내용의 논설문이 제시되고 문항 유형은 '**세부 내용 파악하기**'가 가장 많이 출제됩니다. 그 외에는 '**필자의 태도 파악하기**', '**심정 파악하기**', '**제목 고르기**', '**문맥에 맞는 내용 고르기**', '**문장 위치 파악하기**', '**글의 목적 파악하기**' 문제입니다.

From question 42, two questions are given for each text. The questions are at the intermediate to advanced level (level 6). The texts are literary novels, articles on expert information, and rhetorical writing dealing with current affairs. The most frequently used question type is '**Understand the details.**' The other question types are '**Grasp the writer's attitude,**' '**Grasp the feelings,**' '**Select the title,**' '**Select the appropriate content for the context,**' '**Find the sentence location,**' and '**Grasp the purpose.**'

실전 모의고사 ❶회

Actual Practice Test 1

듣기 Listening

쓰기 Writing

읽기 Reading

※ 〔1~3〕 다음을 듣고 알맞은 그림을 고르십시오. 각 2점

1 ①

②

③

④

2 ①

②

③

④

3

①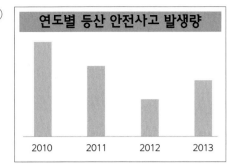

②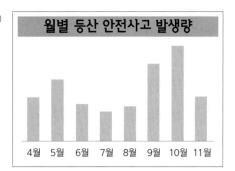

③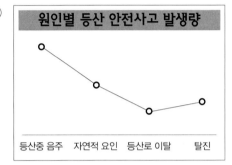

④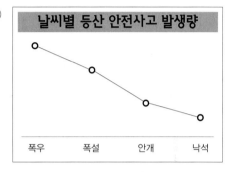

※ [4~8] 다음 대화를 잘 듣고 이어질 수 있는 말을 고르십시오. 각 2점

4 ① 죄송하지만 그건 좀 곤란한데요.

   ② 네, 택배비는 남편 분께 받겠습니다.

   ③ 알겠습니다. 그럼 경비실에 맡기겠습니다.

   ④ 아니요, 30분 동안 기다릴 수는 없는데요.

5 ① 그럼 둘 중에 하나만 선택해야 하는군요.

   ② 축제가 시작되면 사람들이 많이 몰려올 거예요.

   ③ 공연에서 태권도를 보여 주면 정말 재미있을 거예요.

   ④ 좋은 생각이기는 한데 같이 하기에는 연습 시간이 부족해요.

6 ① 그래. 그럼 지금 다시 끓여 줄게.

   ② 알겠어. 좀 이상하지만 참고 먹어 볼게.

   ③ 괜찮아. 저녁에 설탕하고 소금을 사 올게.

   ④ 안 되기는. 전화하면 찌개를 배달시킬 수 있어.

7 ① 정말요? 민수 씨가 화가 날 만했네요.

   ② 친구하고 싸웠으면 먼저 사과하는 게 좋아요.

   ③ 그래요? 그럼 제가 도서관에서 책을 찾아볼게요.

   ④ 그렇군요. 부탁할 일이 있으면 언제든지 이야기하세요.

8 ① 안 그래도 찾고 있었는데 다행이네요.

   ② 하지만 왼쪽 책장에는 보고서 밖에 없어요.

   ③ 그래서 부장님께서 그렇게 보고서를 찾으셨군요.

   ④ 그럼 부장님이 가지고 가셨는지 확인 좀 해 주세요.

[9~12] 다음 대화를 잘 듣고 여자가 이어서 할 행동으로 알맞은 것을 고르십시오.

9 ① 과일을 씻어서 깎는다.

② 친구를 도와서 요리를 한다.

③ 집에 가서 음식을 가지고 온다.

④ 식사가 끝난 후에 그릇을 씻는다.

10 ① 여권을 보여 준다.

② 신청서를 작성한다.

③ 가방에서 여권을 찾아본다.

④ 사진을 찾아서 직원에게 준다.

11 ① 버스 카드를 사용한다.

② 관리실에 문의하러 간다.

③ 아파트 동, 호수를 누른다.

④ 출입문에 비밀번호를 입력한다.

12 ① 다시 이메일을 확인한다.

② 이름과 생년월일을 입력한다.

③ 회사 홈페이지 주소를 알려준다.

④ 공지사항에서 합격자 발표를 누른다.

※ 〔13~16〕 다음을 듣고 내용과 일치하는 것을 고르십시오.   각 2점

13 ① 여자는 공부를 하면서 스트레스를 푼다.

  ② 남자는 기분 전환을 위해 산책을 하려고 한다.

  ③ 여자는 책에서 스트레스 푸는 방법을 찾았다.

  ④ 남자는 오늘 3시간 동안 인터넷으로 일을 했다

14 ① 성적은 중간고사와 기말고사로만 평가한다.

  ② 중간고사 기간에는 조별 발표와 시험을 본다.

  ③ 기말고사 때는 시험을 보지 않고 보고서를 낸다.

  ④ 결석을 해야 할 때는 수업 전에 전화를 해야 한다.

15 ① 강원도의 큰 불로 주민들이 대피하였다.

  ② 건조한 날씨에는 산불에 더욱 신경 써야 한다.

  ③ 소방차가 늦게 도착하는 바람에 산불이 더 커졌다.

  ④ 50대 남성 등산객은 담뱃불 때문에 부상을 입었다.

16 ① 남자는 현재 복수 전공하고 있다.

  ② 취업이 어려워서 복수 전공을 포기하기도 한다.

  ③ 복수 전공을 결정하는 데 관심이 제일 중요하다.

  ④ 요즘에는 취업 때문에 복수 전공을 하는 사람이 많다.

17 ① 배낭여행을 하는 사람들이 부럽다.

② 혼자 여행하는 것은 위험한 행동이다.

③ 자유롭게 배낭여행을 해 보는 게 좋다.

④ 일상생활에서도 많은 경험을 할 수 있다.

18 ① 신용카드를 사용하면 돈을 절약할 수 있다.

② 체크카드 대신 현금을 사용하는 것은 불편하다.

③ 돈을 절약하려면 체크카드를 사용하는 것이 좋다.

④ 할인을 많이 받을 수 있는 카드를 쓰는 것이 좋다.

19 ① 마라톤 대회에 나가면 상금을 받을 수 있다.

② 운동도 하면서 남을 도울 수 있는 방법도 있다.

③ 어려운 노인들을 돕기 위해서는 돈을 아껴야 한다.

④ 마라톤은 살이 찐 사람에게 도움이 되는 운동이다.

20 ① 상대방에게 피해를 주지 않는 부탁만 해야 한다.

② 상대방에게 폐를 끼칠 바에야 거절하는 것이 더 낫다.

③ 친한 친구의 부탁을 거절하는 사람은 좋은 사람이 아니다.

④ 상대방이 나에게 왜 부탁을 하는지 생각해 볼 필요가 있다.

각 2점

21 남자의 중심 생각으로 맞는 것을 고르십시오.

① 회식에서 술을 마시면 안 좋은 점이 더 많다.

② 술은 다른 사람과의 관계를 좋게 만들어 준다.

③ 하고 싶은 이야기가 있으면 바로 하는 것이 좋다.

④ 스트레스를 풀기 위해서는 회식을 자주 해야 한다.

22 들은 내용으로 맞는 것을 고르십시오.   각 2점

① 예전에는 회식을 공연장에서 하기도 했다.

② 여자는 회사 일이 많아서 집에 늦게 들어간다.

③ 남자는 술을 마시면 이야기를 더 잘 할 수 있다.

④ 요즘에는 회식 때 영화를 관람하는 경우도 있다.

※ [23~24] 다음을 듣고 물음에 답하십시오.   각 2점

23 남자는 무엇을 하고 있는지 고르십시오.

① 공인 인증서가 무엇인지 질문하고 있다.

② 전입신고 절차에 대해서 문의하고 있다.

③ 홈페이지 회원가입 방법을 설명하고 있다.

④ 주민센터에 방문하려고 위치를 묻고 있다.

24 남자가 해야 할 일을 고르십시오.

① 공인 인증서를 준비한다.

② 전입신고서류를 제출한다.

③ 주민센터 위치를 인터넷에서 찾는다.

④ 회원 가입을 위해 주민센터를 방문한다.

25 남자의 중심 생각으로 알맞은 것을 고르십시오.

① 학생과 학부모를 위해서 방과 후 활동이 필요하다.

② 학교에서 방과 후 활동을 자유롭게 결정해야 한다.

③ 방과 후 활동에서 학생들의 성적을 향상시켜야 한다.

④ 학교 교육이 부족하기 때문에 사교육을 늘려야 한다.

26 들은 내용으로 알맞은 것을 고르십시오.

① 최근에 사교육비가 조금 감소하였다.

② 가정에서 학생들을 잘 보호하고 있다.

③ 방과 후 활동에는 다양한 수업들이 있다.

④ 요즘에는 토요일에도 방과 후 활동을 한다.

※ [27~28] 다음을 듣고 물음에 답하십시오. 각 2점

27 여자가 휴학에 대해 남자에게 질문한 이유를 고르십시오.

① 회사에서 직원을 뽑을 때 자격증이 있어야 하는지

② 봉사활동을 하면 시간을 많이 빼앗길까 봐 걱정이 되어서

③ 방학 동안 다양한 경험을 하고 싶은데 뭘 해야 할지 몰라서

④ 졸업을 늦게 하면 취업이 잘 되지 않을까 봐 걱정이 되어서

28 들은 내용으로 알맞은 것을 고르십시오.

① 남자는 이번 학기에 휴학을 할 예정이다.

② 여자는 휴학을 한 후에 아르바이트로 돈을 모았다.

③ 봉사활동을 하면 학교에서 봉사학점을 받을 수 있다.

④ 두 사람은 휴학을 하고 전공과 관련 있는 일을 하였다.

※ 〔29~30〕 다음을 듣고 물음에 답하십시오. 각 2점

29 남자가 누구인지 고르십시오.

　　① 도시형생활주택 거주자

　　② 도시형생활주택 건축가

　　③ 도시형생활주택 공인중개사

　　④ 도시형생활주택 관리사무소장

30 들은 내용으로 맞는 것을 고르십시오.

　　① 도시형생활주택에도 놀이터가 있어야 한다.

　　② 도시형생활주택은 원룸에 비해서 세금이 저렴하다.

　　③ 도시형생활주택은 대학생들의 기숙사를 바꿔 놓았다.

　　④ 도시형생활주택은 원하는 곳에 어디든지 지을 수 있다.

※ 〔31~32〕 다음을 듣고 물음에 답하십시오. 각 2점

31 여자의 생각으로 맞는 것을 고르십시오.

　　① 인간이 서로 싸우는 것은 욕망 때문이다.

　　② 인간은 본성이 나쁘기 때문에 교육이 중요하다.

　　③ 인간이라면 누구나 태어날 때부터 선한 마음을 가진다.

　　④ 인간은 동물과 다르기 때문에 예의와 규범을 배워야 한다.

32 여자의 태도로 맞는 것을 고르십시오.

　　① 조심스럽게 상대방의 동의를 구하고 있다.

　　② 상대방의 의견을 긍정적으로 수용하고 있다.

　　③ 구체적인 사례를 들어 상대방의 주장을 반박하고 있다.

　　④ 상황을 객관적으로 분석하며 상대방의 책임을 묻고 있다.

[33~34] 다음을 듣고 물음에 답하십시오. `각 2점`

33 무엇에 대한 내용인지 맞는 것을 고르십시오.

① 주부 우울증을 극복하는 방법

② 부부의 같은 취미 생활이 중요한 이유

③ 주부의 우울증이 자녀에게 미치는 영향

④ 부부의 대화를 성공적으로 이끌어 가는 방법

34 들은 내용으로 맞는 것을 고르십시오.

① 부모 인생의 가치는 자녀에 의해서 결정된다.

② 우울증에 걸리면 바로 병원에 가는 것이 좋다.

③ 모든 부모는 자녀와 떨어져서 살면 우울증에 걸린다.

④ 주변 사람들과 이야기하는 것은 우울증 치료에 도움이 된다.

※ **[35~36] 다음을 듣고 물음에 답하십시오.** `각 2점`

35 남자는 무엇에 대해 이야기 하고 있는지 고르십시오.

① 노인 한글 교육 프로그램을 알리고 있다.

② 노인 교육의 궁극적인 목표를 밝히고 있다.

③ 노인 교육에 대해 자신의 생각이 변한 계기를 말하고 있다.

④ 노인 대학에서 운영하는 프로그램들의 장점을 설명하고 있다.

36 들은 내용으로 맞는 것을 고르십시오.

① 남자는 노인 한글 교실 수업을 참관한 경험이 있다.

② 남자는 예전부터 노인들의 배움에 대해서 계속 긍정적이었다.

③ 남자는 노인 대학 교육에 대한 시각이 바뀌지 않았다.

④ 남자가 본 노인들은 수업 시간에 아주 소극적이었다.

※ 〔37~38〕 다음은 교양프로그램입니다. 잘 듣고 물음에 답하십시오.　각 2점

37　남자의 중심 생각을 고르십시오.

　　① 기업에서 소비자의 감성에 공감하고 있다.

　　② 요즘은 제품의 기능보다 이미지를 홍보한다.

　　③ 꿈과 희망을 심어주는 광고가 증가하고 있다.

　　④ 편안한 서비스를 제공하면 제품 소비가 증가한다.

38　여기에서 소개하고 있는 마케팅 전략의 내용과 일치하는 것을 고르십시오.

　　① 소비자의 감성을 자극해라.

　　② 디자인의 우수성을 알려라.

　　③ 끊임없이 소비자에게 홍보해라.

　　④ 제품의 기능을 최대한 설명해라.

※ 〔39~40〕 다음은 대담입니다. 잘 듣고 물음에 답하십시오.　각 2점

39　이 담화 앞의 내용으로 알맞은 것을 고르십시오.

　　① 많은 돌고래들이 연구용으로 길러지고 있다.

　　② 돌고래의 건강을 지키기 위해서 노력하고 있다.

　　③ 어민들은 잘못 잡힌 돌고래를 싼값에 동물원에 팔았다.

　　④ 바다로 돌려보낸 돌고래들이 적응하지 못하고 되돌아왔다.

40　들은 내용과 일치하는 것을 고르십시오.

　　① 돌고래들이 다치면 안정제를 복용한다.

　　② 잡힌 돌고래를 동물원에서 보호받고 있다.

　　③ 불법으로 잡힌 돌고래는 스트레스 때문에 일찍 죽는다.

　　④ 동물원에서는 포획된 돌고래를 돌려보내기 위해 노력하고 있다.

41 들은 내용과 일치하는 것을 고르십시오.

① 우주 쓰레기의 양이 점점 감소하고 있다.

② 임무를 마친 인공위성은 지구로 되돌아온다.

③ 우주 쓰레기가 지구로 낙하하면 피해를 입을 수 있다.

④ 얼마 전 과학자들이 우주 쓰레기 처리 방법을 연구했다.

42 우주 쓰레기 대한 남자의 생각으로 맞는 것을 고르십시오.

① 우주 쓰레기로 인한 지구의 피해가 심각하다.

② 인공위성을 발사해서 우주 쓰레기를 처리해야 한다.

③ 우주 쓰레기를 처리하기 위해서 인공위성이 발사되었다.

④ 인공위성으로 인해서 우주 쓰레기가 발생하는 경우가 많다.

43 도자기 복원에서 오염물 제거가 중요한 이유를 고르십시오.

① 도자기를 복원할 때 방해가 되기 때문에

② 추가적인 도자기 손상을 막을 수 있기 때문에

③ 형태를 그대로 복원하는 일이 쉽지 않기 때문에

④ 화학적인 방법으로 쉽게 제거할 수 있기 때문에

44 이 이야기의 중심 생각으로 맞는 것을 고르십시오.

① 오염물 제거는 꼭 필요할 때 최소한으로 해야 한다.

② 바다에서 건진 도자기는 모든 오염물을 제거해야 한다.

③ 도자기 내부에 있는 오염물까지 없애는 것이 필수적이다.

④ 염분을 이용하면 도자기의 오염물을 쉽게 제거할 수 있다.

※ 〔45~46〕 다음은 대담입니다. 잘 듣고 물음에 답하십시오.

45 들은 내용과 일치하는 것을 고르십시오.

　① 역사를 통해서 국가의 정체성을 유지할 수 있다.

　② 대학에서는 역사 교육의 중요성을 교육하고 있다.

　③ 독일은 인성 교육으로 역사 교육을 대체하고 있다.

　④ 요즘 청소년들은 예전에 비해 개인주의가 심해졌다.

46 남자의 태도로 가장 알맞은 것을 고르십시오.

　① 각 견해에 대해서 종합적으로 평가하고 있다.

　② 각 견해를 예를 통해 객관적으로 분석하고 있다.

　③ 예시와 근거를 통해 자신의 견해를 증명하고 있다.

　④ 다른 사람의 견해를 근거로 제시하며 비판하고 있다.

※ 〔47~48〕 다음은 대담입니다. 잘 듣고 물음에 답하십시오.

47 들은 내용과 일치하는 것을 고르십시오.

　① 현재 여성 할당제를 확대 시행되고 있다.

　② 많은 여성 인재들이 정치계에 입문하였다.

　③ 남성 정치인들은 여성 할당제에 반대한다.

　④ 여성의 대학 진학률이 남성보다 높아졌다.

48 여자의 태도로 가장 알맞은 것을 고르십시오.

　① 설문 조사 결과를 강하게 반박하고 있다.

　② 상대 의견을 무비판적으로 동의하고 있다.

　③ 자신의 의견을 비논리적으로 말하고 있다.

　④ 자료를 통해 자신의 의견을 주장하고 있다.

※ 〔49~50〕 다음은 강연입니다. 잘 듣고 물음에 답하십시오. 〔각 2점〕

49 들은 내용과 일치하는 것을 고르십시오.

① 절도를 다른 말로 생계형 범죄라고 부른다.

② 작은 범죄를 처벌하지 않으면 사회가 무너질 수 있다.

③ 생계형 범죄는 주로 사회적 약자들을 대상으로 벌어진다.

④ 현대 사회는 개인의 생존권보다 법과 도덕이 앞서고 있다.

50 여자의 태도로 가장 알맞은 것을 고르십시오.

① 생계형 범죄가 발생하는 원인을 추측하고 있다.

② 생계형 범죄와 일반 범죄의 차이를 설명하고 있다.

③ 생계형 범죄의 처벌에 대해서 결론을 열어 두고 있다.

④ 생계형 범죄의 처벌을 축소해야 한다고 주장하고 있다.

쓰기 Writing Questions 51~54

※ 〔51~52〕 다음을 읽고 (　)에 들어갈 말을 각각 한 문장씩으로 쓰십시오.　　각 10점

51

초대합니다.

우리 진수가 태어난 지 1년이 되었습니다. 그래서 그동안 진수를 아끼고 사랑해 주신 분들을 모시고 (　　　　　　⊙　　　　　　). 바쁘시더라도 꼭 오셔서 함께 축하해 주시면 감사하겠습니다.

(　　　　⊙　　　　)?

그 장소를 모르시면 연락 주십시오.

52

　　우리는 습관을 통해 건강 상태를 확인할 수 있습니다. 연구에 의하면 고기보다 야채를 많이 먹는 사람이 그렇지 않은 사람보다 소화 기능이 좋다고 합니다. 그리고 하루에 30분 이상 걷는 사람이 그렇지 않은 사람보다 수명이 길다고 합니다. 우리는 주변에서 술과 담배를 하지 않고 규칙적인 생활을 하는 사람들이 그렇지 않은 사람들보다 (　　　⊙　　　). 그러므로 (　　　　ⓒ　　　　).

※ 〔53〕 다음 표를 보고 조기교육의 장단점에 대해 쓰고, 올바른 교육을 위해서 어떻게 해야 하는지 200~300자로 쓰십시오. 　30점

조기교육의 장단점	
조기교육의 장점	조기교육의 단점
① 다양한 재능을 일찍 발굴할 수 있다. ② 뇌가 발달하는 속도가 빠른 시기이므로 습득력이 빠르다.	① 믿을 수 없는 거짓 정보가 많다. ② 수업에 흥미를 잃기도 한다.

※ 〔54〕 다음을 주제로 하여 자신의 생각을 600~700자로 글을 쓰십시오. 　50점

현대인들은 일상생활에서 스트레스를 많이 받고 있습니다. 스트레스를 줄일 수 있는 효과적인 방법에 대해 아래의 내용을 중심으로 주장하는 글을 쓰십시오.

- 스트레스를 받는 원인은 무엇입니까?
- 스트레스를 받으면 어떤 현상이 나타납니까?
- 스트레스를 줄일 수 있는 효과적인 방법은 무엇입니까?

〈원고지 쓰기 예〉

	한	국		사	람	은		'우	리	'	라	는		말	을		자	주
쓴	다	.	이	는		가	족	주	의	에	서		비	롯	되	었	다	.

※ 〔1~2〕 ( )에 들어갈 가장 알맞은 것을 고르십시오. 각 2점

1 사람들은 건강을 ( ) 운동을 열심히 한다.

① 지키기 위해서 ② 확인한 덕분에

③ 자랑하는 김에 ④ 검사하는 대신에

2 어제 이 근처에서 화재가 ( ) 피해가 컸어요?

① 났더라도 ② 났다던데

③ 났다시피 ④ 났다거나

※ 〔3~4〕 다음 밑줄 친 부분과 의미가 비슷한 것을 고르십시오. 각 2점

3 한 시간 동안 여기저기 찾아봤는데도 결국 못 찾았어요.

① 찾아보면 ② 찾아봐서

③ 찾아봤지만 ④ 찾아봤으니까

4 만나기 전에는 전혀 기대를 안 했는데 막상 만나보니까 생각보다 괜찮네.

① 기대한 것에 비해 괜찮더라

② 예상보다 괜찮아야 할 텐데

③ 기대한 것보다 괜찮았으면 좋겠다

④ 예상했던 것보다 괜찮을 줄 알았다

5

인터넷에 연결되어 있으면 마음에 드는 물건을 골라
배송까지 받을 수 있다!

① 저축   ② 쇼핑

③ 휴대 전화   ④ 우체국

6

주의 사항

• 물 온도는 60도 이하로 맞추기

• 세탁기 사용 불가, 손세탁만 가능

• 색깔 있는 옷과 함께 물에 담그지 말 것

① 청소   ② 빨래

③ 다림질   ④ 설거지

7

▣ 회원을 모집합니다. ▣

- 카메라만 있으면 멋진 추억을 담을 수 있습니다!
- 회비는 매달 20,000원
- 매주 수요일, 금요일 주 2회 모임

① 직업   ② 파티

③ 기숙사   ④ 동호회

8

분황사 – 안압지 – 첨성대 – 불국사 – 석굴암

1박 2일 코스, 65,000원

한국의 옛 수도인 경주를 만날 수 있습니다.
아름다운 야경과 맛있는 음식을 보장해 드립니다.

① 봉사   ② 관광

③ 유학   ④ 연극

※ 〔9~12〕 다음 글 또는 도표의 내용과 같은 것을 고르십시오. 각 2점

9

2424 이삿짐센터

1. 이사 가능 시간: 오전 10시~오후 10시
   (오후 6시 이후로는 비용을 더 내셔야 합니다.)
2. 액자와 시계 등의 못을 박아 드립니다.
3. 냉장고, 에어컨 설치는 만 원의 비용을 따로 받습니다.
4. 7일 전 취소는 100%, 3일 전 취소는 70%, 하루 전 취소는 50% 환불해 드립니다.

① 냉장고 및 에어컨은 무료로 설치해 준다.

② 못을 박는 것은 서비스에 들어가지 않는다.

③ 오후 6시가 넘으면 추가 비용을 지불해야 한다.

④ 하루 전에 취소만 하면 전액 환불 받을 수 있다.

10

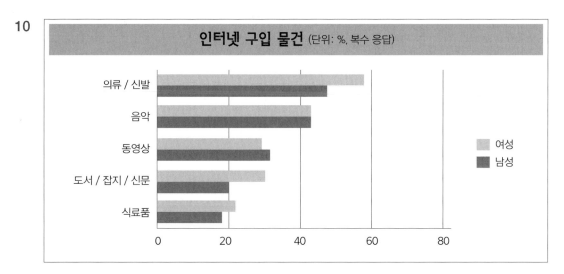

인터넷 구입 물건 (단위: %, 복수 응답)

① 남성은 옷보다 동영상을 더 많이 구입하는 편이다.

② 여성에 비해 남성은 동영상 구입을 덜 하는 편이다.

③ 여성은 음식 재료에 비해 음반 구입이 훨씬 많은 편이다.

④ 남성은 의류, 동영상, 식료품의 순으로 구입 비율이 늘어난다.

11

국내 유일의 천문과학축제가 오는 21일부터 나흘간 별빛마을에서 열릴 계획이다. 이번 축제 기간 동안에 동양에서 가장 큰 1.8m짜리 망원경이 개방되기 때문에 별 관측도 할 수 있다. 또한 어린이들에게 인기가 많은 로봇 체험관에서는 춤추는 로봇도 관람할 수 있어 큰 기대를 모으고 있다.

① 21일부터 23일까지 천문과학축제가 열릴 것이다.

② 로봇 체험관에서는 로봇을 직접 움직여 볼 수 있다.

③ 춤추는 로봇은 어른들로부터 가장 큰 관심을 받고 있다.

④ 축제에 가면 동양에서 제일 큰 망원경으로 별을 관찰할 수 있다.

12

날씨가 선선한 가을은 단풍 구경을 위해 등산하기 좋다. 하지만 다른 계절과 달리 일교차가 크므로 등산할 때 입는 옷이 중요하다. 출발할 때 기온만 생각하고 얇은 옷을 입고 등산을 하면 감기에 걸릴 수 있다. 따라서 산행 중에 입는 옷은 긴소매 셔츠가 적당하다. 바지도 헐렁한 면바지를 입는 것이 좋다.

① 산을 오를 때는 팔이 긴 옷을 입는 것이 좋다.

② 등산을 할 때 얇은 옷을 여러 벌 입는 것이 좋다.

③ 등산을 할 때는 몸에 붙는 바지를 입는 것이 좋다.

④ 가을은 다른 계절에 비해 기온 변화가 심하지 않다.

13

> (가) 가장 간단한 방법은 해열제를 먹는 것이다.
>
> (나) 그렇게 해도 열이 나면 차가운 수건으로 몸을 닦아 줘야 한다.
>
> (다) 열을 낮추려면 어떻게 하는 것이 좋을까?
>
> (라) 열이 나는 이유는 건강이 안 좋아져 체온 조절을 못 하기 때문이다.

① (다)-(가)-(나)-(라)　　　　② (라)-(가)-(다)-(나)

③ (다)-(라)-(가)-(나)　　　　④ (라)-(다)-(나)-(가)

14

> (가) 호칭이 다양한 것은 친척 사이의 관계가 중요하기 때문이라고 한다.
>
> (나) 이제 한국 생활에 많이 익숙해졌지만 다양한 호칭은 여전히 힘들다.
>
> (다) 앞으로 실수하지 않도록 호칭을 사용할 때 더 신경을 써야겠다.
>
> (라) 더구나 나같이 한국 사람과 결혼한 외국인에게는 더욱 어렵다.

① (나)-(다)-(라)-(가)　　　　② (다)-(가)-(나)-(라)

③ (나)-(라)-(가)-(다)　　　　④ (다)-(나)-(가)-(라)

15

> (가) 된장은 한국의 고유한 식품으로 기본양념으로 많이 쓰인다.
>
> (나) 또한 된장은 콩을 직접 먹을 수 있기 때문에 영양이 우수하다.
>
> (다) 특히 국을 끓일 때, 나물 요리를 할 때 사용하면 색다른 맛을 느낄 수 있다.
>
> (라) 뿐만 아니라 최근에는 암을 예방하는 데도 효과가 있다는 것이 밝혀졌다.

① (가)-(나)-(다)-(라)   ② (다)-(가)-(나)-(라)

③ (가)-(다)-(나)-(라)   ④ (다)-(나)-(라)-(가)

※ 〔16~18〕 다음을 읽고 (   )에 들어갈 내용으로 가장 알맞은 것을 고르십시오.   각 2점

16

> 저축하는 습관을 가지려면 저축 목표를 잘 세우는 것이 중요하다. (   )
> 즉, '돈을 많이 모으기 위해서'와 같은 목표보다는 '컴퓨터를 사기 위해서', '3년
> 동안 1,000만 원 모으기'와 같은 목표가 더 도움이 된다.

① 저축 목표는 간단할수록 좋다.

② 저축은 목표를 작게 잡을수록 좋다.

③ 저축은 목표가 많을수록 효과가 있다.

④ 저축 목표는 구체적일수록 효과가 있다.

17

올해 봄의 황사는 5월에 더욱 짙어질 것이라고 한다. 황사에는 먼지와 다양한 중금속 성분이 들어 있어 철저한 대비가 필요하다. 그러므로 황사 기간에는 먼지와 세균을 옮기지 않도록 손을 깨끗하게 관리하는 것이 필수이다. 또한 외출 후에는 옷에 남아 있는 (   ) 양치질을 깨끗하게 해야 한다.

① 얼룩을 말끔하게 지우고

② 미세한 먼지를 깨끗이 털고

③ 합성 세제를 남기지 않도록 하고

④ 금속 성분을 철저하게 처리한 후에

18

자연과 함께 산골 생활을 하는 것은 분명히 여유롭고 아름다운 일이다. 하지만 단순히 도시 생활이 힘들어서 시골로 가려고 하는 것은 좋지 않다. 오히려 도시보다 더 고단하고 힘들 수도 있기 때문이다. (   ). 또한 최소한의 경제력은 시골에서도 꼭 필요한 조건이다.

① 시골 생활은 누구나 꿈꾸는 것이다

② 시골 생활은 적은 돈으로도 생활이 가능하다

③ 시골은 퇴직을 한 후에 가는 것이 가장 좋다

④ 시골은 도시 생활이 힘들 때 가는 도피처가 아니다

※ 〔19~20〕 다음을 읽고 물음에 답하십시오. 각 2점

> 여름 휴가철 패션에서 헤어스타일은 아주 중요하다. 그래서 여름이 다가오면 미용실은 헤어스타일에 변화를 주기 위한 여성들이 넘쳐난다. 미용사는 머리 길이에 따라 어울리는 헤어스타일이 다르다고 한다. 긴 머리 여성에게는 밝은 갈색 머리와 시원해 보이는 생머리가 어울린다고 한다. (   ) 짧은 머리 여성에게는 짙은 갈색 머리와 굵은 파마가 어울린다고 한다.

19 (   )에 들어갈 알맞은 것을 고르십시오.

① 하필 ② 반면

③ 결국 ④ 새삼

20 이 글의 내용과 같은 것을 고르십시오.

① 긴 머리 여성에게는 굵은 파마를 추천한다.

② 여름 휴가철이 다가오면 미용실은 한가해진다.

③ 짧은 머리 여성은 다소 어두운 갈색이 어울린다.

④ 미용사는 머리 길이가 달라도 같은 스타일을 권한다.

여러분은 진정한 친구란 무엇이라고 생각하십니까? 최근 〈진짜 친구가 되는 법〉이라는 책이 발간되었습니다. 저자는 이 책에서는 진정한 친구를 원한다면 내가 먼저 진정한 친구가 되어 주어야 한다고 이야기합니다. 친구가 무엇을 원하는지 (　　　　　) 잘 들어주고, 내가 손해를 보지 않을까 계산하지 않고, 친구가 힘들 때 다가가 주는 것이 필요하다고 합니다. 또한 좋은 일이 있을 때 나보다 더 기뻐해 줄 수 있는 사이가 진정한 친구라고 했습니다. 오늘 진정한 친구에 대해서 생각해 보는 시간을 갖는 것은 어떨까요?

21 (　　　　　)에 들어갈 알맞은 것을 고르십시오.

① 귀를 기울여

② 귀가 솔깃하게

③ 귀가 빠질 만큼

④ 귀에 못이 박히도록

22 이 글의 중심 생각을 고르십시오.

① 진정한 친구를 사귀기란 어렵다.

② 내가 손해를 볼 행동은 하면 안 된다.

③ 친구를 사귀려면 관련 책을 읽어 봐야 한다.

④ 진정한 친구를 사귀려면 나부터 노력해야 한다.

각 2점

> 　　나는 오지 여행가이며 구호 팀장인데 최근 아프리카 수단에 팀원들을 보냈다. 수단은 지난 20년간 정치 문제 때문에 전쟁을 벌여 많은 곳이 파괴되었다. 이곳에 우리 팀이 파견되어 각종 의료 사업을 벌이고 있다. 나는 우리 팀이 계획대로 일을 잘하고 있는지, 무슨 어려움은 없는지를 보러 왔다. 오랜만에 우리 팀원들을 보니 얼굴도 많이 타고 음식이 입맛에 맞지 않아 몸이 말라 있었다. 내가 근무를 할 때는 상황이 힘들어도 힘든 줄 몰랐는데 막상 우리 팀원이 고생하는 것을 보니 <u>코끝이 찡했다</u>.

23 밑줄 친 부분에 나타난 필자의 기분으로 알맞은 것을 고르십시오.

① 힘든 상황을 보니 마음이 아프다.

② 기분이 안 좋은 것을 보니 괴롭다.

③ 고생하는 모습을 보니 당황스럽다.

④ 노력하는 것을 보니 새삼 자랑스럽다.

24 이 글의 내용과 같은 것을 고르십시오.

① 팀원들은 수단을 돕기 위해 이곳으로 왔다.

② 나는 직접 아프리카에 파견되어 일하고 있다.

③ 아프리카 수단은 종교 문제로 인해 전쟁이 일어났다.

④ 팀원들은 수단의 음식이 맛있어서 겨우 이겨내고 있다.

25

> 이민수 영입, K 야구단 '30번째 우승이 눈앞에'

① 이민수 때문에 30번째 우승을 놓치게 되었다.

② 이민수가 들어오면서 30번째 우승이 멀지 않았다.

③ 이민수를 받아들이면서 30번째 승리를 안타깝게 포기했다.

④ 이민수를 투입시킨 후 30번째 우승을 결국 달성하지 못했다.

26

> 비정규직 절반 이상 눈치가 보여 '아파도 병가 못 써'

① 병가를 쓸 수 있는 제도가 마련되어 있지 않다.

② 바쁜 직장일로 병가를 쓸 만한 여유가 많지 않다.

③ 근로자의 반 이상이 병가를 쓰기를 거부하고 있다.

④ 정규직이 아닌 근로자들은 병가를 못 쓰는 경우가 많다.

27

> 백양 단풍 축제 이틀간 40만 2천 명, 역대 최대 인파 기록

① 백양 단풍 축제는 최대 규모로 개최될 예정이다.

② 백양 단풍 축제에 40만 명 이상의 인원이 몰릴 것이다.

③ 백양 단풍 축제가 개최된 이래 가장 많은 인원이 모였다.

④ 백양 단풍 축제에 이틀 동안 40만 명의 인원이 참가 신청을 했다.

28

> 고전 음악은 어렵게 느끼는 사람들이 많으며 대부분 어떤 것을 먼저 들어야 할지 모르겠다고 한다. 물론 ( ) 좋겠지만 시간이 많지 않다면 광고나 영화 등에 나오는 익숙한 것부터 듣는 것도 좋다. 또한 초반에는 너무 길지 않은 곡을 선택하는 것이 흥미를 떨어뜨리지 않는다.

① 기초부터 체계적으로 배우는 것도

② 무작정 계획 없이 시작해 보는 것도

③ 대중적으로 알려진 곡을 접하는 것도

④ 기분에 따라 곡을 선별해서 듣는 것도

29

> 세계의 많은 언어 중에서 한국어는 자기를 낮추고 남을 높이는 높임법이 발달한 언어이다. 하지만 최근 ( ) 서로를 존중하는 문화가 많이 훼손되고 있다. 이와 같은 상황은 밝고 건강한 사회를 만들어 가는 데 부정적인 영향을 미치고 있다.

① 스스로 언어 정화에 참여하고 있어

② 폭력적인 언어 사용을 지양하고 있어

③ 무분별한 비속어 사용이 늘어나고 있어

④ 듣기에 거북한 언어 사용을 줄이고 있어

30

초기 선진국의 환경오염은 대량 생산과 대량 소비 때문이었지만 후진국은 빈곤 해결을 위한 천연자원 개발로 인한 것이었다. 초기에는 선진국과 후진국의 환경오염은 별개의 문제였다. 하지만 이제는 선진국의 환경 문제가 후진국의 오염으로 이어지기 때문에 선진국과 후진국 모두 (   ) 상황이다. 이를 통해 어느 정도 환경 문제의 해결을 기대할 수 있다.

① 순환의 고리를 자르는 게 최선인

② 접근 방식에 차이를 두어야만 하는

③ 머리를 맞대어 함께 고민할 수밖에 없는

④ 다른 관점으로 해결 방안을 모색해야 하는

31

무인 자동차의 시대가 도래할 예정이다. 사람이 직접 운전대를 잡지 않아도 스스로 도로와 지형을 파악해 목적지에 도달하는 차가 최근에 개발되었다. 다만 온갖 도로 교통 신호와 모든 돌발 상황을 스스로 파악해야 하기 때문에 기존의 자동차에 비해 훨씬 더 많은 안전 기술을 필요로 한다. 그렇지 않으면 (   ).

① 자칫 큰 사고로 이어질 수 있기 때문이다

② 무인 자동차의 파급력이 줄어들기 때문이다

③ 새로운 기술을 따라 잡을 필요가 없기 때문이다

④ 초보적인 기술력이 이미 상용화되었기 때문이다

※ **[32~34] 다음을 읽고 내용이 같은 것을 고르십시오.** 각 2점

32

> 삼은 예로부터 건강에 매우 좋은 식물로 알려져 있다. 삼이 산 속에서 자연적으로 자란 것을 '산삼'이라고 부르는데, 산삼은 그 수가 매우 적어 신비로운 식물로 여겨졌다. 그러던 것이 조선시대 초기에 사람들이 삼을 재배하기 시작하면서 생산량이 증가했고, 이름도 '인삼'이라고 불리었다.

① 최근 산삼이 건강에 좋다고 알려졌다.

② 인삼은 산 속에서 자라기 때문에 희귀하다.

③ 조선시대 이전부터 사람들이 삼을 기르기 시작했다.

④ 인삼의 생산량이 증가한 것은 산삼의 수가 적었기 때문이다.

33

> 최근 들어 독신자의 수가 증가하고 있다. 특히 30대와 40대 연령층에서 독신자의 비율이 급격히 늘어나고 있으며 40대 후반의 독신자도 꾸준히 늘어나고 있는 추세이다. 독신 생활을 선택하는 원인으로는 직업과 가정생활을 함께하는 어려움, 일의 즐거움 추구, 자유로운 생활의 선호, 결혼에 대한 혐오감 등을 들 수 있다.

① 30대와 40대 연령층에서 1인 가구가 급락하고 있다.

② 40대 이후 혼자 사는 사람들의 증가는 주춤하는 추세이다.

③ 독신자가 증가하는 데에는 결혼에 대한 환상이 큰 이유로 작용하고 있다.

④ 직업과 가정생활을 병행하는 어려움도 결혼을 하지 않는 원인이 되고 있다.

34

한옥은 한국 고유의 전통적인 가옥이다. 한옥은 기본적으로 목조 건물이어서 집을 짓는 데 나무가 많이 쓰인다. 기둥을 비롯한 기본 뼈대들도 나무로 되어 있고 뼈대와 뼈대를 연결할 때조차 쇠로 된 못을 쓰지 않고 나무로 맞춘다. 또한 벽은 흙을 이용하여 만드는데 벽이 무너지지 않도록 벽 속에 가는 기둥을 넣어 견고하게 만든다. 흙으로 만든 벽은 습기를 빨아들여 장마 때에도 습하지 않으며 겨울에는 따뜻하다.

① 한옥의 기본 뼈대와 벽은 모두 나무로 만든다.

② 벽은 흙으로 만들기 때문에 물기가 많은 편이다.

③ 뼈대끼리 이어붙일 때는 나무끼리 맞물리도록 맞춘다.

④ 벽은 쉽게 내려앉지 않도록 쇠로 만든 못을 깊이 박는다.

※ 〔35~38〕 다음 글의 주제로 가장 알맞은 것을 고르십시오.　　　　각 2점

35

사람들은 생활에 익숙해지면 새로운 도전보다는 편안한 삶을 더 선호하게 된다. 하지만 용기를 내어 조금씩 새로운 도전을 시작해 보는 것은 어떨까? 주어진 삶을 받아들이기만 하기보다는 자기의 삶을 직접 만들어 가 보자. 바위에 계란을 치는 상황이 오더라도 작은 도전을 꾸준히 계속하다 보면 분명히 성과를 얻을 수 있을 것이다.

① 무모한 일을 시도하려면 큰 용기를 내야 한다.

② 도전을 할 때는 주위의 도움 없이 혼자 하는 것이 좋다.

③ 작게나마 새로운 일에 도전하다 보면 좋은 결과가 온다.

④ 사람들은 나이가 들수록 익숙하고 편안한 삶을 좋아한다.

36

지금까지 전통이 비효율적이고 실용적이지 못하다는 취급을 받은 것은 전통을 잘 이해하지 못하고, 제대로 이어나가지 못했기 때문이지 전통 그 자체의 잘못은 아니다. 따라서 21세기에 전통이 살아남을 수 있느냐 없느냐는 국가든 공동체든 그 구성원이 전통을 얼마나 잘 인식하고 창조적으로 이어가느냐에 달려 있다.

① 전통은 지금까지 부정적인 취급을 받아왔다.

② 전통이 잘 살아남도록 국가가 책임져야 한다.

③ 전통에 대한 인식을 바꾸고 잘 계승해야 한다.

④ 전통을 제대로 이해하려면 개인의 노력이 필요하다.

37

조명은 단순히 무대 위를 밝게 해 주는 역할만을 하는 것은 아니다. 무대에서의 동작은 정적인 움직임과 동적인 움직임을 더 돋보이게 해 줄 뿐만 아니라 장면 장면마다 필요한 분위기를 설정해 주는 역할도 한다. 또한 빛의 강도를 조절하여 이야기의 흐름을 부드럽게 때로는 극적으로 보여 주는 역할까지 하고 있다.

① 기술이 발달할수록 조명의 기능은 더욱 다양해질 것이다.

② 빛의 강도를 조절하여 이야기의 분위기를 달리할 수 있다.

③ 이야기의 후반부로 갈수록 조명의 역할은 더욱 중요해진다.

④ 조명은 무대를 환하게 하는 것 외에 다양한 기능을 가지고 있다.

38

> 선거철이 되어도 투표 참여가 저조하여 투표 참여율을 높이기 위한 다양한 방안이 논의되고 있다. 더 안타까운 것은 미래를 이끌어갈 젊은이들의 투표율이 현저하게 낮다는 점이다. 현 정치에 대한 비판과 비방은 하지만 정작 투표를 하지 않는 이러한 현상은 투표를 해 봤자 결과가 달라지지 않을 것으로 생각하기 때문이다. 하지만 진정으로 변화를 원한다면 행동으로 사회에 대한 관심을 표현해야 하지 않을까?

① 정치에 대한 무관심은 또 다른 저항의 표현이라고 할 수 있다.

② 사회가 바뀌기를 바란다면 투표를 통해 정치에 참여해야 한다.

③ 정부는 젊은이들의 투표율을 높이기 위한 방안을 강구해야 한다.

④ 젊은이들은 투표를 하더라도 사회가 나아지지 않을 것으로 생각한다.

※ 〔39~41〕 다음 글에서 〈보기〉의 문장이 들어가기에 가장 알맞은 곳을 고르십시오. `각 2점`

39

> '높고 맑은 한국의 가을 하늘'이라는 말은 어느새 옛말이 되고 있다. (㉠) 갈수록 심해지는 미세 먼지 때문이다. (㉡) 이 미세 먼지는 한국인의 기관지와 폐, 눈, 피부를 크게 위협하는 주범으로 꼽히고 있다. (㉢) 급속한 경제 성장을 위해 화석 연료가 많이 필요했기 때문이다. (㉣)

───── 〈 보 기 〉─────

> 90년대 이후 화석 연료 사용량을 크게 늘린 게 원인으로 지목된다.

① ㉠   ② ㉡   ③ ㉢   ④ ㉣

40

'세계 무역 기구'는 회원국뿐만 아니라 상대국에도 혜택을 보장해 주는 것을 원칙으로 한다. (㉠) 반면 '자유무역협정'은 회원국에만 낮은 관세를 적용한다. (㉡) 이 원칙의 장점은 우위에 있는 상품의 수출과 투자가 촉진되는 것이다. (㉢) 또한 동시에 무역 창출 효과를 거둘 수 있다. (㉣)

〈 보 기 〉

하지만 이윤이 낮은 산업은 문을 닫아야 하는 상황이 발생한다.

① ㉠　　　　② ㉡　　　　③ ㉢　　　　④ ㉣

41

몇 년 전까지만 해도 적금은 좋은 재테크 방법이었다. (㉠) 하지만 경기 침체가 장기화되면서 더 이상 적금으로만 돈을 굴리는 것은 불가능해졌다. (㉡) 그러나 적금과 저축의 가장 큰 장점이었던 원금 보장이 주식 투자에서는 쉽지 않다. (㉢) 직접 주식 투자를 하기에 부담을 느끼는 초보자의 경우에는 전문 업체를 통해 투자를 하는 것도 좋다. (㉣)

〈 보 기 〉

이와 같은 상황에서 주식 투자가 새로운 대안이 될 수 있다.

① ㉠　　　　② ㉡　　　　③ ㉢　　　　④ ㉣

응칠이의 죄목은 여기에서도 또렷이 드러난다. 처음에는 그럴 작정이 아니었다. 그는 어지간히 속이 트인 사람이었다. 지주를 만나 꽤 좋은 소리로 의논도 하였다. 올해 농사는 흉년이니 금액을 감해 주는 게 어떠냐고. 그러나 지주는 암말 없이 고개를 흔들었다. 응칠이 정 이런 식으로 나오면 논에다 불을 지르겠수, 하여도 잠자코 응하지 않았다. 지주 입장에서는 한번 버릇을 잘못 해 놓으면 다른 소작인까지 행실을 버릴까 염려하여 겉으로 독촉만 하고 있는 터였다. 응칠이는 화를 벌컥 낸 것만은 좋으나 <u>저도 모르게 대뜸 주먹뺨이 들어갔던</u> 게 화근이 되었다.

이런 상황에 귀신의 놀음 같은 일이 생겼다. 또 다시 벼가 없어졌다. 그것도 병든 것을 제쳐 놓고 좋은 벼만 따 갔다. 응칠이는 아침 일찍 논에 가서 이걸 발견했다. 누굴 성가시게 굴려고 그러는지. 만약 이 소문이 퍼지기만 하면 자기는 도둑 혐의를 받지 않을 수 없게 될 것이었다.

42 밑줄 친 부분에 나타난 응칠이의 감정으로 알맞은 것을 고르십시오.

① 쑥스럽다　　　　　　　　② 안쓰럽다

③ 걱정스럽다　　　　　　　④ 불만스럽다

43 이 글의 내용과 같은 것을 고르십시오.

① 지주는 다른 소작인들에게는 금액 감면을 허용했다.

② 응칠은 벼를 훔친 죄가 발각되어 감옥에 가게 되었다.

③ 지주는 응칠의 부탁을 받아들여 벼농사를 도와주었다.

④ 응칠은 협박을 하였지만 지주는 요구에 응하지 않았다.

쓰레기 종량제는 쓰레기 배출량이 늘어나면 처리비도 그만큼 많이 부담하는 제도이다. 만약 쓰레기를 규격 봉투에 넣지 않고 버리다 적발이 되면 100만 원의 과태료를 물어야 한다. 환경부는 1994년 4월부터 이 제도를 시행하였는데 그 결과 쓰레기 발생량이 30~40%나 줄고 재활용품 수거는 2배 이상 되는 등 큰 성과를 보였다고 한다. 또한 국가적으로 약 1조 2천억 원의 경제적 효과를 거두었다. 반면 가계에는 봉투 값으로 인한 부담이 적지 않은 것으로 평가되었다. 또한 봉투가 땅속에서 쉽게 분해되지 않아 (   ).

44 이 글의 제목으로 가장 알맞은 것을 고르십시오.

① 쓰레기 종량제의 득과 실

② 환경을 살리는 쓰레기 종량제

③ 부작용을 보이는 쓰레기 종량제

④ 가계에 부담이 되는 쓰레기 종량제

45 (   )에 들어갈 내용으로 알맞은 것을 고르십시오.

① 환경부에 반드시 신고를 해야 한다

② 따로 수거료를 낼 필요가 없다고 한다

③ 처리 비용이 대폭 줄어든 것으로 나타났다

④ 토양 및 대기 오염을 부추긴 것으로 분석되었다

　　S 은행은 국내에 머물러 살고 있는 외국인 근로자들이 보다 편리하게 본국에 있는 가족들에게 외화를 송금할 수 있도록 하기 위해 'ATM 다국어 송금 서비스'를 실시한다. (㉠) 이 서비스는 주기적으로 급여를 고향에 있는 가족들에게 송금하는 근로자들이 언어상의 문제와 은행 방문의 어려움을 파악하고 도움을 주고자 마련되었다. (㉡) 이후 외국인 고객들은 은행 방문 없이 전국 7,200여 개 ATM을 이용해서 평일 야간과 휴일에도 편리하게 해외 송금을 할 수 있다. (㉢) 또한 S 은행은 9월까지 송금 수수료를 80% 낮출 예정이다. 그러면 수수료에 대한 부담도 줄일 수 있을 것이다. (㉣)

46 다음 문장이 들어가기에 가장 알맞은 곳을 고르십시오.

　　이 서비스를 이용하려는 근로자는 최초 1회 영업점을 방문하여 사전 정보를 등록하면 된다.

① ㉠　　　　　　② ㉡　　　　　　③ ㉢　　　　　　④ ㉣

47 이 글의 내용과 같은 것을 고르십시오.

① 이 서비스를 이용할 외국인들은 집에서 신청할 수 있다.

② 이 서비스는 국외에 거주하고 있는 근로자를 대상으로 한다.

③ 이 서비스는 향후 송금할 때 드는 수수료를 감액할 계획이다.

④ 이 서비스는 근무하고 있는 지역에 한해서만 이용할 수 있다.

노래방이 청소년들의 문화 공간으로 자리 잡은 지 오래다. 노래방에서 '방'은 두세 평 남짓한 밀폐된 공간이다. 청소년들이 밀폐된 방을 찾아가는 여러 이유 중의 하나는 그들만의 문화 공간이 없기 때문이다. 그런데 문제는 노래방 역시 청소년들만의 온전한 문화 공간이 되지 못한다는 점이다. 그들이 부르는 노래는 (   ) 온 것이기 때문이다. 실험적인 문화를 창출하는 데 선도적 역할을 해야 할 청소년들이 이러한 노래를 부르며 창의성을 상실해 가는 자리가 바로 노래방인 것이다. 청소년의 창의성이 한껏 발휘될 수 있는 열린 문화 공간이 마련된다면 청소년 문화는 활성화되어 건강하게 꽃필 것이다. 이때 청소년은 기성세대의 보호와 감시의 대상이 아니라 건강한 문화를 창출하는 주체가 되며, 우리 문화에 새로운 기운을 전하는 역할을 하게 될 것이다.

48 필자가 이 글을 쓴 목적을 고르십시오.

① 청소년들의 노래방 문화를 지지하기 위해

② 청소년 문화의 바람직한 방향을 모색하기 위해

③ 청소년 문화와 기성세대 문화의 조화를 찾기 위해

④ 기성세대의 상업적인 문화를 따라 하는 청소년을 비판하기 위해

49 (   )에 들어갈 내용으로 알맞은 것을 고르십시오.

① 상업주의에 물든 기성 문화로부터

② 상업적으로 성공하지 못한 문화로부터

③ 청소년 문화가 뿌리를 내린 문화로부터

④ 청소년들이 주체가 되어 만든 문화로부터

50 이 글에 나타난 필자의 태도로 알맞은 것을 고르십시오.

① 사물이나 현상에 대해 꼼꼼하게 관찰한다.

② 현상의 원인을 역사적인 관점에서 진단한다.

③ 특정 사례를 통해 문제를 제시하고 방안을 제시한다.

④ 대조되는 관점을 소개하고 한쪽의 입장을 지지한다.

실전 모의고사 ❷회

Actual Practice Test 2

듣기 Listening

쓰기 Writing

읽기 Reading

※ 〔1~3〕 다음을 듣고 알맞은 그림을 고르십시오. 각 2점

1 ①  ②

③  ④

2 ①  ②

③  ④

3

①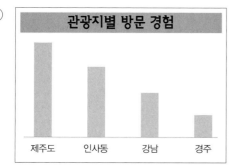

②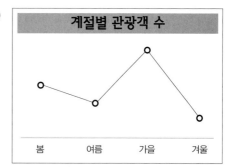

③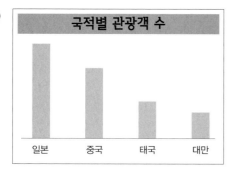

④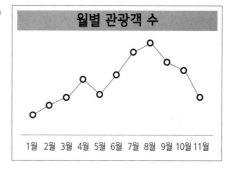

※ 〔4~8〕 다음 대화를 잘 듣고 이어질 수 있는 말을 고르십시오. 각 2점

4 ① 뭐라고? 어떻게 가는지 모른다고?

② 그거 좋은 생각이네. 내가 도와줄게.

③ 그렇게 재미있는 일은 혼자 하면 안 되지.

④ 다시 보자고? 난 안 보는 게 좋을 것 같아.

5 ① 글쎄. 해보나마나 우리 팀이 질 것 같은데.

② 알았어. 이번 기회에 확실하게 배워야겠어.

③ 그럴까? 경기 전에는 준비 운동을 먼저 해야지.

④ 점수를 더 받는다고 결과가 바뀌지는 않을 거야.

6 ① 그럼요. 언제든지 말만 하세요.

② 알았어요. 그럼 재료를 넣지 마세요.

③ 요리가 너무 어려워서 못 할 것 같아요.

④ 미안해요. 그날은 바빠서 못 만날 것 같아요.

7 ① 그럼 그냥 다음에 만나는 게 좋겠어요.

② 미안해요. 다음에는 꼭 먼저 연락할게요.

③ 그래요. 그럼 10분 후에 거기에서 만나요.

④ 네, 지금 출발하면 30분 후에 도착할 거예요.

8 ① 지난주에 너무 바빠서 못 갔어요.

② 이 자료를 과장님께 전해 드리면 돼요.

③ 잘 됐네요. 회의 때 결정된 내용이었어요.

④ 어머, 그래요? 과장님께 죄송하다고 해야겠어요.

9 ① 출근 준비를 한다.

  ② 밖에서 눈을 치운다.

  ③ 여자 대신 요리를 한다.

  ④ 넘어진 사람을 도와준다.

10 ① 고장 난 MP3를 고친다.

  ② 직원에게 번호표를 준다.

  ③ 수리가 끝날 때까지 기다린다.

  ④ MP3를 가지고 다시 집에 간다.

11 ① 성적을 확인하러 간다.

  ② 교수님과 상담을 하러 간다.

  ③ 전공 수업 발표 준비를 하러 간다.

  ④ 친구에게 결석한 이유를 설명한다.

12 ① 보고서를 작성한다.

  ② 프레젠테이션을 시작한다.

  ③ 집에 가서 서류를 놓고 온다.

  ④ 책상 위에서 메모를 확인한다.

※ 〔13~16〕 다음을 듣고 내용과 일치하는 것을 고르십시오. 각 2점

13　① 남자는 일 때문에 밤을 새운다.

　　② 발가락 운동을 하면 잠을 잘 잘 수 있다.

　　③ 스트레스를 받으면 피가 발가락 쪽으로 간다.

　　④ 남자는 10분밖에 자지 못해서 스트레스를 받는다.

14　① 온수뿐만 아니라 냉수도 사용할 수 없다.

　　② 온수 수도관이 고장 나서 수리를 해야 한다.

　　③ 130동은 오후 2시부터 온수 공급이 안 된다.

　　④ 아파트의 각 동은 두 시간씩 온수 공급이 되지 않는다.

15　① 이번 폭설이 일주일째 계속되고 있다.

　　② 이번 폭설로 교통사고가 많이 발생했다.

　　③ 시장이 문을 닫아서 시민들이 불편해 한다.

　　④ 기상청에서는 눈이 그칠 것이라고 발표했다.

16　① 교환 학생으로 가려면 대학교를 휴학해야 한다.

　　② 취업에 성공한 사람들은 모두 교환학생을 다녀왔다.

　　③ 경쟁자들이 많은 사회에서 어학연수는 꼭 필요하다.

　　④ 교환 학생으로 가면 언어 공부와 취업에 도움이 된다.

17 ① 지팡이와 모자는 브랜드 제품을 사야 한다.

② 비싼 상품일수록 좋은 품질을 가지고 있다.

③ 등산을 갈 때는 안전 용품을 잘 챙겨야 한다.

④ 내 경제 수준에 맞는 물건을 사는 것이 좋다.

18 ① 무리하지 않는 한 대출도 나쁘지 않다.

② 대출을 받아서 집을 사는 것은 좋지 않다.

③ 급한 일이 있을 때만 대출을 받아야 한다.

④ 신용 점수를 높이기 위해서는 대출을 받아야 한다.

19 ① 학력이 높은 미용사를 선발해야 한다.

② 개인 정보 보호를 위한 홍보와 교육이 필요하다.

③ 회원 관리를 위해서 많은 정보를 얻는 것이 좋다.

④ 학력이나 직업에 따라서 서비스가 달라져야 한다.

20 ① 유행을 따라 하다 보면 많은 문제가 생긴다.

② 친구와 같은 휴대 전화을 사용하는 것이 유행이다.

③ 물건을 살 때 친구의 영향을 받는 것은 자연스러운 것이다.

④ 필요하지 않은 물건을 사는 것은 사회적인 동물이기 때문이다.

〔21~22〕 다음을 듣고 물음에 답하십시오.

21 여자의 중심 생각으로 맞는 것을 고르십시오.

① 회사의 입장에서 늦게까지 일하는 직원이 더 좋다.

② 건강 관리를 잘해야 일을 효율적으로 처리할 수 있다.

③ 능력이 많은 사람이 보통 회사에서 늦게까지 일을 한다.

④ 늦게까지 회사에서 일하는 것은 자신에게 도움이 되지 않는다.

22 들은 내용으로 맞는 것을 고르십시오.

① 남자는 회사에서 오랫동안 일을 해 왔다.

② 여자는 오랫동안 일을 하면 실수가 많아진다.

③ 회사 일이 끝나도 바로 퇴근하는 사람들이 없다.

④ 여자는 늦게까지 일을 해야 일 처리를 끝낼 수 있다.

※ **〔23~24〕 다음을 듣고 물음에 답하십시오.**

23 여자는 무엇을 하고 있는지 고르십시오.

① 인터넷 뱅킹 사용 방법을 설명하고 있다.

② 인터넷 뱅킹 신청서 작성 방법을 확인하고 있다.

③ 통장을 만들 때 필요한 신청서를 작성하고 있다.

④ 인터넷 뱅킹 신청에 필요한 것을 문의하고 있다.

24 여자가 해야 할 일을 고르십시오.

① 은행에 가서 통장을 만든다.

② 작성한 신청서를 은행에 제출한다.

③ 인터넷으로 인터넷 뱅킹을 신청한다.

④ 본인 확인을 위해 홈페이지에 들어간다.

※ 〔25~26〕 다음을 듣고 물음에 답하십시오.

25 여자의 중심 생각으로 알맞은 것을 고르십시오.

① 모든 병원에서 진료 예약제를 시행해야 한다.

② 외국 의료계의 시스템을 따라 하는 것이 좋다.

③ 환자들을 병원에서 오래 기다리게 하면 안 된다.

④ 병원은 질병을 잘 치료하는 것이 가장 중요하다.

26 들은 내용으로 알맞은 것을 고르십시오.

① 몸이 불편한 환자들은 항상 늦게 왔다.

② 예전에는 병원 진료를 아침부터 시작했다.

③ 이제 환자들은 원할 때 진료를 받을 수 있다.

④ 아직 제도가 활발하게 시행되지 못하고 있다.

※ 〔27~28〕 다음을 듣고 물음에 답하십시오.

27 남자가 장학금에 대해 여자에게 질문한 이유를 고르십시오.

① 장학금을 신청하고 싶어서

② 장학금을 다시 받고 싶어서

③ 좋은 성적을 유지하고 싶어서

④ 아르바이트를 하고 싶지 않아서

28 들은 내용으로 알맞은 것을 고르십시오.

① 올해는 방학에만 장학금을 신청할 수 있다.

② 장학금에는 등록금과 생활비가 포함되어 있다.

③ 여자는 등록금 때문에 아르바이트를 하고 있다.

④ 남자는 장학금을 1년 동안 장학금을 받은 적이 있다.

※ [29~30] 다음을 듣고 물음에 답하십시오.   각 2점

29 여자가 누구인지 고르십시오.

    ① 달걀 판매자   ② 닭 농장 주인

    ③ 닭고기 소비자   ④ 동물 보호 운동가

30 들은 내용으로 맞는 것을 고르십시오.

    ① 보통 농장에서는 넓은 공간에서 닭을 키운다.

    ② 전염병이 많아져서 닭들이 달걀을 낳지 못한다.

    ③ 이 농장의 닭은 항생제를 먹지 않고도 건강하다.

    ④ 건강하지 않은 닭들 때문에 사료 값이 많이 든다.

※ [31~32] 다음을 듣고 물음에 답하십시오.   각 2점

31 남자의 생각으로 맞는 것을 고르십시오.

    ① 비흡연자를 위해서 금연 구역이 확대되어야 한다.

    ② 금연 구역을 확대하면 흡연 구역이 줄어들 것이다.

    ③ 흡연 구역 밖에서 담배를 피우는 사람을 이해할 수 없다.

    ④ 흡연 구역을 깨끗하게 바꾸면 흡연자들이 잘 이용할 것이다.

32 남자의 태도로 맞는 것을 고르십시오.

    ① 자료를 통해 논리적으로 주장하고 있다.

    ② 조심스럽게 상대방을 이해시키려고 한다.

    ③ 감정적으로 상대방의 의견에 반박하고 있다.

    ④ 객관적인 분석으로 상대방에게 책임을 묻고 있다.

※ 〔33~34〕 다음을 듣고 물음에 답하십시오. 각 2점

33 무엇에 대한 내용인지 맞는 것을 고르십시오.

① 새롭게 나타난 주거 형태

② 노인의 외로움을 줄이는 방법

③ 새로운 형태의 봉사활동 유형

④ 노인과 대학생이 대화하는 방법

34 들은 내용으로 맞는 것을 고르십시오.

① 대학생들이 노인들에게 방을 제공한다.

② 노인들은 간단한 집안일을 하는 것이 좋다.

③ 학생은 주변보다 저렴하게 방을 구할 수 있다.

④ 봉사활동 시간을 위해 노인과 같이 사는 학생이 있다.

※ 〔35~36〕 다음을 듣고 물음에 답하십시오. 각 2점

35 여자는 무엇을 하고 있는지 고르십시오.

① 조기교육과 적기 교육의 목표를 밝히고 있다.

② 조기교육의 위험성과 적기 교육을 소개하고 있다.

③ 요즘 유행하는 조기교육에 대해서 홍보하고 있다.

④ 적기 교육이 아이들에게 미치는 영향을 발표하고 있다.

36 들은 내용으로 맞는 것을 고르십시오.

① 유치원에 갈 때 한글을 모두 아는 아이는 없다.

② 조기교육을 시킬수록 아이의 학습 능력은 좋아진다.

③ 엄마는 아이가 깨우칠 수 있는 환경을 제공해야 한다.

④ 조기교육은 적기 교육에 비해서 아이들에게 효율적이다.

※ 〔37~38〕 다음은 교양프로그램입니다. 잘 듣고 물음에 답하십시오. 각 2점

37 여자의 중심 생각을 고르십시오.

① 소비자들은 언제나 새로운 것만을 원한다.

② 제품의 이미지는 중요한 마케팅 수단이다.

③ 지금까지와 전혀 다른 것이 나오기는 힘들다.

④ 기존에 있는 제품들은 마케팅에 사용할 수 없다.

38 여기에서 소개하고 있는 마케팅 전략의 내용과 일치하는 것을 고르십시오.

① 소비자들이 익숙하게 느끼게 해라.

② 계속해서 새로운 제품을 창조해라.

③ 기존의 제품을 새롭게 느끼게 해라.

④ 제품마다 고급스러운 이미지를 넣어라.

※ 〔39~40〕 다음은 대담입니다. 잘 듣고 물음에 답하십시오. 각 2점

39 이 담화 앞의 내용으로 알맞은 것을 고르십시오.

① 길고양이를 돕지 않는 사람들이 증가했다.

② 길고양이를 보호하는 방법들이 다양해졌다.

③ 길고양이들은 사람들에게 큰 피해를 입혔다.

④ 여러 가지 원인으로 길고양이들이 증가했다.

40 들은 내용과 일치하는 것을 고르십시오.

① 주변 환경이 깨끗해지면서 고양이들이 많아지고 있다.

② 고양이 급식소 때문에 주민들의 갈등이 더욱 깊어졌다.

③ 길고양이들은 먹이를 구하기 위해 쓰레기 봉지를 찢었다.

④ 길고양이를 반대하던 사람들이 길고양이에게 밥을 주기 시작했다.

41 들은 내용과 일치하는 것을 고르십시오.

① 여러 신화들에서 숫자 3이 자주 등장한다.

② 가위바위보도 신화 속에 등장하는 놀이이다.

③ 숫자 3은 고대인들의 해 숭배사상과 관계있다.

④ 그리스 신화와 단군 신화는 전혀 다른 이야기이다.

42 숫자 3에 대한 여자의 생각으로 맞는 것을 고르십시오.

① 숫자 3은 가장 흔히 사용되는 신화의 주제였다.

② 숫자 3을 잘 이해하기 위해서는 신화를 읽어야 한다.

③ 그리스 신화 때문에 고대인들은 숫자 3을 즐겨 사용했다.

④ 숫자 3은 예전부터 지금까지 우리에게 많은 영향을 주었다.

※ 〔43~44〕 다음은 다큐멘터리입니다. 잘 듣고 물음에 답하십시오.　　　　　　각 2점

43 과자 봉지 안에 질소를 넣는 이유로 맞는 것을 고르십시오.

① 공기보다 가벼워서 쉽게 변하기 때문에

② 산소와 만나면 안정적으로 변하기 때문에

③ 질소를 넣으면 과자가 잘 부서지기 때문에

④ 내용물이 상하는 것을 막을 수 있기 때문에

44 이 이야기의 중심 생각으로 맞는 것을 고르십시오.

① 질소는 다른 기체에 비해서 안전하다.

② 질소의 장단점을 잘 알고 사용해야 안전하다.

③ 질소는 생활에서 유용하게 사용할 수 있는 기체이다.

④ 기업에서는 과자 봉지를 무겁게 하기 위해 질소를 사용한다.

※ 〔45~46〕다음은 강연입니다. 잘 듣고 물음에 답하십시오. 각 2점

45 들은 내용과 일치하는 것을 고르십시오.

① 사극에서 역사적 사실을 수정하는 경우가 많다.

② 역사적 사건만을 보여 주는 것은 큰 의미가 없다.

③ 젊은 사람들의 취향에 맞는 사극을 만들어야 한다.

④ 한국 시청자들은 사극을 역사로 생각하고 받아들인다.

46 여자의 태도로 가장 알맞은 것을 고르십시오.

① 드라마에서의 역사 왜곡에 대해 반대하고 있다.

② 사극이 만들어지는 과정에 대해서 설명하고 있다.

③ 사극을 예로 들면서 자신의 생각을 증명하고 있다.

④ 다른 사람의 견해를 근거로 제시하며 비판하고 있다.

※ 〔47~48〕다음은 대담입니다. 잘 듣고 물음에 답하십시오. 각 2점

47 들은 내용과 일치하는 것을 고르십시오.

① 생활기록부 때문에 자살하는 학생들이 있다.

② 학교에서는 학교 폭력에 대해서 무관심하다.

③ 학교 폭력의 피해자를 보호하는 것이 중요하다.

④ 학생들의 폭력 기록을 생활기록부에 남기면 안 된다.

48 여자의 태도로 가장 알맞은 것을 고르십시오.

① 경험을 통해 자신의 의견을 주장하고 있다.

② 상대방이 제시한 의견에 강하게 동의하고 있다.

③ 상대방이 제시한 의견에 이의를 제기하고 있다.

④ 문제에 대해 새로운 해결 방법을 제시하고 있다.

※ 〔49~50〕 다음은 강연입니다. 잘 듣고 물음에 답하십시오. 각 2점

49 들은 내용과 일치하는 것을 고르십시오.

① 국민참여재판은 완벽한 제도이다.

② 배심원 선발은 여러 지역에서 이루어진다.

③ 국민참여재판에서는 배심원의 평결이 절대적이다.

④ 배심원의 평결은 법적인 구속력을 가지지 못 한다.

50 남자의 태도로 가장 알맞은 것을 고르십시오.

① 국민참여재판의 목적을 의심하고 있다.

② 국민참여재판의 개선 방안을 제안하고 있다.

③ 국민참여재판의 장점과 단점을 설명하고 있다.

④ 국민참여재판이 폐지되어야 한다고 주장하고 있다.

※ 〔51~52〕 다음을 읽고 ( )에 들어갈 말을 각각 한 문장씩으로 쓰십시오.   각 10점

51

> 존 씨에게
>
>   학교 게시판을 봤는데 3월 20일에 경주로 현장 학습을 간다고 합니다. 다른
> 것은 학교에서 모두 준비하기 때문에 우리는 편한 옷과 물만 (㉠   ).
> 수잔 씨에게 이야기했는데 수잔 씨가 존 씨도 같이 (㉡   ).
>
> 함께 갈 수 있으시면 연락 주세요.
>
>   김영호 드림

52

>   올림픽은 4년마다 한 번씩 열리는 세계 최대의 스포츠 대회이다. 올림픽 대회의
> 의의는 경기에 승리하는 것이 아니라 올림픽에 (㉠   ). 우리는 마라톤
> 에서 1등한 선수를 보고 진심으로 축하해 준다. 하지만 제일 늦게 결승점에 도착
> 했지만 끝까지 포기하지 않고 뛴 선수에게 더 많은 박수를 보낸다. 사람들은 올림
> 픽을 통해 인간에게 중요한 것은 성공보다 (㉡   ).

※ 〔53〕 다음 표를 보고 휴대 전화의 장단점에 대해 쓰고, 청소년이 휴대 전화를 잘 이용하기 위해서 어떻게 해야 하는지 200~300자로 쓰십시오. 30점

휴대 전화의 장단점	
휴대 전화의 장점	휴대 전화의 단점
① 어디서나 사용할 수 있어서 편하다. ② 다른 사람과의 관계 유지를 위해 필요하다.	① 사람들과의 대화가 단절된다. ② 비용이 많이 들고 중독의 위험이 있다.

※ 〔54〕 다음을 주제로 하여 자신의 생각을 600~700자로 글을 쓰십시오. 50점

> 최근 자녀들을 학교에 보내지 않고 집에서 직접 교육을 시키는 '홈스쿨링' 가정이 늘고 있습니다. 학교 교육과 홈스쿨링을 비교하여 바람직한 교육의 형태가 무엇인지 아래의 내용을 중심으로 주장하는 글을 쓰십시오.

- 학생들에게 학교가 꼭 필요합니까?
- 학교 교육이 필요한 이유 또는 그렇지 않은 이유는 무엇입니까?
- 학생들에게 바람직한 교육의 형태는 무엇입니까?

〈원고지 쓰기 예〉

	한	국		사	람	은		'	우	리	'	라	는		말	을		자	주
쓴	다	.		이	는		가	족	주	의	에	서		비	롯	되	었	다	.

※ 〔1~2〕 (   )에 들어갈 가장 알맞은 것을 고르십시오.   [각 2점]

1 어제 오랜만에 (   ) 오늘 다리가 아프다.

   ① 달렸더니   ② 지났을까 봐

   ③ 뛰었을 테니   ④ 걸은 후에야

2 예전에 읽은 책을 다시 봤는데 그 책은 (   ) 새로운 감동을 주는 것 같다.

   ① 읽으려니   ② 읽을수록

   ③ 읽었길래   ④ 읽었는데도

※ 〔3~4〕 다음 밑줄 친 부분과 의미가 비슷한 것을 고르십시오.   [각 2점]

3 선생님 말씀이 <u>끝나사마자</u> 학생들이 가방을 집어 들고 뛰어나갔다.

   ① 끝나기에는   ② 끝나기도 전에

   ③ 끝나기만 하면   ④ 끝나기가 무섭게

4 아이들이 폭력적인 게임을 즐겨하는 것을 보면 <u>걱정하지 않을 수 없다.</u>

   ① 불안해 보인다   ② 불만이 생긴다

   ③ 매우 걱정이 된다   ④ 걱정할 필요가 없다

※ 〔5~8〕 다음은 무엇에 대한 글인지 고르십시오.

각 2점

5

이자 쑥쑥 적금
전용 상품으로 거래 실적에 따라 금리 우대

① 쇼핑　　　　　　　　　② 은행

③ 부동산　　　　　　　　④ 휴대 전화

6

신간 예고 **그녀의 시간**

　　지난 해 선풍적인 인기를 몰고 왔던 〈커피에 빠지다〉에 이어 일 년 간의 노력과 정성 끝에 나온 두 번째 이야기입니다. 〈그녀의 시간〉은 커피와 함께 하는 그녀의 작은 사치를 일상적이고 담백하게 보여줄 것입니다.
　　추석 이후 전국 서점에서 만날 수 있습니다.

① 도서　　　　　　　　　② 슈퍼

③ 영화　　　　　　　　　④ 음식점

7

주의 사항

- 기상 정보를 확인한다.
- 체력이 약한 사람을 기준으로 계획을 짠다.
- 해 지기 2시간 이전까지 하산을 마치도록 계획한다.

① 직업   ② 파티

③ 등산   ④ 산책

8

강남권 즉시 입주!

통 큰 특별 분양 + 취득세 감면

- 지하철 역 바로 연결   • 중심 상업 지구 인근, 초중고교 인접
- 수도권 최대 조류생태공원   • 한강 조망

  방문 상담: 1577 – 1234

① 봉사   ② 관광

③ 학교   ④ 아파트

※ 〔9~12〕 다음 글 또는 도표의 내용과 같은 것을 고르십시오. 각 2점

9

설 배송 휴무 안내

1. 2/5(화) 낮 12시까지 결제 완료하신 분만 당일 발송(오후 6시 이전)됩니다.
2. 2/5(화) 낮 12시 이후 주문부터는 설 이후, 2/12(화)부터 순차적으로 발송됩니다.
3. 설날 전에 꼭 받으셔야 하는 분은 2/5(화) 이전에 주문해 주십시오.

감사합니다. 새해 복 많이 받으세요.

① 직원들은 2월 5일(화) 낮 12시까지만 근무한다.

② 직원들은 2월 12일(화)에 주문한 제품부터 순서대로 발송한다.

③ 2월 5일(화) 이후에 제품을 주문하면 물건을 배송 받을 수 없다.

④ 설날 전에 제품을 받으려면 2월 5일 이전에 주문하는 것이 좋다.

10

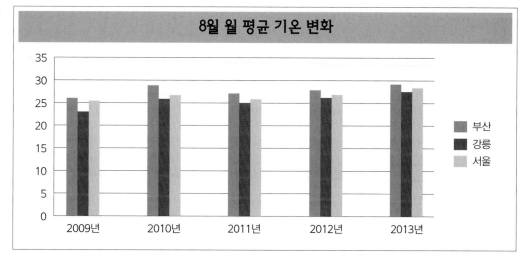

① 8월에는 서울의 기온이 가장 높다.

② 세 지역 중에서 강릉이 8월에 가장 시원하다.

③ 서울과 부산의 8월 평균 기온 차이는 점점 커지고 있다.

④ 부산, 서울, 강릉 모두 매년 8월의 평균 기온이 높아지고 있다.

11

> 나는 요리를 사랑한다. 요리는 긴장을 풀어 주고 아이들과 나를 행복하게 한다. 일 외의 다른 일에 흥미를 느낀 적이 없던 나에게 요리는 재미있고 즐거운 일이다. 정성껏 만든 음식을 먹으며 행복해하는 가족을 보면 나도 더불어 행복해진다. 맛있고 건강한 음식을 만들기 위해 나는 매주 두 번씩 요리를 배우러 다니고 있다.

① 요리를 만드는 것은 긴장되는 일이다.

② 나는 요리뿐만 아니라 다른 취미도 많다.

③ 요리는 우리 가족을 행복하게 만들어 준다.

④ 나는 내가 만든 음식을 먹을 때 가장 행복하다.

12

> 최근 40~50대를 중심으로 다이어트 열풍이 불고 있다. 하지만 중년 이후 무리하게 살을 빼면 피부가 처지게 된다. 피부는 20대 중반부터a 서서히 노화가 시작되어 중년에는 눈가, 입가, 이마 등에 주름이나 처짐 현상이 생긴다. 그래서 단기간에 무리한 다이어트를 하면 얼굴 살이 빠지면서 주름이 늘어나 오히려 나이가 들어 보일 수 있나.

① 단기간 다이어트는 피부를 젊어 보이게 한다.

② 40~50대는 단기간에 다이어트를 하는 것이 좋다.

③ 40~50대는 피부 노화 때문에 얼굴 처짐과 주름이 생긴다.

④ 피부는 20대 중반부터 눈가와 입가에 빠르게 노화가 나타난다.

※ 〔13~15〕 다음을 순서대로 맞게 나열한 것을 고르십시오.

13

> (가) 여행지에서 가장 신경 써야 할 것은 건강이다.
>
> (나) 그리고 끓이지 않은 물, 덜 익은 음식 등은 먹지 않도록 한다.
>
> (다) 건강한 여행을 위해서는 우선 손을 자주 닦아야 한다.
>
> (라) 끝으로 간단한 구급약을 준비해 만약의 응급 상황에 대비하도록 한다.

① (가)-(나)-(다)-(라)　　　　② (다)-(가)-(나)-(라)

③ (가)-(다)-(나)-(라)　　　　④ (다)-(나)-(라)-(가)

14

> (가) 나는 카세트테이프라는 단어만 들어도 추억에 젖는다.
>
> (나) 그래서 나는 지금도 가끔 카세트테이프로 음악을 듣곤 한다.
>
> (다) 어린 시절에 듣던 음악의 대부분을 카세트테이프로 들었기 때문이다.
>
> (라) 카세트테이프는 요즘의 MP3 세대가 느끼지 못하는 그만의 매력이 있다.

① (가)-(다)-(라)-(나)　　　　② (라)-(가)-(나)-(다)

③ (가)-(라)-(나)-(다)　　　　④ (라)-(다)-(가)-(나)

15

> (가) 시스템은 GPS를 통해 구급차 발신기에 현재 위치를 알려 준다.
>
> (나) 이를 위해 구급차 출동 때 교통 신호 자동조작시스템이 도입된다.
>
> (다) 응급 상황에서 피해를 줄이기 위한 구급차의 출동 시간은 5분 이내이다.
>
> (라) 그러면 신호등에 달린 수신기가 적절한 때 파란 신호를 켜 준다.

① (다)-(나)-(가)-(라)　　　② (가)-(나)-(다)-(라)

③ (다)-(가)-(라)-(나)　　　④ (가)-(라)-(다)-(나)

※ 〔16~18〕 다음을 읽고 (　　　)에 들어갈 내용으로 가장 알맞은 것을 고르십시오. 각 2점

16

> 　대부분의 학부모들은 과일 주스를 많이 마시는 것이 건강에 유익하다고 알고 있다. 그러나 과일 주스를 마시는 것은 생과일을 그대로 먹을 때 얻을 수 있는 장점과 결코 비교할 수 없다. 오히려 과일 주스는 열량 과다에 탄산음료만큼이나 당 함량이 많아 (　　　　　　　　　　　).

① 어린이 건강에 도움이 된다

② 어린이 비만을 부추기고 있다

③ 과일을 먹는 것만큼의 효과가 있다

④ 어른과 어린이 모두 자주 마실수록 좋다

17

> 국내 구호 단체 중 하나인 희망봉사회는 해마다 재난이 발생한 지역을 방문하여 집수리 봉사, 오염된 의류와 이불 등의 무료 세탁, 자연재해로 집이 파손돼 삶의 터전을 잃은 이웃을 위한 임시 주택 지원 등의 다양한 구호 사업을 펼치고 있다. 그러나 (   ) 원활한 구호 활동에 어려움을 겪고 있다. 희망봉사회에 함께 참여하여 구호 활동에 도움이 되기를 희망하는 사람은 언제든 전화로 신청하면 된다.

① 세탁기의 부족으로

② 회원 수의 부족으로

③ 임시 주택의 부족으로

④ 집수리 전문가의 부족으로

18

> 친환경 주택은 녹색 주택이라고도 부르는데 말 그대로 (   ) 집을 말한다. 친환경 주택이 갖춰야 할 기본 조건에 대해서 알아보자. 우선 에너지 손실을 막기 위해 흙이나 짚 같은 천연 재료, 친환경 소재로 만들어진 우수한 단열재를 사용해야 한다. 둘째로 에너지 생산을 자체적으로 하거나 최소한의 사용만 할 수 있는 체계를 갖춰야 한다. 마지막은 물의 재활용으로, 빗물이나 쌀뜨물처럼 사용한 물을 청소, 화장실 등에 재사용할 수 있는 시설이 있어야 한다.

① 자연에 해를 끼치지 않는

② 쉽고 빠르게 지을 수 있는

③ 편리한 첨단 기계가 갖춰진

④ 넓은 정원에 나무와 풀이 자라는

요즘 판매되는 침구의 특징은 사계절 내내 사용 가능하다는 점이다. 그러나 침구만 바꿔도 침실 전체의 느낌이 변하므로 계절에 맞는 소재와 색상으로 분위기도 바꾸고 더욱 쾌적한 수면 환경을 만들 수 있다. 여름 침구의 소재로는 땀 흡수와 통풍이 잘 되는 면이 좋다. (   ) 겨울 침구의 소재로는 부드럽고 따뜻한 것을 주로 사용하는데, 최근에는 면과 리넨, 실크의 장점을 모두 가진 신소재 섬유 텐셀을 사용하기도 한다.

19 (   )에 들어갈 알맞은 것을 고르십시오.

① 사실   ② 반면

③ 새삼   ④ 하필

20 이 글의 내용과 같은 것을 고르십시오.

① 여름에는 땀 흡수와 통기가 잘되는 소재가 좋다.

② 사계절 내내 같은 침구를 사용하는 것을 추천한다.

③ 침구를 바꿔도 침실의 분위기는 별로 바뀌지 않는다.

④ 겨울에는 리넨, 실크의 장점을 모두 가진 면이 가장 좋다.

전국에서 열리는 지역 축제는 한 해 2천 개가 넘는다. 그러다 보니 비슷한 주제의 닮은꼴 축제들이 많다. 산천어 축제가 인기를 끄니까 겨울 낚시를 주제로 한 비슷한 축제들이 곳곳에서 시작됐고, 유채꽃 축제도 지역 특성과 상관없이 전국 각지에서 열리고 있다. 축제가 지역의 수입원으로 자리 잡으면서 베끼기 논란이 계속되고 있지만 모르는 척 (　　　　) 지역자치단체도 많다. 지역 축제들이 난립하면서 예산 낭비 논란도 이어지고 있어 옥석을 가려야 한다는 지적이 나오고 있다.

21 (　　　　)에 들어갈 알맞은 것을 고르십시오.

① 귀를 기울이는

② 시치미를 떼는

③ 발 벗고 나서는

④ 허리띠를 졸라매는

22 이 글의 중심 생각을 고르십시오.

① 지역 축제는 활성화되어야 한다.

② 지역 축제에 쓸 예산이 부족하다.

③ 지역 축제를 정비할 필요가 있다.

④ 인기 있는 주제는 함께하는 것이 좋다.

※ 〔23~24〕 다음을 읽고 물음에 답하십시오.

각 2점

> 잠을 자면 눈썹이 하얗게 센다는 어른들의 말씀에 졸음을 참다가 깜빡 잠이 들었다가 눈을 뜨면 눈부신 새해 설날이었다. 새 한복으로 갈아입고 차례를 지낸 후 동네 어른들을 찾아가 세배를 하던 추억이 어제인 듯 새롭다. "까치 까치 설날은 어저께고요, 우리 우리 설날은 오늘이래요." 하고 부르던 노랫소리가 귀에 쟁쟁하다. 친지들과 <u>떠들썩하게 윷놀이를 하고</u> 신나게 널뛰던 모습도 눈앞에 선하다. 그러나 요즘 세대는 명절에 친지들과 모이는 것을 좋아하지 않으며 심지어 명절 모임이 가족 간 갈등의 원인이 되기도 한다. 그러다 보니 이를 피해 오히려 명절에 여행을 떠나는 사람들이 늘어나는 추세이다.

23 밑줄 친 부분에 나타난 필자의 기분으로 알맞은 것을 고르십시오.

① 윷놀이에 이겨서 감동스럽다.

② 윷놀이가 시끄러워 짜증스럽다.

③ 윷놀이를 하며 싸워서 속상하다.

④ 이야기하며 윷놀이를 하는 것이 즐겁다.

24 이 글의 내용과 같은 것을 고르십시오.

① 설날에 여행을 떠나는 사람들이 많아졌다.

② 요즘 세대는 명절에 친척들과 모이는 것을 좋아한다.

③ 설날에는 동네 어른들과 윷놀이와 널뛰기를 하며 놀았다.

④ 요즘에는 한복을 입고 동네 어른들께 세배를 하러 다닌다.

25

> 오늘 밤새 동해안 큰 눈…서울은 미세먼지 물러가

① 오늘 밤 동해안에는 잠깐 눈이 내리고, 서울은 미세먼지가 늘어날 것이다.

② 오늘 밤 동해안에는 눈이 조금 내리고, 서울은 미세먼지가 줄어들 것이다.

③ 오늘 밤 동해안에는 큰 눈송이가 내리고, 서울은 미세먼지가 많아질 것이다.

④ 오늘 밤 내내 동해안에는 많은 눈이 오고, 서울은 미세먼지가 줄어들 것이다.

26

> 담배는 건강의 적! 정부, 담배와의 전쟁 나선다.

① 담배는 건강과 관계가 적으므로 정부에서 담배 판매에 나설 것이다.

② 담배는 건강에 해로우므로 정부는 담배를 늘리는 정책을 마련할 것이다.

③ 담배는 건강에 해롭기 때문에 정부에서 담배를 없애는 방법을 개발할 것이다.

④ 담배는 건강에 나쁘기 때문에 정부는 담배 판매를 줄이도록 하는 법규를 마련할 것이다.

27

> '조상들의 지혜' 과학적으로 검증…견과류 먹으면 암·심장병 예방

① 지혜로운 조상들은 견과류를 먹고 암과 심장병을 예방했다.

② 조상들은 견과류가 몸에 좋다는 사실을 과학적으로 확인했다.

③ 견과류를 먹으면 암과 심장병 예방에 도움이 된다는 것을 과학적으로 알아냈다.

④ 조상들은 견과류를 먹으면 암과 심장병의 치료에 좋다는 것을 과학적으로 알아냈다.

28

> 네덜란드의 벤처기업인 '마스 원'은 화성에 사람이 사는 마을을 건설하는 프로젝트를 추진하고 있다. 전 세계 20만 명의 화성 거주 지원자 중 1단계 통과자는 1,058명이라고 한다. 마스 원은 최종적으로 24명을 선발해 10년 뒤부터 화성으로 보낼 계획이다. 그러나 화성은 영하 55도를 밑도는 혹한에 물도 없고 공기 대부분은 이산화탄소인 척박한 환경이다. 상황이 이렇다 보니 (   ) 시각이 대부분이다.

① 프로젝트의 성공을 기대하는

② 실현 가능성에 대해서 회의적인

③ 과학 기술의 발전을 높이 평가하는

④ 화성에 사람이 정착하는 것을 지지하는

29

> 미술 심리 치료는 심리 치료의 일종으로 말로 표현하기 힘든 느낌이나 생각들을 미술 활동을 통해 표현하여 감정적 스트레스를 완화시키는 방법이다. 감정이나 경험을 말로 표현하기 어려운 아동은 (   ). 심리적 충격을 받은 아이들은 그림을 그리거나 만들기를 통해 정서적 안정을 얻을 뿐만 아니라, 자신이 경험한 것에 대해 자세히 전달하고 정리할 수 있다. 이렇게 자신의 생각이나 경험을 표현함으로써 아이들은 심리적 충격을 완화시킬 수 있다.

① 심리 치료의 효과가 작다

② 글씨를 써서 전달하도록 한다

③ 미술을 통해 정서를 표현할 수 있다

④ 미술 치료가 아닌 다른 치료법이 필요하다

30

　　'월드컵' 하면 대부분 국제축구연맹이 주최하는 축구 대회를 생각한다. 그러나 월드컵은 (　　　　　　　　　　　　　　　　) 운동 경기 전체를 가리키는 말이다. 실제로 여자 월드컵 축구 대회도 있으며, 배구에도 국제배구연맹이 주최하는 남자/여자 월드컵 배구 대회가 있다. 골프는 프로 선수 2명을 한 조로 하는 국가별 대회, 스키는 국가별 종합 경기, 하키는 국제하키연맹 주최로 열리는 대회가 각각 월드컵이라는 명칭으로 불린다.

① 특정 국가들이 연합한

② 운동 경기 중 공을 이용한

③ 일부 선수들만 참여할 수 있는

④ 세계선수권을 겨루는 국제적인

31

　　강화도에는 해안 도로 옆에 자전거 도로가 따로 있어서 자전거를 타고 바다 옆을 달리며 바다를 직접 느낄 수 있다. 시간을 잘 맞추면 갯벌에 바닷물이 들어오는 광경도 볼 수 있고, 길가의 꽃 덕분에 계절을 느낄 수도 있다. 작가 아서 코난 도일은 '희망을 품을 수 없을 때는 자전거를 타고 나가 아무 생각도 하지 말고 그저 달리고 있다는 사실만 떠올리라.'고 했다. 여기는 (　　　　　　　　　　).

① 풍경이 아름다운 곳이다

② 그러한 것을 느끼기가 힘들다

③ 아서 코난 도일이 달리던 길이다

④ 그 사실을 느끼기에 딱 좋은 곳이다

32

> 　　과거 아인슈타인은 꿀벌이 멸종할 경우 4년 안에 인류가 멸망할 것이라고 말한 적이 있다. 인간이 먹는 음식의 80% 이상이 꿀벌의 힘을 필요로 하기 때문이다. 실제로 지난 2006년부터 미국과 유럽에서 시작된 꿀벌 멸종 현상은 아시아와 아프리카 전역으로 번지며 우려를 낳고 있다. 식물이 번식하는 것과 열매 맺는 것에 도움을 주는 꿀벌의 수가 줄어들면 인류는 식량 부족으로 인해 어려움을 겪게 될 것이기 때문이다.

① 꿀벌의 멸종은 아프리카에서 시작되었다.

② 꿀벌이 멸종되면 인류의 식량이 부족해진다.

③ 꿀은 인간이 먹는 음식의 80% 이상을 차지한다.

④ 꿀벌이 멸종되어도 인류는 큰 영향을 받지 않는다.

33

> 　　국민연금제도는 국가에서 시행하는 사회보장제도로서, 특수직 종사자를 제외한 전 국민을 대상으로 실시되는 공적연금제도이다. 따라서 가입이 법적으로 의무화되어 있다. 소득 활동을 할 때 조금씩 보험료를 납부하여 모아 두었다가 나이가 들거나, 갑작스러운 사고나 질병으로 소득 활동이 중단된 경우, 본인이나 유족에게 연금을 지급함으로써 기본 생활을 유지할 수 있도록 하는 소득보장제도이다.

① 국민연금제도는 사적연금제도이다.

② 국민연금제도는 전 국민이 모두 가입하여야 한다.

③ 소득의 일부를 조금씩 모아 두었다가 나이가 들면 연금으로 돌려받는다.

④ 연금은 나이가 들거나 사고 등으로 소득 활동이 중단된 경우 본인만 받을 수 있다.

34

> 회사를 살리는 진짜 영웅은 겉으로 드러나지 않는다. 진짜 영웅은 소리 없이 고민하고 선택하며 조직을 성공으로 이끄는데 그가 바로 조용한 리더이다. 조용한 리더는 남다른 미덕을 가지고 있는데 그것은 자제력, 겸손, 고집이다. 이 세 가지는 모두 조용하고 일상적인 덕목이다. 우리가 생각하는 리더십에 어울리는 것은 하나도 없다. 그러나 평범하다는 것이야말로 이 세 가지 덕목을 가치 있게 하는 근본적인 이유이다. 사람들에게 친숙하고 자연스럽게 다가갈 수 있는 덕목인 것이다.

① 회사를 살리는 영웅은 겉으로 알 수 있다.

② 조용한 리더는 평범한 덕목을 가치 있게 만든다.

③ 사람들과 잘 어울릴수록 진정한 리더가 될 수 있다.

④ 우리가 생각하는 리더십의 덕목은 자제력, 겸손, 고집이다.

35

> 배는 수분이 많아 시원하고 달다. 배는 껍질을 깎아서 먹거나 배즙 형태로 먹기도 하고, 배중탕을 해 먹기도 한다. 배는 기침과 가래, 기관지염 등을 없애 주기 때문에 감기에도 도움이 된다. 얼마 전에는 배즙을 짜고 남은 찌꺼기로 변비 개선 효과가 있는 식이섬유 보충제와 각질 제거제, 치약 등을 제조하는 방법이 개발되기도 했다.

① 배는 배즙으로 먹는 것이 가장 효과가 좋다.

② 배의 찌꺼기만 따로 개발하는 것이 필요하다.

③ 감기에는 배즙을 짜고 남은 찌꺼기가 도움이 된다.

④ 배는 여러 효능이 있으며 버릴 것이 없는 유용한 과일이다.

36

> 돌담은 돌이 있는 곳이면 어디서나 볼 수 있다. 그러나 제주의 돌담은 다른 지역의 돌담과 다르다. 제주도의 돌담은 촘촘히 쌓인 돌 틈 사이에 군데군데 구멍이 숭숭 뚫려 있기 때문에 '바람 그물'이라고 부른다. 이 틈새는 거센 바람에 돌담이 무너지는 것을 막기 위해 고안된 것으로 제주도민들의 지혜를 볼 수 있다. 돌담을 쌓을 때에는 한쪽이라도 흔들리면 전체가 무너지기 때문에 마을 사람들이 힘을 합쳐 쌓아야 했다. 이처럼 돌담을 통해 제주도민들의 협동심을 엿볼 수도 있다.

① 돌담을 만들 때는 협동심이 중요하다.

② 제주도의 돌담은 독특한 특성과 함께 협동심을 보여 준다.

③ 제주도의 돌담은 다른 지역의 돌담과 같은 점이 매우 많다.

④ 제주도는 바람이 세기 때문에 집 주변에 돌담이 있어야 한다.

37

나비 효과는 나비의 날개 짓처럼 작은 변화가 폭풍우와 같은 커다란 변화를 유발하는 현상을 말한다. 미국의 기상학자가 컴퓨터로 실험하던 중 초기 입력 값의 미세한 차이가 엄청나게 증폭되어 복잡한 궤도가 그려진다는 것을 발견했다. 일정한 범위에서 서로 교차되거나 반복되는 경우도 없이 나비의 날개 모양을 끝없이 그려내고 있었는데 이는 혼돈스러워 보이지만 혼돈 속에 질서가 내재되어 있다는 것을 의미하는 것이다.

① 자연에는 복잡하지만 규칙적인 궤도가 존재하고 있다.

② 나비가 날개 짓을 하면 거대한 폭풍우를 일으킬 수 있다.

③ 계산에서 나온 초기 입력 값이 컴퓨터에 나비 효과를 일으켰다.

④ 자연은 무질서해 보이는 속에 질서가 있으며 서로 밀접하게 관련되어 있다.

38

무상 급식이란 세금을 재원으로 학생들에게 무료로 점심 식사를 제공하는 것을 말한다. 저소득층과 사회적 약자를 위해 실시되는 경우가 많으나, 일부에서는 모든 학생에게 실시되기도 한다. 전면 무상 급식에 찬성하는 사람들은 '일부만 무상 급식을 하면 이는 아이들에게 눈칫밥을 먹이는 것이다'라는 것을 주요 근거로 내세운다. 반면 이에 반대하는 입장은 무상 급식으로 대규모 예산이 빠져나가면 빈곤층에 지급되는 돈이 부족해지므로, 중산층에 급식비를 지원해 주기보다는 빈곤층에 대한 복지의 질을 높이는 데 우선적으로 재원이 투입돼야 한다고 주장한다.

① 무상 급식의 실시를 위해 세금을 더 걷어야 한다.

② 전면 무상 급식에 대해 찬성과 반대의 의견이 존재한다.

③ 전면 무상 급식의 실시는 아이들에게 눈칫밥을 먹게 하는 일이다.

④ 중산층과 빈곤층의 차별을 없애기 위해 전면 무상 급식을 실시해야 한다.

39

여름철 더운 날씨에 에어컨을 사용하다 보면 전기 요금이 부담스럽다. 에어컨을 적게 사용하면서 여름을 시원하게 보내는 방법을 알아보자. (㉠) 커튼을 창에 설치하면 열 흡수량이 줄어 실내 온도가 낮아진다. (㉡) 실내가 더울 때는 에어컨을 25℃에 맞추고 선풍기를 약하게 틀면 전기 소비를 줄일 수 있다. (㉢) 또한 바람이 잘 통하는 얇은 옷을 입는 것도 체온을 낮춰 시원하게 한다. (㉣)

〈 보 기 〉

이 때 선풍기는 창가 쪽에서 1~2m 거리에 두고 트는 것이 효과적이다.

① ㉠   ② ㉡   ③ ㉢   ④ ㉣

40

저가 항공이란 일반적인 항공에 비해서 항공권의 가격이 싼 항공을 말한다. (㉠) 항공권 가격에는 항공사가 제공하는 물적, 인적 서비스 비용이 포함되어 있다. (㉡) 저가 항공은 이러한 서비스를 최소화하여 요금을 낮춘 것이다. (㉢) 예약 시점, 이용하는 시간대, 여행 기간에 따라 가격 차이가 크다. (㉣) 따라서 정보를 많이 알고 있고 전략적으로 접근하는 여행자가 싼 항공권을 차지할 수 있는 것이다.

〈 보 기 〉

그러나 저가 항공이 무조건 저렴한 것은 아니다.

① ㉠   ② ㉡   ③ ㉢   ④ ㉣

41

영화 〈관상〉의 후반부에서는 한국의 고유 관념인 '한'을 느낄 수 있다. (㉠) 외국인에게 '한'이라는 한국만의 독특한 감정을 설명하고 싶다면 〈관상〉의 후반부 절정 부분과 결말 부분에 나타나는 두 주인공의 슬픔과 체념을 보여주면 될 것 같다. (㉡) 영화 〈관상〉은 인물들의 내적인 움직임을 포착하여 인간의 '보편성'과 한국 문화의 '특수성'을 동시에 보여 주는 영화이기 때문이다. (㉢) 이것만으로도 〈관상〉은 충분히 명품 영화라 불릴 만하다. (㉣)

〈 보 기 〉

'한'이라는 단어를 외국어로 표현하면 슬픔 혹은 비극이라 할 수 있지만, 그 뜻을 설명하기는 어렵다.

① ㉠   ② ㉡   ③ ㉢   ④ ㉣

동소문 안에서 인력거꾼 노릇을 하는 김 첨지에게 오늘은 운수 좋은 날이었다. 근 열흘 동안 돈 구경을 못 한 끝에, 아침 댓바람부터 손님이 이어져 십 전짜리 백통화가 쌓이더니 무려 팔십 전을 번 탓이다. 이 돈이라면 막걸리 한 잔을 걸치고 병석의 아내에게 설렁탕 한 그릇을 사다 주기에 충분했다. [중략] 아내는 기침을 쿨럭대기가 달포를 넘었다. 끼니도 못 때우는 처지니 약 한 첩 써본 일이 없었다. 게다가 열흘 전에는 조밥을 먹고 체해 병이 더욱 위중해졌다. 그런데도 사흘 전부터는 설렁탕 한 그릇이 먹고 싶다고 목을 달았다. 마음도 푼푼하고 비까지 내려 그만 돌아갈까 하던 참에 학생이 부르는 소리가 들렸다. 급히 역까지 가자고 한다. 김 첨지는 호기를 부려 일금 오십 전이면 가겠다고 해서 생각지도 못한 큰돈을 쥐었다. [중략] 만취한 김 첨지는 취중에도 설렁탕 한 그릇을 사서 들고 집으로 돌아왔다. 그런데 대문 안으로 들어섰을 때 무서운 정적이 짓누르는 걸 느낄 수가 있었다. 김 첨지는 방 안에 들어서서 설렁탕을 구석에 놓고는 호통을 쳤다. "주야장천 누워만 있으면 제일이야! 남편이 와도 일어나지를 못해." 아무런 대꾸가 없어 아내의 다리를 걷어찼다. 나무 등걸이 차이는 느낌이었다. 김 첨지는 죽은 아내의 얼굴에 닭똥 같은 눈물을 떨어뜨리며 푸념을 쏟는다. "설렁탕을 사다 놓았는데 왜 먹지를 못하니……. <u>괴상하게도 오늘은 운수가 좋더니만…….</u>"

42 밑줄 친 부분에 나타난 김 첨지의 감정으로 알맞은 것을 고르십시오.

① 애통하다   ② 우울하다

③ 의아스럽다   ④ 불만스럽다

43 이 글의 내용과 같은 것을 고르십시오.

① 김 첨지는 근래에 돈을 벌지 못했다.

② 김 첨지의 아내는 설렁탕을 먹고 크게 체했다.

③ 김 첨지는 오늘 평소와 달리 돈을 많이 벌지 못했다.

④ 김 첨지는 만취해서 집에 오는 길에 설렁탕을 사 오지 못했다.

여자는 인간관계 속에서 스트레스를 해소하지만 남자는 문제를 해결함으로써 스트레스를 해소한다. 그래서 상대방이 우울해하거나 스트레스를 받고 있을 때, 남자는 상대방에게 문제 해결을 위한 조언을 하려고 하는 반면 여자는 상대방과 이야기를 하고 사소한 일에도 느낌을 공유하면서 평안함을 느끼게 하려고 한다. 이러한 차이점 때문에 남자와 여자는 끊임없이 갈등을 겪게 된다. 그렇다면 이러한 차이는 왜 생기는 것일까? 그것은 뇌 구조 중 좌뇌와 우뇌를 이어주는 '전교련'이라 불리는 곳과 연관이 있다. 여자가 남자보다 전교련이 두꺼워서 좌뇌와 우뇌의 정보 교류가 활발하기 때문에 감정의 정보량이 많다. 그렇기 때문에 여자가 남자보다 (　　　　　　　　　　　　　) 반응하는 것이다.

44 이 글의 주제로 알맞은 것을 고르십시오.

① 뇌에서 정보와 감정이 교류되는 방법은 매우 섬세하다.

② 좌뇌와 우뇌를 연결하는 부분인 '전교련'은 남녀 모두 같은 형태이다.

③ 남녀의 스트레스 해소 방법이 다른 이유는 뇌의 구조가 다르기 때문이다.

④ 남자는 문제 해결을 위해, 여자는 인간관계 개선을 위해 스트레스가 생긴다.

45 (　　　　　)에 들어갈 내용으로 알맞은 것을 고르십시오.

① 섬세하고 사소한 일에도 예민하게

② 감정적으로 끊임없이 갈등이 일어나게

③ 상대방의 문제 해결에 대한 조언을 하게

④ 스트레스를 많이 받아 인간관계에 소극적이게

동물끼리는 의사소통을 할까? 동물들은 그저 본능에 따라 정해진 소리를 내는 것은 아닐까? (㉠) 그렇다면 고양이는 전 세계 어디서든 '야옹' 하고 울어야 하고 새들은 종마다 고유의 소리만 내야 한다. (㉡) 지난 30년 동안 초원멧새들의 울음소리를 녹음해 비교한 결과, 시간의 지남에 따라 소리의 구성이 조금씩 바뀌었던 것이다. (㉢)

켄트 섬의 초원멧새들은 도입, 중앙, 버즈, 트릴 등 4개 성분으로 이루어진 한 가지 울음소리만 낸다. 그러나 30년이 지나는 동안 '중앙' 부분에 짧고 강한 스타카토가 삽입됐고 마지막 '트릴' 부분은 낮고 짧은 소리로 바뀌었다. (㉣) 시대에 따라 사람들의 말투가 달라지고 억양이 바뀌는 것처럼 새들의 소리도 문화적인 진화가 이루어진 것이다.

46 다음 문장이 들어가기에 가장 알맞은 곳을 고르십시오.

하지만 켄트 섬의 새들을 연구하면서 새로운 사실을 알게 되었다.

① ㉠　　　　　　② ㉡　　　　　　③ ㉢　　　　　　④ ㉣

47 이 글의 내용과 같은 것을 고르십시오.

① 초원멧새들의 소리는 30년 간 문화적인 진화를 했다.

② 동물은 그저 본능에 따라 정해진 소리를 내는 것이다.

③ 고양이는 전 세계 어디서든 모두 똑같이 '야옹' 하고 운다.

④ 켄트 섬의 초원멧새들은 도입, 중앙, 버즈, 트릴의 4가지 소리를 낸다.

인터넷 사용이 많아진 지금 문서를 보관하고 필요한 자료를 찾는 것은 매우 편리해졌지만, 과거에 비해 개인 정보가 타인에게 노출될 위험은 높아졌다. 컴퓨터를 잘 다루고 그것을 의도적으로 사용하고자 하는 사람들에게 인터넷상에 저장된 정보는 너무나 쉬운 표적이다. 무분별하게 노출되어 있는 개인 정보를 보호하려면 어떻게 해야 할지 생각해 보자. 첫째, 개인 정보를 보관하는 정부 기관이나 기업의 유형에 따라 보관해도 되는 개인 정보와 그렇지 않은 개인 정보 항목을 구분하여 법으로 제한해야 한다. 둘째, 핵심적인 개인 정보를 굳이 저장해야 할 경우에는 자료 누출에 대비하여 반드시 암호화하도록 해야 하며 그 범위를 확대할 필요가 있다. 셋째, 개인 정보를 저장하고 있는 정부 기관이나 기업이 (   ) 이것을 의무화하여 이를 어길 시에는 법적인 제재를 하도록 해야 한다. 마지막으로 계열 기업 간에 개인 정보를 공유하는 범위를 제한해야 한다.

48 필자가 이 글을 쓴 목적을 고르십시오.

① 계열 기업 간의 개인 정보 공유를 원활하게 하기 위해

② 인터넷상의 개인 정보 보호를 위한 방법을 마련하기 위해

③ 정부 기관과 기업의 인터넷 사용을 법적으로 규제하기 위해

④ 정부 기관과 기업의 개인 정보 보호가 잘 되고 있음을 홍보하기 위해

49 (   )에 들어갈 내용으로 알맞은 것을 고르십시오.

① 범위가 확대되어 암호화 된 개인 정보를 공유하고

② 개인 정보를 관리할 수 있는 유효 기간을 설정하고

③ 개인 정보를 모두 인터넷이 아닌 문서로 보관하게 하고

④ 개인 정보 이외의 자료는 모두 즉시 파기하도록 정하고

50 이 글에 나타난 필자의 태도로 알맞은 것을 고르십시오.

① 문제점을 제시하고 해결 방안을 제안한다.

② 현상의 원인을 역사적인 관점에서 진단한다.

③ 사물이나 현상에 대해 꼼꼼하게 관찰하고 설명한다.

④ 대조되는 관점을 소개하고 한 쪽의 입장을 지지한다.

실전 모의고사 ❸회

Actual Practice Test 3

듣기 Listening

쓰기 Writing

읽기 Reading

※ 〔1~3〕 다음을 듣고 알맞은 그림을 고르십시오. 각 2점

1 ①

②

③

④

2 ①

③

3

①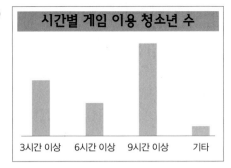
시간별 게임 이용 청소년 수

3시간 이상　6시간 이상　9시간 이상　기타

②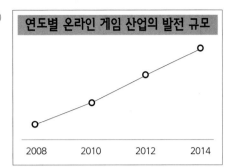
연도별 온라인 게임 산업의 발전 규모

2008　2010　2012　2014

③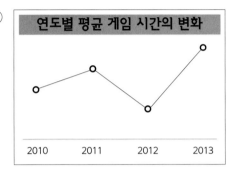
연도별 평균 게임 시간의 변화

2010　2011　2012　2013

④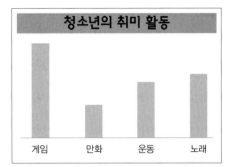
청소년의 취미 활동

게임　만화　운동　노래

※ 〔4~8〕 다음 대화를 잘 듣고 이어질 수 있는 말을 고르십시오. 각 2점

4 ① 정말? 난 하나도 못 타겠어.

② 그래. 난 누구든지 상관없어.

③ 그래? 그럼 네가 타고 싶은 걸로 타자.

④ 좋아. 그럼 처음에 내가 본 것을 먼저 타자.

5 ① 맞아요. 저랑 같은 생각을 했네요.

② 글쎄요. 과제가 너무 어렵지 않았어요?

③ 왜요? 다른 재미있는 수업이 많은데요.

④ 다음 학기에는 다른 교수님 수업을 들을 거예요.

6 ① 그래. 영화 보고 다녀와서 도와줄게.

② 괜찮아. 청소는 나 혼자 해도 충분해.

③ 좋아. 청소 같이 끝내고 빨리 나가자.

④ 미안해. 너무 심심해서 청소라도 해야겠어.

7 ① 그렇구나. 정말 기뻤겠다.

② 맞아. 나하고도 정말 자주 싸웠어.

③ 네가 유나에게 사과하는 게 좋겠어.

④ 그래? 정말 다행이다. 걱정 많이 했거든.

8 ① 괜찮아요. 회의 시간을 2시로 바꿔 주세요.

② 네, 고마워요. 회의 자료는 다 준비됐겠지요?

③ 아니요, 자료 준비는 회의 끝나고 해도 돼요.

④ 정말요? 그럼 오늘 점심시간에 회의를 하나요?

9 ① 친구에게 옷을 골라 준다.

② 면접에 늦지 않게 나간다.

③ 다른 옷을 골라서 입어본다.

④ 면접에 어울리는 옷을 구입한다.

10 ① 준비 운동을 하러 간다.

② 남자에게 운동을 가르친다.

③ 가입 신청서를 다시 작성한다.

④ 시력 검사를 하러 안과에 간다.

11 ① 재활용이 되는 비닐봉지에 표시를 한다.

② 일반 비닐봉지를 따로 모아서 재활용한다.

③ 비닐봉지에 재활용 표시가 있는지 확인한다.

④ 분리수거를 위해서 비닐봉지를 모아 놓는다.

12 ① 보고서를 복사하러 간다.

② 남자에게 보고서를 건네준다.

③ 발표에 쓸 컴퓨터를 확인한다.

④ 사장님에게 동영상을 보여 준다.

13 ① 남자는 난방비 때문에 보일러를 꼭 끈다.

② 여자는 외출할 때 보일러를 끄고 나갔다.

③ 계속 보일러는 켜 놓으면 난방비를 절약할 수 없다.

④ 난방비를 절약하려면 외출할 때 껐다가 켜는 것이 좋다.

14 ① 도서 대출은 지하 1층 열람실에서 가능하다.

② 도서관은 총 4층으로 모든 층에 열람실이 있다.

③ 학생증이 없어도 자료 열람실에서 책을 대출할 수 있다.

④ 책을 연체하면 2주 후부터 하루에 100원씩 연체료를 내야 한다.

15 ① 운전 중 체조는 교통사고의 원인이 된다.

② 지난 29일에 두 건의 교통사고가 발생했다.

③ 당분간 2시부터 운전을 하는 것이 금지된다.

④ 봄철 졸음운전 사고는 오후에 많이 발생한다.

16 ① 면접에서는 단체 생활 능력을 보여주는 것이 좋다.

② 자기 자랑을 많이 할수록 좋은 점수를 받을 수 있다.

③ 남자는 직원을 뽑을 때 능력이 좋은 사람을 선택했다.

④ 회사의 입장에서는 자신감을 가진 사람을 반기게 된다.

17 ① 친구 사이에는 비밀이 없어야 한다.

② 친구의 비밀을 반드시 지켜 줘야 한다.

③ 비밀을 지키는 것은 거의 불가능한 일이다.

④ 우정을 지키기 위해 비밀을 만드는 것이 좋다.

18 ① 인터넷으로 사는 물건도 품질이 나쁘지 않다.

② 눈으로 직접 물건을 확인하고 사는 것이 좋다.

③ 인터넷으로 쇼핑을 하면 돈을 절약할 수 있다.

④ 백화점에서 옷을 사면 품질에 비해 너무 비싸다.

19 ① 한 가지 봉사활동을 꾸준히 하는 것이 좋다.

② 다양한 봉사활동 경험을 하는 것이 중요하다.

③ 아이들과 너무 친해지기 전에 그만 둬야 한다.

④ 상처 받은 아이들을 위해 친구가 되어 줘야 한다.

20 ① 성인 여성의 다이어트는 청소년에게 나쁜 영향을 미친다.

② 정신 건강을 위해서 반드시 규칙적으로 운동을 해야 한다.

③ 무리한 운동을 할 바에야 포기하는 것이 정신 건강에 좋다.

④ 건강을 위해서는 운동의 단계별 주의 사항을 잘 지켜야 한다.

21 남자의 중심 생각으로 맞는 것을 고르십시오.

① 자신의 능력만큼 월급을 받는 것이 좋다.

② 회사 일이 항상 마음대로 되는 것은 아니다.

③ 월급을 똑같이 받으면 열심히 일하지 않는다.

④ 일에 집중하면 특별한 능력을 보여줄 수 있다.

22 들은 내용으로 맞는 것을 고르십시오.

① 여자는 현재 능력에 따른 월급을 받고 있다.

② 요즘 회사에서는 기본 월급이 점점 늘어나고 있다.

③ 회사 일을 하는 데에는 특별한 능력이 필요하지 않다.

④ 남자는 일하는 만큼 돈을 받으면서 일에 더 집중하게 됐다.

※ 〔23~24〕 다음을 듣고 물음에 답하십시오. 각 2점

23 남자는 무엇을 하고 있는지 고르십시오.

① 택배 회사 변경에 대해 문의하고 있다.

② 교환 신청서에 쓴 내용을 변경하고 있다.

③ 택배비를 부담하는 문제를 항의하고 있다.

④ 구입한 물건의 교환 방법을 확인하고 있다.

24 남자가 해야 할 일을 고르십시오.

① 받은 물건을 확인하고 교환 처리를 한다.

② 우체국에 가서 5,000원을 회사에 보낸다.

③ 상자에 택배비와 물건을 함께 넣어 보낸다.

④ 택배가 잘 도착했는지 홈페이지에서 확인한다.

25 남자의 중심 생각으로 알맞은 것을 고르십시오.

   ① 소설은 영화로 만들기에 여러 장점을 가지고 있다.

   ② 영화에서 가장 중요한 것은 흥행할 수 있느냐는 것이다.

   ③ 대본만 좋으면 영화를 만드는 것은 어려운 일이 아니다.

   ④ 영화를 흥행시키려면 홍보를 어떻게 하느냐가 중요하다.

26 들은 내용으로 알맞은 것을 고르십시오.

   ① 남자는 영화를 홍보하기 위해서 소설을 썼다.

   ② 남자는 앞으로 소설을 영화로 제작할 생각이 없다.

   ③ 관객들은 영화를 볼 때 내용에 대해 계속 의심한다.

   ④ 남자가 제작한 영화 중에는 소설이 원작인 것이 많다.

27 여자가 유학에 대해 남자에게 질문한 이유를 고르십시오.

   ① 유학 가서 공부할 학교를 결정하기 위해서

   ② 두 학교의 장학금 제도를 비교해 보기 위해서

   ③ 어학연수의 단점에 대해서 설명을 듣기 위해서

   ④ 언제 유학을 가면 좋을지 유학 시기를 의논하기 위해서

28 들은 내용으로 알맞은 것을 고르십시오.

   ① 여자는 외국에서 5년 정도 유학했던 경험이 있다.

   ② 남자가 공부한 학교는 유학생 장학금이 따로 있다.

   ③ 남자가 공부한 학교는 어학연수 기간이 필요 없다.

   ④ 여자는 유학을 가면 언어를 어떻게 해야 할지 고민이다.

29　남자가 누구인지 고르십시오.

　　① 현대 무용가

　　③ 예술가의 부모

　　② 무용학과 교수

　　④ 무용 잡지 기자

30　들은 내용으로 맞는 것을 고르십시오.

　　① 남자는 하루에 5시간 동안 연습을 했다.

　　② 남자는 다른 사람들보다 유연성이 부족했다.

　　③ 남자는 남들보다 잘하기 위해서 더 많이 연습했다.

　　④ 남자는 다른 사람보다 일찍 무용을 시작한 편이다.

31　여자의 생각으로 맞는 것을 고르십시오.

　　① 배우가 되려면 연극부터 시작하는 것이 좋다.

　　② 자신이 진정 원하는 것이 무엇인지 알아야 한다.

　　③ 이루기 힘든 꿈은 일찍 포기하고 현실을 봐야 한다.

　　④ 흔들려도 꿈을 포기하지 말고 끝까지 노력해야 한다.

32　여자의 태도로 맞는 것을 고르십시오.

　　① 객관적인 근거를 들어서 상대방의 책임을 묻고 있다.

　　② 구체적인 사례를 들면서 상대방의 의견을 반박하고 있다.

　　③ 끊임없이 질문을 던지며 강한 어조로 자신의 생각을 말한다.

　　④ 상대방의 의견에 동의하며 부드러운 어조로 주장을 펼치고 있다.

각 2점

33 무엇에 대한 내용인지 맞는 것을 고르십시오.

① 상대방을 탓하는 대화 방식의 유형

② 방어적으로 대화를 나눌 때의 역효과

③ 나를 중심으로 하는 효과적인 대화 방법

④ 담담한 어조가 상대방의 심리에 주는 영향

34 들은 내용으로 맞는 것을 고르십시오.

① 가까운 사이일수록 문제가 생기면 문제 자체에 집중해야 한다.

② 대화를 할 때 나의 상태를 상대방에게 전달하는 것이 중요하다.

③ 상대방을 탓할 필요가 있을 때에는 담담한 어조로 이야기해야 한다.

④ 내가 상대방에게 존중을 받고 있다는 느낌을 받으면 방어적으로 된다.

※ 〔35~36〕 다음을 듣고 물음에 답하십시오.

각 2점

35 남자는 무엇을 하고 있는지 고르십시오.

① 선행 학습 금지법의 필요성을 역설하고 있다.

② 선행 학습 금지법의 궁극적인 목표를 밝히고 있다.

③ 선행 학습과 사교육의 관계에 대해서 설명하고 있다.

④ 사교육 시장이 커지면서 생기는 문제들을 알리고 있다.

36 들은 내용으로 맞는 것을 고르십시오.

① 예습은 몇 년을 앞서 공부하는 것을 말한다.

② 사교육을 통해 학생들 사이의 차이를 없앨 수 있다.

③ 한국 사회에서 선행 학습은 당연하게 생각되고 있다.

④ 사교육과 더불어 공교육에서도 학생들은 경쟁을 한다.

37 남자의 중심 생각을 고르십시오.

　① 기업의 이미지는 단순히 광고로 만들어질 수 있는 것이 아니다.

　② 연예인들은 소비자들에게 긍정적인 기업 이미지를 주기가 힘들다.

　③ 스포츠 선수를 통한 무분별한 광고는 기업 이미지를 나쁘게 만든다.

　④ 스포츠 선수들을 모델로 하면 긍정적인 기업 이미지를 만들 수 있다.

38 여기에서 소개하고 있는 기업 모델의 조건과 일치하는 것을 고르십시오.

　① 끊임없이 노력하는 모습

　② 진취적이고 활기찬 이미지

　③ 연예인에 비해서 낮은 인지도

　④ 기업의 이미지와 동일한 존재감

39 이 담화 앞의 내용으로 알맞은 것을 고르십시오.

　① 동물은 본래의 습성에 가깝게 키우는 것이 좋다.

　② 공장에서 대량으로 동물을 키우는 방법은 다양하다.

　③ 청결하지 않은 환경을 바꾸기 위해서 노력해야 한다.

　④ 스트레스를 받은 동물의 고기는 인간에게 악영향을 준다.

40 들은 내용과 일치하는 것을 고르십시오.

　① 동물들이 스트레스를 받으면 항생제를 투여한다.

　② 병에 걸린 동물들은 공장에서 따로 보호하고 있다.

　③ 대량으로 키우는 동물들은 움직임이 자유롭지 못하다.

　④ 우리는 대부분 습성대로 키워진 동물의 고기를 소비한다.

※ 〔41~42〕 다음은 채식주의에 대한 강연입니다. 잘 듣고 물음에 답하십시오.　　각 2점

41 들은 내용과 일치하는 것을 고르십시오.

① 실험에서 검사한 만성질환은 총 14개이다.

② 과일과 채소를 많이 먹는 사람이 가장 건강하다.

③ 채식을 하지 않으면 우울증에 걸릴 확률이 2배 높다.

④ 실험 결과 채식주의자들이 더 많은 질병을 앓고 있었다.

42 채식주의에 대한 남자의 생각으로 맞는 것을 고르십시오.

① 육류를 적게 먹으면 먹을수록 건강하게 살 수 있다.

② 삶의 질을 높이고 싶으면 과일과 채소를 먹어야 한다.

③ 만성질환을 예방하는 데에는 채식이 가장 효과적이다.

④ 완전한 채식을 고집하는 것은 건강에 도움이 되지 않는다.

※ 〔43~44〕 다음은 다큐멘터리입니다. 잘 듣고 물음에 답하십시오.　　각 2점

43 세제에 계면활성제를 사용하는 이유로 맞는 것을 고르십시오.

① 피부병과 환경오염의 위험이 없기 때문에

② 세척력이 우수하면서 값이 저렴하기 때문에

③ 다른 화학물질은 잘못 사용하면 위험하기 때문에

④ 자연에서 추출한 계면활성제는 양이 적기 때문에

44 이 이야기의 중심 생각으로 맞는 것을 고르십시오.

① 최소한의 계면활성제만 사용해야 한다.

② 계면활성제를 더 다양하게 사용해야 한다.

③ 계면활성제가 무조건 위험한 것은 아니다.

④ 계면활성제를 대체할 수 있는 것을 찾아야 한다.

※ 〔45~46〕 다음은 강연입니다. 잘 듣고 물음에 답하십시오. 각 2점

45 들은 내용과 일치하는 것을 고르십시오.

① 야수파는 기존의 미술을 거부했다.

② 입체파의 대표적인 화가로는 피카소가 있다.

③ 입체파는 강렬한 색체를 사용해서 그림을 그렸다.

④ 야수파는 그림의 대상을 여러 각도에서 보여 주고자 했다.

46 남자의 태도로 가장 알맞은 것을 고르십시오.

① 각 화가들의 작품을 종합적으로 평가하고 있다.

② 예시와 근거를 통해 다른 사람의 견해를 비판하고 있다.

③ 시대별로 유행한 미술학파를 특징에 따라 나누어 비교하고 있다.

④ 대표적인 화가와 학파를 중심으로 현대미술에 대해 설명하고 있다.

※ 〔47~48〕 다음은 대담입니다. 잘 듣고 물음에 답하십시오. 각 2점

47 들은 내용과 일치하는 것을 고르십시오.

① 축제를 만들기 위해서 건물과 도로를 재정비했다.

② 하천을 자연 상태로 되돌리려면 경제력이 필요하다.

③ 중소 도시의 경제력을 끌어올리는 것은 불가능한 일이다.

④ 남자의 고향은 관광지가 되면서 경제력을 갖추게 되었다.

48 남자의 태도로 가장 알맞은 것을 고르십시오.

① 상대방의 의견에 적극적으로 동의하고 있다.

② 자신의 경험을 근거로 의견을 주장하고 있다.

③ 객관적인 근거를 통해서 이의를 제기하고 있다.

④ 반대 의견을 무시하면서 자신의 주장을 펼치고 있다.

※ 〔49~50〕 다음은 강연입니다. 잘 듣고 물음에 답하십시오.

49 들은 내용과 일치하는 것을 고르십시오.

① 현재 어린이집과 유치원에서만 정부 보조금을 받고 있다.

② 정부 보조금 횡령은 범죄 행위라는 국민들의 인식이 높다.

③ 앞으로는 버스 회사와 주유소도 정부 보조금을 받을 수 있다.

④ 공사 비용을 부풀려 세금 계산서를 허위로 작성한 일이 있었다.

50 여자의 태도로 가장 알맞은 것을 고르십시오.

① 엄중한 법의 심판이 내려지지 않는 것에 대해 반발하고 있다.

② 국민들의 세금으로 정부 보조금을 지급하는 것에 반대하고 있다.

③ 정부 보조금을 효율적으로 사용할 수 있는 방법을 제안하고 있다.

④ 정부 보조금에 대한 도덕적 해이 현상을 예를 들면서 설명하고 있다.

쓰기 Writing Questions **51~54**

※ 〔51~52〕 다음을 읽고 ( )에 들어갈 말을 각각 한 문장씩으로 쓰십시오. 각 10점

51

도서관 이용 안내

도서관 출입 시 도서관 이용증을 제시해 주십시오. (㉠).
그러니 반드시 도서관 이용증을 준비하시기 바랍니다. 열람실 자료는
(㉡). 2층 열람실 자료는 대출과 복사가 허용되지 않습니다.

52

실내에서 식물을 키울 때 (㉠). 어떤 것은 물을 매일매
일 줘야 하고, 어떤 것은 이틀에 한 번, 어떤 것은 일주일에 한 번 줘야 한다. 뿐
만 아니라 모든 식물이 햇볕을 많이 쬔다고 좋은 것은 아니다. 식물에 따라서 알
맞게 햇볕을 쬐도록 해야 한다. 교육도 이와 같다. 자녀의 성격과 특성에 따라서
(㉡).

※ 〔53〕 다음 표를 보고 동물원의 장단점에 대해 쓰고, 미래 동물원 모습에 대한 자신의 의견을 200~300자로 쓰십시오. 30점

동물원의 장단점	
동물원의 장점	동물원의 단점
① 멸종 위기 동물을 보호할 수 있다. ② 세계의 다양한 동물들을 구경할 수 있다.	① 인간에 의해 동물들이 살던 곳을 떠나게 된다. ② 동물들이 인위적인 공간에서 본성을 잃어버릴 수 있다.

※ 〔54〕 다음을 주제로 하여 자신의 생각을 600~700자로 글을 쓰십시오. 50점

전 세계적으로 중요한 자연 자원이 사라지고 있습니다. 사라지고 있는 자원 중 꼭 보존해야 할 한 가지를 선택하여 그것을 보존할 수 있는 방법에 대해 아래의 내용을 중심으로 글을 쓰십시오.

- 어떤 자연 자원이 사라지고 있습니까?
- 사라지고 있는 자원 중 한 가지를 선택하여 그것이 보존되어야 하는 이유를 설명하십시오.
- 그것을 보존할 수 있는 방법은 무엇입니까?

〈원고지 쓰기 예〉

한	국		사	람	은		'	우	리	'	라	는		말	을		자	주
쓴	다	.	이	는		가	족	주	의	에	서		비	롯	되	었	다	.

읽기 Reading Questions 1~50

※ [1~2] (　　　)에 들어갈 가장 알맞은 것을 고르십시오. **각 2점**

1 아이는 한참을 (　　　　) 울음을 그쳤다.

① 웃을 테니   ② 운 후에야

③ 생각할까 봐   ④ 소리 질렀더니

2 동생은 목이 말랐는지 집에 (　　　　) 냉장고 문을 열고 물을 마셨다.

① 들어왔는데   ② 들어와서야

③ 들어오자마자   ④ 들어오느라고

※ [3~4] 다음 밑줄 친 부분과 의미가 비슷한 것을 고르십시오. **각 2점**

3 모양이 <u>예쁠 뿐만 아니라</u> 새로운 기능도 많기 때문에 이 컴퓨터를 샀습니다.

① 예쁘길래   ② 예쁘기 때문에

③ 예쁜데다가   ④ 예쁘기는 하지만

4 내일 중요한 회의가 있는데 오늘 밤 늦게까지 술을 많이 마시는 것을 보니 내일 <u>실수할 것이 불 보듯 뻔하다</u>.

① 잘할 수 있을 것이다   ② 실수할 것이 틀림없다

③ 실수하지 않기를 바란다   ④ 잘못을 저지를까 걱정된다

※ 〔5~8〕 다음은 무엇에 대한 글인지 고르십시오. **각 2점**

5

미국에서 뽐내는 한국의 보물 **한국미술대전!**
곧 만날 수 있습니다.

① 공연   ② 회의

③ 음악회   ④ 전시회

6

작고 여렸던 우리 친구들이 어느덧 의젓하게 자라 이제 졸업을 눈앞에 두고 있습니다. 이곳에서 큰형 또는 큰누나로 든든한 모습을 보여 주던 친구들과 이제 헤어진다고 생각하니 아쉬움과 함께 보람이 느껴집니다. 새로운 출발을 향해 첫걸음을 내딛는 축제에 많이 참여하셔서 함께 축복해 주시고 자리를 빛내 주시길 바랍니다.

일시 : 2월 21일 화요일 오전 10시 30분
장소 : 행복어린이집 강당

* 꽃다발과 카메라를 미리 준비하셔서 친구들이 더 빛나게 해 주세요.

① 개점 안내문   ② 개막식 안내문

③ 졸업식 안내문   ④ 입학식 안내문

7

주의 사항

끈이 달린 옷이나 목걸이는 걸릴 수 있으니 주의하십시오.

8세 이하, 키 130cm 이하의 어린이는 탈 수 없습니다.

안경이나 모자 등 떨어질 위험이 있는 물건은 가방에 넣어 주십시오.

안전띠를 꼭 하시고, 이상이 있으면 안전 요원에게 반드시 이야기해 주십시오.

① 배   ② 기차

③ 자동차   ④ 놀이기구

8

많은 지원 바랍니다

◆ 무역직: 대졸 이상 만 35세 이하, 무역 업무 경력자 우대

◆ 생산직: 학력 제한 없음, 경험자 우대

◆ 제출 서류: 이력서, 자기소개서, 추천서

◆ 제출 방법: 이메일, 우편 접수

◆ 문의: 02) 1234-3456

① 구인   ② 구직

③ 학교   ④ 아르바이트

9

온 가족이 즐기는 문화 체험

◆ 기간: 2014년 2월 ~ 2014년 6월, 매월 넷째 주 토요일 오후 2시
◆ 장소: 행복도서관 강당(2층)
◆ 대상: 유아 및 유치원생, 초등학생, 학부모
◆ 내용: 인형극, 음악회, 미술 공연

▶ 공연 당일 오전 11시부터 사무실(1층)에서 번호표를 나눠 드립니다.
　좌석은 정해져 있지 않으니 당일 원하시는 좌석에 앉으시면 됩니다.

① 공연에는 유아 및 어린이들만 들어갈 수 있다.

② 공연 전날 오전 11시부터 번호표를 받을 수 있다.

③ 문화 공연이 2월부터 6월까지 한 달에 한 번씩 열린다.

④ 공연을 보기 위해서는 미리 예매한 후, 공연 당일에 지정된 좌석에 앉는다.

10

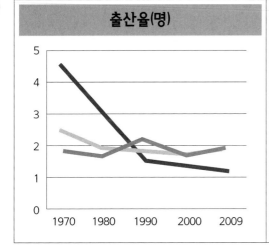

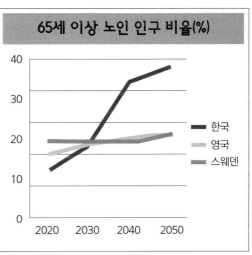

① 스웨덴의 출산율은 꾸준히 감소하고 있다.

② 1980년대에는 영국의 출산율이 가장 크게 감소하였다.

③ 2020년에는 한국의 65세 이상 노인의 수가 가장 많을 것이다.

④ 2030년 이후에는 한국의 65세 노인 인구 비율이 가장 클 것이다.

11

주중에는 계속 출근하기 때문에 주말이면 집에서 쉬고 싶은 마음이 간절하다. 일 때문에 피곤하기는 하지만 가족과 함께 보낼 수 있는 시간이 주말 밖에 없다. 그렇기 때문에 적어도 한 달에 두 번 정도는 가족과 함께 가까운 지역 축제에 가거나 근처의 박물관에 가는 등 가족과 함께 보낼 수 있는 시간을 갖는다.

① 주중에는 계속 출근하기 때문에 가족과 함께할 시간이 적다.

② 주말에 가족과 함께 보낼 수 있는 시간이 많아서 조금 피곤하다.

③ 주중에 계속 출근하기 때문에 주말이면 외출하지 않고 집에서 쉰다.

④ 매주 가족과 함께 가까운 지역으로 여행을 가거나 근처 박물관에 간다.

12

언제인가부터 디지털카메라 시장이 급성장하여 필름 카메라를 찾아보기 힘들어졌다. 사람들이 디지털카메라를 선호하는 이유는 디지털카메라로 사진을 찍을 경우 즉석에서 사진의 상태를 확인하고 마음에 들지 않는 경우 삭제하거나 다시 찍을 수 있기 때문이다. 게다가 인터넷이 널리 보급되면서 디지털카메라로 찍은 사진을 쉽게 인터넷을 통해 주고받을 수 있으며, 필요한 사진들만 골라시 인터넷 사진관이나 프린터를 통해서 쉽게 인화할 수 있기 때문이다.

① 디지털카메라보다 필름 카메라가 더 잘 팔린다.

② 필름 카메라는 즉석에서 사진을 삭제하거나 다시 찍을 수 있다.

③ 인터넷이 보급되면서 필름 카메라를 더 편리하게 사용할 수 있게 되었다.

④ 디지털카메라는 필요한 사진들만 골라서 프린터로 쉽게 사진을 뽑을 수 있다.

13

(가) 나만 해도 자장면에 대한 추억이 있다.

(나) 누구나 음식에 대한 추억이 있는 것 같다.

(다) 한 달에 한 번 자장면을 먹을 때 얼마나 행복했는지 모른다.

(라) 어린 시절 아빠의 월급날이면 엄마는 나를 데리고 나가 자장면을 사 주셨다.

① (나)-(가)-(다)-(라)　　　　② (라)-(다)-(나)-(가)

③ (나)-(가)-(라)-(다)　　　　④ (라)-(나)-(다)-(가)

14

(가) 그래서 마당에 텃밭을 가꾸는 사람들이 많아졌다.

(나) 집에서 직접 야채와 과일을 키워서 먹으면 싱싱하고 건강에도 좋다.

(다) 필요한 야채와 과일의 양이 적어서 농장처럼 약을 치지 않아도 되기 때문이다.

(라) 텃밭이란 마당 한쪽에 흙을 갈아 채소와 과일 등을 키우는 곳을 말한다.

① (나)-(가)-(라)-(다)　　　　② (라)-(나)-(다)-(가)

③ (나)-(다)-(가)-(라)　　　　④ (라)-(다)-(가)-(나)

15

(가) 취미로 물건을 수집하는 것을 좋아하는 사람들이 있다.

(나) 동전, 우표, 그림, 도자기 등 수집하는 물건의 종류는 다양하다.

(다) 시간이 지날수록 그 물건들이 희귀해지면서 그 가치가 높아지기 때문이다.

(라) 이들 수집품 중에는 유명한 경매 시장에서 고가에 낙찰되는 물건들도 있다.

① (가)-(나)-(다)-(라)　　　　② (나)-(다)-(가)-(라)

③ (가)-(나)-(라)-(다)　　　　④ (나)-(라)-(가)-(다)

16

나이에 비해 늙어 보인다는 소리를 들어 봤다면 일상생활에서 무엇이 문제인지 살펴볼 필요가 있다. 전문가들의 의견을 토대로 (   ). 피부 노화의 첫 번째 원인은 자외선이다. 자외선은 흐리거나 비가 오는 날에도 피부에 영향을 준다. 자외선으로 인한 피부 손상은 해변에서 휴가를 보낼 때보다 일상생활에서 더 많이 진행된다. 따라서 전문가들은 자외선 차단 크림을 매일 사용하라고 조언한다.

① 피부 노화를 일으키는 자외선에 대해서 알아보자

② 피부 노화로 인해 발생하는 문제점에 대해서 살펴보자

③ 피부 노화를 일으키는 원인과 노화 현상에 대해서 알아보자

④ 피부 노화의 원인과 이를 방지하기 위한 대처법을 살펴보자

17

시사회란 영화나 광고 작품을 제작하는 과정 혹은 제작 후 일반인들에게 공개하기에 앞서 미리 반응을 살펴보고자 상영하는 기회를 갖는 것을 말한다. 그 중에서도 기자 시사회는 기자들을 상대로 한 시사회로서 상영 후에 감독, 주연, 조연 등과의 인터뷰가 이루어진다. 홍보를 위해서는 각종 온·오프라인 상의 언론 매체에 일찍 노출되어야 하기 때문에 여러 시사회 중에서도 (   ). 무대 인사 시사회는 작품 출연진의 무대 인사와 함께 일반 대중들에게 공개하는 시사회를 말한다.

① 가장 먼저 진행이 된다

② 일반 시사회 후에 진행이 된다

③ 무대 인사 시사회와 함께 진행이 된다

④ 시사회들 중 가장 마지막에 진행이 된다

18

'새집증후군'은 새로 지은 건물 안에서 거주자들이 느끼는 두통, 피로, 호흡 곤란, 천식, 비염, 피부염 등의 증상이 나타나는 건강상 문제 및 불쾌감을 이르는 말이다. 반면 새집증후군과는 반대로 '헌집증후군'도 있다. '병든집증후군'이라고도 하는데 (   ) 그 집에 사는 사람들의 건강에 나쁜 영향을 끼치는 현상을 말한다. 습기가 많은 곳에서 생기는 곰팡이는 기관지염이나 천식, 알레르기 등을 유발하기 때문에 환풍 장치를 설치하여 습기를 제거할 필요가 있다.

① 지은 지 오래된 집이

② 신축 건물이나 아파트가

③ 습기가 많은 곳에 지어진 집이

④ 새로 지은 것처럼 개조·보수된 집이

※ 〔19~20〕 다음을 읽고 물음에 답하십시오.

> 한복은 한국의 전통 의상으로 다른 나라 옷과 다른 몇 가지 특징이 있다. 기본적으로 상체가 길고 하체가 짧은 한국인의 체형에 따라 만들어진데다, 활동성을 중시해 딱 붙는 옷이 아니므로 한복을 입으면 살집이 있다고 해도 꾸밈에 따라 아름답게 보일 수 있다. (   ) 천 자체를 보면 직선형이지만 몸에 입을 경우 곡선이 살아나게 도와주는 미적 특징도 나타나는데, 이는 한복이 주머니가 없는 구조이기 때문이다.

19 (   )에 들어갈 알맞은 것을 고르십시오.

① 반면   ② 또한

③ 사실   ④ 그러나

20 이 글의 내용과 같은 것을 고르십시오.

① 한복은 몸에 딱 붙지 않기 때문에 살집이 있으면 더 부해 보인다.

② 한복을 만드는 천은 직선형이기 때문에 곡선으로 만들기가 어렵다.

③ 한복은 주머니가 없는 구조라서 옷을 입을 경우 곡선이 잘 살아난다.

④ 한복은 한국인의 체형에 맞춰진 옷으로 활동성보다 아름다움을 중시한다.

결혼을 필수가 아닌 선택으로 여기는 독신층이 우리 사회의 한 부분이 되었다. 이것은 '사회적인 지위와 안정감을 위해', '2세를 얻기 위해', '결혼할 나이가 됐으니' 결혼한다는 기성세대의 결혼관이 더 이상 공감을 얻지 못한다는 것을 의미한다. 이들은 결혼보다 자신의 인생 목표가 더 중요하다고 생각하거나, 기존의 결혼 적령기에 구애 받지 않고 자신과 맞는 사람을 만나야만 결혼을 하겠다고 (　　　　　). 이런 결혼관은 독신층의 확대뿐만 아니라 계약 결혼, 동거, 비혼 등에 따른 새로운 부부 유형을 만들어 내고 있다.

21 (　　　　　)에 들어갈 알맞은 것을 고르십시오.

① 마음에 든 것이다

② 마음을 먹은 것이다

③ 마음을 놓은 것이다

④ 마음을 붙인 것이다

22 이 글의 중심 생각을 고르십시오.

① 기성세대의 결혼관을 따르는 사람은 더 이상 없다.

② 기성세대와 달리 요즘 독신층은 결혼을 필수가 아닌 선택이라고 생각한다.

③ 현대의 결혼관은 결혼할 시기에 2세와 사회적 안정을 위해 결혼하는 것이다.

④ 기성세대는 결혼의 필요성을 느끼며 서로 만족하는 사람과 결혼하는 것이 중요하다.

※ 〔23~24〕 다음을 읽고 물음에 답하십시오. 각 2점

> 2000대 1. 한국 아나운서의 평균 입사 경쟁률이다. 방송통신위원회와 미래창조과학부가 공동 발간한 '2014년 방송 산업 실태 조사 보고서'는 2013년 기준으로 전국의 아나운서 수를 784명으로 추정했다. 매번 입사 시험에는 전국 아나운서 수보다 3배 가까운 지원자가 몰리고 있는 것이다. 모집에 수천 명의 지원자가 몰리는 이유는 아나운서라는 직업이 아름다운 외모와 지식이 함께 갖춰진 사람만이 할 수 있는 것으로 인식되기 때문이다. 그러나 요즘 수많은 아나운서 학원들이 <u>외모 가꾸기와 시험 점수만 강조한 나머지</u> 철학과 윤리에 대한 교육은 등한시하고 있다.

23 밑줄 친 부분에 나타난 필자의 감정으로 알맞은 것을 고르십시오.

① 외모 가꾸기와 시험 점수만 중요시 여겨 안타깝다.

② 외모 가꾸기와 시험 점수에만 열중하는 모습이 피곤하다.

③ 외모가 아름다워지고 점수가 높아지는 것을 보니 만족스럽다.

④ 외모를 가꾸고 시험 점수를 높이기 위해 노력하는 모습이 감동스럽다.

24 이 글의 내용과 같은 것을 고르십시오.

① 전국의 아나운서 수는 팔백 명 이상으로 추정된다.

② 아나운서 시험에서는 이천 명 중의 하나 꼴로 합격한다.

③ 아나운서는 지식보다 아름다운 외모가 필요한 직업으로 여겨진다.

④ 학원들은 아나운서 시험 준비를 위해 철학과 윤리를 교육하고 있다.

25

교육부, 자발적 기부 문화 확산에 온힘

① 교육부에서는 기부할 수 있는 사람들을 찾으려고 한다.

② 교육부에서는 재능 있는 사람들을 찾으려고 힘쓰고 있다.

③ 교육부에서는 스스로 기부하는 문화가 정착되도록 노력하려고 한다.

④ 교육부에서는 재능을 가지고 있는 사람들이 널리 알려지도록 노력하고 있다.

26

서울 정전, 종로구 4만 가구 전기 공급 끊겨…40분 만에 복구

① 서울의 정전 상황을 해소하는 데 한 시간 이상이 걸렸다.

② 종로에 있는 4만 가구에 40분 정도 전기가 들어오지 않았다.

③ 종로구 전체가 전기가 끊겼고 40분 정도 지난 후에야 복구되었다.

④ 서울이 정전이 된 것은 종로구에서 한꺼번에 전기를 사용했기 때문이다.

27

1월 전국 인구 이동 4.7% 줄어…일부 서울에서 경기도로 '이동 중'

① 1월에 전국의 인구가 4.7% 감소하였다.

② 1월 전국 인구의 4.7%가 서울과 경기도로 이동했다.

③ 1월에 서울에서 경기도로 이동하는 인구가 4.7% 줄었다.

④ 1월 전국의 인구 이동은 감소했는데, 일부는 서울에서 경기도로 이동했다.

28

　　요즘에는 선물을 준비해야 할 기념일이 너무 많다. 설날이나 추석 같은 명절, 어린이날, 어버이날과 같은 국가 지정 기념일도 챙겨야 하지만 밸런타인데이, 화이트데이, 빼빼로데이처럼 연인과 청소년들이 잊어서는 안 될 날도 있다. 만에 하나 날짜를 잊어버려 선물을 준비하지 않으면 오래도록 들볶일 수도 있기 때문이다. (　　　　　　　　　　　　　　)? 기념일들 중 그 유래나 근거를 찾기 힘든 것이 대부분이며, 특정 제품과 연관된 이름으로 보아 일부 기업들의 상술에 의한 것으로 생각된다.

① 그렇다면 기념일이 이처럼 중요한 이유는 무엇일까

② 그런데 이렇게 많은 기념일을 어떻게 기억해야 할까

③ 그렇다면 이러한 기념일에 우리는 무엇을 준비해야 할까

④ 그런데 전에는 없던 많은 기념일들이 어떻게 생겨난 것일까

29

　　요즘은 가족과 함께 해외여행을 가는 일이 많아졌다. 다른 나라에 가서 새로운 환경과 문화를 경험하는 것은 즐거운 일이지만 (　　　　　　　　　). 해외여행 비용에서 가장 많은 비중을 차지하는 것은 항공권 비용이다. 항공권 가격에는 비행기 좌석 비용 외에도 비행기에서의 음료, 식사 등의 서비스 비용, 공항을 이용하는 비용인 공항세, 그리고 비행기 연료비 상승에 따른 연료비 차액인 유류할증료 등이 포함되어 있다. 따라서 항공권이 비싼 것이다.

① 돈이 많이 든다는 단점이 있다

② 시간이 많이 필요하다는 단점이 있다

③ 가족이 함께 할 수 있다는 장점이 있다

④ 비행기를 탈 수 있다는 것이 가장 좋은 장점이다

30

　　세계 4대 패션 무대로 꼽히는 뉴욕 무대에 사상 최초로 휠체어를 탄 여성 모델
이 등장해 세계인들의 시선을 사로잡았다. 그녀는 "나도 많은 모델들 중 한 사람
일 뿐이라고 생각하자 마음이 편안했고, 무대에서 자연스러울 수 있었다. 장애를
가진 여성들이 세계 최대 패션쇼 무대에 오른 나를 보고 자신감을 얻길 바란다."
고 말했다. 그녀는 단순한 의상 모델이 아니라 모든 장애인들에게 (　　　　　)
널리 기억될 것이다.

① 자신감을 심어줄 수 있는 본보기로

② 무대에 서고 싶다는 희망을 준 계기로

③ 의상 모델이 매우 보람된 일임을 알린 사람으로

④ 자연스럽고 편안한 마음을 가지는 것이 필요하다는 점으로

31

　　자신에게 맞는 통신사와 저렴한 휴대 전화 요금제를 찾는 것이 점점 더 어려워지
고 있다. 이동 통신 업체들은 '고객 맞춤형'을 표방하며 수많은 요금제를 내놓았지
만 너무나 복잡해지고 세분화되어서 오히려 (　　　　　　　　　　) 지
적이다. 동일한 통신망과 네트워크 서비스를 제공하는 회사들이 지나치게 다양
한 선택 요금제를 만들어 내 소비자들이 자신에게 필요한 것을 고르기 어렵게 만
들고 있다는 것이다.

① 통신사들이 보조금을 더 많이 제공할 수 있다는

② 소비자들이 요금을 더 적게 낼 수 있게 되었다는

③ 휴대 전화를 사용하는 시간이 점점 짧아지고 있다는

④ 소비자들의 통신사들 간의 비교를 어렵게 하고 있다는

32

최근 20년간 "영어는 일찍 배울수록 좋다."는 부모들의 생각 때문에, 그리고 명문 학교 입학에 대한 열망이 높아지면서 조기 유학생들이 늘고 있고 유학을 떠나는 학생들의 연령도 낮아지고 있다. 그러나 아직 부모의 관심과 지도를 받아야 하는 어린 나이에 외국 생활이란 결코 쉬운 일이 아니다. 조기 유학생들은 자유분방한 분위기에 쉽게 빠져들어 일부는 탈선하기도 하고, 언어 장벽, 문화적 충격, 인종 차별, 가정 내 갈등 등으로 인해 외로움과 우울증, 심할 경우 불안장애에 시달리기도 한다.

① 어린 나이에 외국 생활이란 매우 어려운 일이다.

② 자유분방한 분위기는 학생들의 영어 학습에 도움이 된다.

③ 영어는 일찍 배울수록 좋다는 생각이 탈선을 일으키는 원인이다.

④ 조기 유학생들의 수가 늘고 있으며 그들의 연령도 점차 높아지고 있다.

33

경복궁은 오는 22일부터 26일까지, 오후 6시 30분부터 10시까지 일반인에게 야간에 개방될 예정이다. 경복궁 야간 입장 마감 시간은 관람 종료 1시간 전까지로, 관람료는 주간과 동일한 3,000원이다. 현장 매표소에서 야간 관람권을 구입할 수 있으며 장애인, 국가 유공자, 만18세 이하 청소년과 65세 이상 국민 등의 무료 관람 대상자는 관련 신분증을 제시해야 무료로 입장할 수 있다. 야간 관람권의 인터넷 예매는 15일 오전 9시부터 관람 희망일 입장 시작 4시간 전까지 가능하다.

① 경복궁의 야간 입장 마감 시간은 매일 저녁 아홉 시까지이다.

② 관람권은 주간에는 인터넷에서, 야간에는 현장 매표소에서만 구입할 수 있다.

③ 인터넷 예매는 15일 오전 9시부터 관람 희망일 오후 1시 30분 전까지 가능하다.

④ 주간 관람료는 이천 원이며 무료 관람 대상자는 관련 신분증을 지참해야만 한다.

34

> 지구 온난화란 지구가 점차 따뜻해지는 현상을 말하는 것으로 지구 온난화가 진행될수록 많은 지역이 바다에 잠기게 되고, 기후 균형도 무너져 가뭄, 태풍, 극심한 무더위 등의 기상 이변에 따른 재난이 세계 곳곳에서 발생하게 된다. 지구 온난화의 원인은 대기 중 이산화탄소의 양이 증가했기 때문인데, 2000년 7월, 미국 항공 우주국의 발표에 따르면 지구 온난화로 인하여 그린란드 빙하가 녹아 내려 지난 100년 동안 바다 표면이 23cm 가량 높아졌다고 한다.

① 지구 온난화 때문에 지구 전체에 이산화탄소가 많아졌다.

② 지구의 온도가 점점 높아지는 현상을 지구 온난화라고 한다.

③ 지구 온난화의 원인은 대기 중에 이산화탄소가 줄고 산소가 많아진 것이다.

④ 지구 온난화 때문에 빙하가 녹아서 바다 표면의 높이가 23cm 정도 낮아졌다.

※ 〔35~38〕 다음 글의 주제로 가장 알맞은 것을 고르십시오. 각 2점

35

> 부부가 모두 직장에 다니는 맞벌이 가정의 가장 큰 고민은 자녀 양육에 관한 것이다. 출퇴근 시간에 맞춰 긴 시간 동안 아이들을 맡아 주는 양육 기관이 적기 때문에, 시간 외에는 양가 부모님 또는 친지에게 부탁하거나 돈을 주고 따로 아이 돌보미를 고용하기도 한다. 특히 밤새 일하는 직업을 가졌거나 야간 근무를 해야 하는 부모의 경우에는 그나마도 구하기가 힘든 것이 현실이다.

① 맞벌이 가정의 시간 외 자녀 양육은 양육 기관이 전담하고 있다.

② 맞벌이 가정의 경우 친지나 아이 돌보미에게 자녀 양육을 맡겨야 한다.

③ 야간에 일해야 하는 직업을 가진 부모의 경우 아이를 맡길 곳이 마땅치 않다.

④ 부모 중 한 명이 직장에 다니는 맞벌이 가정은 자녀 양육이 가장 큰 고민이다.

36

대학 진학을 목표로 하는 학생들은 대학을 진학하면 모든 것이 해결되는 것처럼 생각한다. 그러나 대학에서 전공 선택, 진로 모색, 어학 시험 준비, 취업 준비, 연애 등의 끊이지 않는 새로운 일들을 하다 보면 진짜로 자신이 원하는 것은 무엇인가에 대한 깊은 고민에 빠지게 된다. 그래서 전문가들은 대학교 1학년 때부터 치열하게 자기 자신을 정립하고, 책벌레보다는 교실 밖에서도 많은 것을 배우는 현장 중심의 인재가 되라고 말한다. 이를 위해서 대외 활동과 인턴 활동 등의 실무를 통해 인생 공부를 하라고 조언한다. 그리고 현실에 안주하기보다는 끊임없이 도전하고 창의성을 기르라고 말한다.

① 대학 진학의 목표를 이루는 것이 중요하다.

② 대학 진학을 해야 취업, 연애 등의 많은 일들을 접할 수 있다.

③ 대학 진학 후 자신이 정말로 원하는 것을 고민하고 자신을 정립해야 한다.

④ 대학에서는 1학년 때부터 책을 보며 치열하게 공부하는 것이 가장 중요하다.

37

차는 건강에 좋고 맛과 향이 뛰어나기 때문에 세계적으로 인기를 끌고 있다. 최근 보이차, 녹차, 허브차 등과 같은 다양한 차가 유행하면서 차를 전문적으로 취급하는 분점까지 생겨났다. 그러나 한국의 경우 커피에 밀려 차 시장이 성장하지 못했다. 게다가 한국은 차의 생산지를 부각시키는 데에만 중점을 두고 차의 맛에 대한 표준과 기준을 제시하는 데에는 관심이 없다. 이는 국내 차의 세계 경쟁력을 떨어뜨리는 중요한 요인 중의 하나이다.

① 차는 한국을 비롯한 전 세계에서 인기가 있다.

② 한국의 경우는 커피 시장보다 차 시장이 더 크게 성장했다.

③ 한국은 차의 생산지를 부각시키는 방법으로 차 시장을 형성하였다.

④ 한국은 차 맛에 대한 기준이 없어서 세계 시장에서 경쟁력이 떨어진다.

38

'파벌'이라는 말은 종교나 학문, 정치 등에서 같은 생각으로 같은 주장을 하는 집단을 의미하는 '파'와 태어난 지역이나 출신 학교 등이 같은 집단을 의미하는 '벌'이 합쳐진 말이다. 파벌주의는 이러한 개인적인 관계에 의하여 자기가 속한 집단의 세력 확대, 지배권의 확립 및 명예·지위·경제적 이익의 획득 등을 추구하는 특징이 있어서 조직 전체의 합리성과 능률을 저해하는 심각한 문제점을 가지고 있다.

① 파벌주의는 심각한 문제점을 가지고 있다.

② 파벌주의는 조직 전체의 합리성을 높이고 능률 향상에 도움을 준다.

③ 종교나 학문, 정치에 대한 견해가 다양한 것이 파벌주의의 특징이다.

④ 파벌주의는 개인적인 관계와 사회적 관계를 돈독하게 하므로 조직 발전에 이롭다.

※ 〔39~41〕 다음 글에서 〈보기〉의 문장이 들어가기에 가장 알맞은 곳을 고르십시오. 각 2점

39

만화는 비교적 긴 정보도 직관적으로 전달하는 매체이다. 그렇기 때문에 인기 만화의 주인공을 잘 활용하면 실질적이고 높은 홍보 효과를 기대할 수 있다. (㉠) 지방자치단체의 경우도 지역 경제 활성화를 위해 지역 관광 홍보 만화를 적극 활용하는 추세이다. (㉡) 경기도의 한 지역은 국내 여행을 계획 중인 가족 단위 관광객들을 위한 여행 정보 만화를 만들어 홍보한 결과 전년에 비해 관광객이 20%가 늘어났다. (㉢) 인기 만화 주인공과 홍보가 만난 좋은 사례라고 할 수 있다. (㉣)

〈 보 기 〉

최근에는 기업의 고유한 정신이나 창업주의 생애를 기록한 역사전 등 특정 상품 홍보보다는 기업의 이미지를 만화로 제작하여 홍보하는 경우가 늘고 있다.

① ㉠   ② ㉡   ③ ㉢   ④ ㉣

40

태풍은 저마다 번호와 이름이 부여된다. (㉠) 번호는 네 자리 숫자로 이루어져 있는데 처음 두 자리 숫자는 연도를, 다음 두 자리 숫자는 그 해에 발생한 태풍의 순서를 나타낸다. (㉡) 서태평양의 14개 회원국에서 태풍의 이름으로 각 10개를 제출하면 이를 5개의 조로 나눈다. (㉢) 5개의 조 중에서 임의로 한 조를 선정하여 태풍이 발생하면 순서대로 이름을 붙이는 것이다. (㉣)

〈 보 기 〉

태풍의 이름은 태풍위원회에서 부여한다.

① ㉠   ② ㉡   ③ ㉢   ④ ㉣

41

2010년에 개통한 인천공항철도는 서울역과 인천공항 간 총 61km를 운행하고 있다. (㉠) 서울역에는 도심공항터미널이 운영되고 있어 비행기 탑승 수속, 수하물 탁송, 출국 심사까지 한 번에 제공하는 서비스로 철도와 항공의 편리한 환승 체계를 갖추고 있다. (㉡) 또한 서울역과 인천공항을 가장 빠른 43분 만에 연결함으로써 멀게만 느껴지던 인천공항을 서울권에 포함시켰다. (㉢) 특히 인천공항철도는 일반 수도권의 전철과 달리 공항을 잇는 공항연계철도, 도시철도, 관광철도의 세 가지 기능을 모두 수행하고 있다. (㉣)

〈 보 기 〉

덕분에 국내외 항공여행객이 교통 체증이나 버스 환승 등의 불편 없이 편리하게 서울 도심으로 들어올 수 있는 등 인천공항 이용의 편리성을 높이고 있다.

① ㉠   ② ㉡   ③ ㉢   ④ ㉣

남편이 동경에서 무엇을 하고 있나? 공부를 하고 있다. 공부가 무엇인가? 자세히 모른다. 또 알려고 애쓸 필요도 없다. 어찌하였든지 이 세상에서 제일 좋고 제일 귀한 무엇이라 한다. 마치 옛날 이야기에 있는 도깨비의 부자 방망이 같은 것이려니 한다. 옷 나오라면 옷 나오고, 밥 나오라면 밥 나오고, 돈 나오라면 돈 나오고. 저 하고 싶은 무엇이든지 청해서 아니 되는 것이 없는 무엇을, 동경에서 얻어 가지고 나오려니 하였었다. 가끔 놀러 오는 친척들이 비단옷 입은 것과 금지환을 낀 것을 볼 때에 그 당장엔 마음 그윽이 부러워도 하였지만, 나중엔 '남편만 돌아오면……' 하고 그것에 경멸하는 시선을 던지었다. 남편이 돌아왔다. 한 달이 지나가고 두 달이 지나간다. 남편의 하는 행동이 자기의 기대하던 바와 조금 배치되는 듯하였다. <u>공부 아니 한 사람보다 조금도 다른 것이 없었다.</u> 아니다. 다르다면 다른 점도 있다. 남은 돈벌이를 하는데 그의 남편은 도리어 집안 돈을 쓴다. 그러면서도 어디인지 분주히 돌아다닌다. 집에 들면 정신없이 무슨 책을 보기도 하고 또는 밤새도록 무엇을 쓰기도 하였다.

'저러는 것이 참말 부자 방망이를 만드는 것인가 보다.'

아내는 스스로 이렇게 해석한다. 또 두어 달 지나갔다. 남편의 하는 일은 늘 한 모양이었다. 한 가지 더한 것은 때때로 깊은 한숨을 쉬는 것뿐이었다.

42 밑줄 친 부분에 나타난 아내의 감정으로 알맞은 것을 고르십시오.

① 흥미롭다　　　　　　　　　② 자유롭다

③ 실망스럽다　　　　　　　　④ 걱정스럽다

43 이 글의 내용과 같은 것을 고르십시오.

① 남편은 남들처럼 돈벌이도 잘하고 쓰기도 잘한다.

② 아내가 매일 하는 일은 깊은 한숨을 쉬는 것뿐이다.

③ 남편은 동경에서 무엇이든 청하면 되는 모든 것을 얻어 왔다.

④ 아내는 남편이 하는 공부가 돈과 밥을 만들어 낼 것이라고 생각한다.

정부의 정책이 통계를 따라가지 못하고 있다. 통계상 전체 가구에서 차지하는 1~2인 가구 비중이 50%를 육박했는데도 정부 정책은 과거에 주류였던 '3인 또는 4인 가구'를 기준으로 하고 있어 개선이 필요하다. 통계청의 '2010년 인구 주택 총 조사' 자료에 따르면 1~2인 가구 비중은 전체 가구의 48.2%로 두 집 건너 한 집 꼴로 나타났다. 하지만 복지, 주거, 교육 등 가구별로 지원하는 정부 정책은 여전히 3~4인 가구에 초점이 맞춰져 있다. 1~2인 가구가 대부분을 차지하는 상황에서 어느 정부 부서 할 것 없이 4인 가구 등을 기준으로 서술하고 알리는 것은 (   ) 시대에 맞춰 바뀔 필요가 있다. 결혼이 늦어지면서 아예 독립을 하는 미혼 가구 또는 이혼 가구, 사별 가구뿐만 아니라, 한 부모 가구, 공공 기관 지방 이전에 따른 직장 이동 등이 복합적으로 작용하여 1인 또는 2인 가구의 증가는 가속화될 것이기 때문이다.

44 이 글의 주제로 알맞은 것을 고르십시오.

① 현재 정부의 정책은 1~2인 가구 비중의 증가를 반영하지 못한다.

② 현재 3~4인 가구 비중은 이웃한 두 가구 중 한 가구 꼴로 나타나고 있다.

③ 공공 기관 지방 이전에 따른 직장 이동 등이 3~4인 가구 증가의 원인이다.

④ 부모로부터 독립을 하는 미혼 가구, 이혼 가구, 한 부모 가구를 위한 정책이 필요하다.

45 (   )에 들어갈 내용으로 알맞은 것을 고르십시오.

① 현실과 동떨어져 있으므로

② 지금의 통계 결과와 일치하므로

③ 과거 정책을 일관되게 보여주므로

④ 현재 정부 정책에 반영되어야 하므로

신용 등급이란 개인의 각종 신용 정보를 종합하여 신용도를 숫자로 나타낸 것이다. (㉠) 금융 회사는 고객이 은행에서 돈을 빌리려고 신청을 하면 신청서에 쓴 월급, 직업, 거주 형태 등의 고객 신상 정보와 금융 회사가 자체적으로 고객에 대해 수집한 정보를 바탕으로 그 사람의 신용에 대해 등급을 매긴다. (㉡) 이처럼 금융 회사를 이용하는 사람이면 누구나 개인 신용 등급이 매겨지는데 등급이 높을수록 우수한 고객으로 평가된다. (㉢) 신용 등급이 높은 우수한 고객일수록 은행에서 많은 돈을 빌릴 수 있고, 은행 이자나 수수료 감면 혜택 등의 서비스가 제공되므로 평소에 신용 등급을 높이기 위해 노력해야 한다. (㉣)

46 다음 문장이 들어가기에 가장 알맞은 곳을 고르십시오.

이렇게 정해진 개인 신용 등급은 은행, 카드사 등의 금융 회사가 개인 고객의 대출 여부, 한도, 적용 금리 등을 정할 때 참고 자료로 쓰인다.

① ㉠　　　　　　② ㉡　　　　　　③ ㉢　　　　　　④ ㉣

47 이 글의 내용과 같은 것을 고르십시오.

① 신용 등급을 숫자로 나타낸 것을 신용도라고 한다.

② 모든 사람에 대해서 개인 신용 등급이 정해져 있다.

③ 신용 등급이 높을수록 은행에서 많은 돈을 빌릴 수 있으므로 조심해야 한다.

④ 은행에서 돈을 빌리려면 신청서에 직업, 월급, 거주 형태 등에 대해 써야 한다.

※ 〔48~50〕 다음을 읽고 물음에 답하십시오.

각 2점

'얼굴 인식'이란 사람들의 얼굴이 카메라에 찍히기만 해도 이름과 직위 등 그 사람의 신분을 파악할 수 있는 기술을 말한다. 최근 얼굴 인식 기술을 이용해서 회사의 보안 관리, 광고나 기업의 마케팅 수단으로 사용하는 사례가 늘고 있다. 회사 출입이나 사무기기, 그 외 기계 작동 시에 얼굴 인식 기술을 이용하기도 하는데 (   ) 기존의 보안 카드나 열쇠보다 편리하고 안전하며, 지문이나 안구 인식에 비해 위조 위험이 낮은데다가 기계 접촉에 대한 사람들의 거부감도 없기 때문이다. 이러한 얼굴 인식 기술은 범죄자나 테러범을 가려내는 수사에도 활용되고 있다. 하지만, 일반인들의 얼굴 정보가 무분별하게 수집돼 기업의 돈벌이에 이용된다는 점 때문에 사생활 침해 논란도 적지 않다. 해외에서는 최근 얼굴 인식이 고객 통계 분석 등 기업의 마케팅을 위한 목적으로 활용되기도 했다. 고객들이 물건을 고르는 동안 마네킹 눈에 감춰진 소형 카메라가 얼굴을 인식하여 고객들의 나이와 성별, 인종 등의 정보를 파악한 뒤, 고객 유형별로 방문 시간대와 요일을 분석해 맞춤형 판매 전략에 활용한 것이다.

48 필자가 이 글을 쓴 목적을 고르십시오.

① 얼굴 인식 기술이 개발된 것을 홍보하기 위해

② 얼굴 인식 기술을 사용해야만 하는 이유를 설명하기 위해

③ 얼굴 인식 기술을 설명하고 사용되는 사례를 알려주기 위해

④ 얼굴 인식 기술이 기존의 기술보다 안전하다는 것을 강조하기 위해

49 (　　　　　)에 들어갈 내용으로 알맞은 것을 고르십시오.

① 이 기술이 인기 있는 이유는

② 이 기술의 비용이 싼 원인은

③ 이 기술을 쉽게 사용할 수 없는 이유는

④ 이 기술 개발에 많은 시간이 걸린 이유는

50 이 글에 나타난 필자의 태도로 알맞은 것을 고르십시오.

① 얼굴 인식 기술의 특정 사례에 대한 해결 방안을 제안한다.

② 얼굴 인식 기술의 발달 과정을 역사적인 관점에서 소개한다.

③ 얼굴 인식 기술의 개발 과정을 꼼꼼하게 관찰하고 설명한다.

④ 얼굴 인식 기술의 긍정적인 면과 부정적인 면을 객관적으로 소개한다.

정답 및 해설

Answers & Explanations

1회 정답 및 해설
Answers & Explanations for Actual Practice Test 1

2회 정답 및 해설
Answers & Explanations for Actual Practice Test 2

3회 정답 및 해설
Answers & Explanations for Actual Practice Test 3

실전 모의고사 **1**회 Actual Practice Test 1

정답 Answers

듣기 [1~30]

1. ②	2. ①	3. ②	4. ①	5. ④	6. ②	7. ①	8. ④	9. ①	10. ④
11. ②	12. ②	13. ②	14. ③	15. ②	16. ④	17. ③	18. ③	19. ②	20. ②
21. ①	22. ④	23. ②	24. ①	25. ①	26. ③	27. ④	28. ③	29. ③	30. ②
31. ③	32. ③	33. ①	34. ④	35. ③	36. ①	37. ②	38. ①	39. ③	40. ③
41. ③	42. ④	43. ②	44. ①	45. ①	46. ③	47. ④	48. ④	49. ②	50. ③

쓰기 [51~52]

51. ㉠ **5점** 돌잔치를 하려고 합니다. / 돌잔치를 할 예정입니다.
　　　　　 돌잔치를 할까 합니다. / 돌잔치를 할 생각입니다.
　　 3점 돌잔치를 할 것입니다. / 돌잔치를 합니다.

　　 ㉡ **5점** ○○이/가 어디에 있는지 아십니까? / ○○이/가 어디인지 아십니까?
　　　　 3점 ○○에 찾아오실 수 있습니까? / ○○이/가 어디에 있습니까?

52. ㉠ **5점** 건강한 것을 볼 수 있습니다. / 건강한 것을 보곤 합니다.
　　　　　 건강한 것을 보고 있습니다. / 건강한 것을 봅니다.
　　 3점 건강합니다.

　　 ㉡ **5점** 건강한 습관이 중요합니다.
　　　　　 우리는 (건강하기 위해) 좋은 습관을 가져야 합니다.
　　 3점 습관이 중요합니다.

★ [53~54] Model responses are given with explanations.

읽기 [1~50]

1. ①　　2. ②　　3. ③　　4. ①　　5. ②　　6. ②　　7. ④　　8. ②　　9. ③　　10. ③

11. ④　　12. ①　　13. ①　　14. ③　　15. ③　　16. ④　　17. ②　　18. ④　　19. ②　　20. ③

21. ①　　22. ④　　23. ①　　24. ①　　25. ②　　26. ④　　27. ③　　28. ①　　29. ③　　30. ③

31. ①　　32. ④　　33. ④　　34. ③　　35. ③　　36. ③　　37. ④　　38. ②　　39. ③　　40. ④

41. ②　　42. ④　　43. ④　　44. ①　　45. ④　　46. ②　　47. ③　　48. ②　　49. ①　　50. ③

※ (1~3) Listen to the dialogue and select the appropriat picture.

1

여자 어서 오십시오. 무엇을 도와 드릴까요?

남자 며칠 전에 셔츠를 사 갔는데 사이즈가 좀 작아서요. 더 넉넉했으면 좋겠는데요.

여자 아, 그러세요? 그럼 실례지만 먼저 영수증을 확인해도 되겠습니까?

W Welcome. How can I help you?

M A few days ago, I bought a shirt, but the size is too small. I would like it to be a little loose fitting.

W Oh, really? In that case, I'll have to ask to check the receipt first.

Select the dialogue-related picture

The shirt the man bought a few days ago is too small, so he is going to exchange it for a bigger one. Thus, the woman asks if she can check the receipt. Since the man isn't going to try on the clothes, ① and ③ are incorrect. Also, since the man has to give the receipt to the woman, ④ is also incorrect.

2

남자 왜 그래? 무슨 문제라도 있어?

여자 커피를 마시면서 일을 하다가 노트북에 커피를 엎지르고 말았어. 컴퓨터가 꺼졌는데 빨리 닦은 후에 다시 켜 봐야겠어.

남자 잠깐! 전원을 켜지 말고, 휴지를 노트북 자판 위에 덮은 다음에 노트북을 거꾸로 뒤집어서 말려야 해.

M What's up? Is there something wrong?

W I was drinking coffee while working and ended up spilling it on my laptop. The computer shut down so I'm going to turn it on after I quickly wipe it.

M Then, without turning the power on, you have to cover the keypad with tissue, turn it upside down and let it dry.

Select the dialogue-related picture

The woman spilt coffee on her laptop while working. She's going to turn the computer on after a quick wipe. Therefore, the answer is ①. Because she spilt coffee on a laptop and not a desktop, ② is incorrect. Also, because she spilt coffee on her laptop computer and not her clothes, ④ is also incorrect.

3

남자 최근 3년 동안 등산 중 안전사고로 인한 인명 피해가 점점 증가하고 있습니다. 월별로 살펴보면 10월에 270명으로 가장 많았으며 9월 178명, 5월 167명, 4월 120명 순서로 나타났습니다. 결과를 살펴보면 봄과 가을에 등산 안전사고가 많은 것을 알 수 있는데요. 날씨가 좋을수록 들뜬 마음에 등산 준비를 제대로 하지 않아서 사고가 날 가능성이 높아지게 됩니다. 등산을 가실 때에는 꼭 안전 장비를 잘 챙기고, 정해진 등산로로만 가는 것을 잊지 마시기 바랍니다.

M In the past three years, injury due to hiking accidents has slowly increased. A monthly record reveals that the highest number of 270 people were injured in October, then 178 in September, 167 in May, and 120 in April. From these results, it can be seen that most accidents occur in spring and fall. When the weather is nice, it is easy to get excited and forget to prepare properly for the hike, which increases the chance of an accident. When hiking, be sure to take all safety equipment and only hike on designated trails.

Select the dialogue-related picture

If you listen carefully to the first part of the man's words, you can find the answer. The man is talking about hiking accidents and giving their monthly statistics. He said that the most accidents occurred in October, followed by September, May, and April. Therefore, the answer is ②. He said that most hiking accidents occurred when the weather is nice, but didn't mention in what kind of weather hiking accidents occurred. Therefore, ④ is incorrect.

※ (4~8) Listen to the conversation and select the dialogue that could follow.

4

남자 택배 기사인데요. 20분쯤 후에 도착하는데 집에 계시나요?

여자 아니요. 지금 집에 들어가는 길인데 30분 정도 걸릴 것 같아요. 혹시 10분 정도만 기다려 주실 수 있나요?

남자 _____.

M I have a delivery. Will you be home in 20 minutes?

W No. I'm on my way home now, but it's going to take about 30 minutes. Could you wait 10 minutes?

M _____

Select the following phrase

① and ④ appear to be the answers to the woman's request for the man to wait. However, since the woman asked the man to wait for 10 minutes, the man's answer that he can't wait for 30 minutes in ④ is incorrect.

5

남자 학교 축제 때 친구하고 같이 공연을 하기로 했어요. 그런데 춤을 출지 태권도를 할지 아직 결정을 못 했어요.

여자 두 가지를 같이 하면 되잖아요. 신나는 음악에 맞춰서 태권도를 해 보는 게 어때요?

남자 ＿＿＿＿＿＿＿＿＿＿＿＿.

M I'm going to be performing with my friend at the school festival. But we haven't decided if we're going to dance or do taekwondo.

W How about doing both? How about doing taekwondo to some fun music?

M

Select the following phrase

To the man debating whether to dance or do taekwondo at the festival performance, the woman suggests doing both. Possible answers could be either expressions of 'acceptance' or 'rejection.' '좋기는 한데 ～기에는' can be used to show rejection.

6

남자 누나, 찌개 맛이 조금 이상한 것 같아. 도대체 찌개에 뭘 넣은 거야?

여자 사실은 요리하면서 전화를 받다가 소금 대신 설탕을 넣어 버렸어. 저녁에 다시 끓일 테니까 지금은 그냥 먹으면 안 될까?

남자 ＿＿＿＿＿＿＿＿＿＿＿＿.

M (Addressing an older woman), the stew tastes a little strange. What on earth did you put in?

W Actually, I answered a phone-call while I was cooking and put in sugar instead of salt. I'll re-cook it this evening, so could you just eat it for now?

M

Select the following phrase

To the man who says that the stew tastes strange, the woman confesses her mistake and tells him to just eat it. It's important to know the meaning of '참고 먹다.'

7

남자 오늘 민수 씨가 기분이 안 좋던데 무슨 일인지 알아요? 혹시 둘이 싸웠어요?

여자 아니요, 싸운 건 아닌데 제가 민수 씨한테 실수를 좀 했어요. 도서관에서 책을 빌려 달라고 부탁했는데 제가 책 제목을 잘못 알려 주는 바람에 민수 씨가 도서관에서 3시간이나 책을 찾았어요.

남자 ＿＿＿＿＿＿＿＿＿＿＿＿.

M Minsu looked like he was in a bad mood, do you know what's up? Did you two fight?

W No. We didn't fight, but I made a mistake. I asked if he could borrow a book for me at the library, but because I accidently told him the wrong title, he was at the library for three hours looking for the book.

M

Select the following phrase

In the dialogue, the woman is saying how her mistake made Minsu suffer. After listening to the woman's story, the man can respond by saying that Minsu could have been easily angry in that situation.

8

여자 김 대리, 그 보고서가 어느 책장에 있는지 알아요? 아무리 찾아도 안 보이네요.

남자 어? 그거 왼쪽 두 번째 책장에 있었는데요. 아까 부장님도 그 보고서를 찾으시던데 아마 가지고 가셨나 봐요.

여자 ＿＿＿＿＿＿＿＿＿＿＿＿.

W Mr. Kim, do you know which bookshelf the report is on? I've searched everywhere, but can't find it.

M Oh? It was on the second bookshelf from the left. The department head was also looking for it a moment ago. He's probably taken it.

W

Select the following phrase

To the woman who is looking for the report, the man tells her the location of the report and that the department head may have taken it. The woman's most natural response would be to ask if the man could check if the department head took it.

※ 〔9~12〕 Listen carefully to the dialogue and select the action that the woman will take.

9

남자 식사는 맛있게 하셨어요?

여자 그럼요. 집에서 직접 만든 음식을 오랜만에 먹어서 정말 잘 먹었어요. 음식을 준비하느라 힘드셨겠어요. 제가 그릇이라도 좀 씻을까요?

남자 아니에요. 그릇도 몇 개 없는데요. 우리 과일 먹을까요?

여자 네, 제가 준비할게요.

M Did you enjoy your meal?

W Of course. It's been a while since I've had home-cooked food, so I enjoyed it very much. It must have been hard preparing the food. Could I at least wash the dishes?

M No. There aren't that many dishes. Shall we have some fruit?

W Yes. I'll prepare it.

Select the following action

After the meal, the man suggests eating fruit. As a response, the woman says that she will prepare the fruit, so the most natural action is for her to wash and cut fruit.

10

여자 저, 외국인등록증을 만들고 싶은데요.

남자 아, 그러세요? 서류와 사진을 준비해 오셨지요?
먼저 여권 좀 주시겠어요? 그리고 이 신청서도 좀
써 주세요. 수수료는 20,000원입니다.

여자 네, 여기 있습니다.

남자 저, 죄송합니다만 이 사진은 너무 오래된 것이라서
안 되겠어요. 혹시 최근에 찍은 사진은 없으세요?

여자 네, 다른 사진은 없는데……. 아! 잠시만요. 가방 안
에 있어요.

W Excuse me... I would like to make an alien
registration card.

M All right. Did you bring the documents and photo?
Could you give me your passport first? Also,
please fill out this application form. The fee is
20,000 won.

W Sure. Here it is.

M Oh, I'm sorry but this photo is too old and won't
do. Do you have a more recent photo?

W No, I don't... Oh! One moment. There's one in my
bag.

Select the following action

The woman prepared documents and a photo to get an alien
registration card, but there is a problem with her photo. The
man is requesting a photo taken recently. The woman begins
by saying that she doesn't have one, but then remembers
that she has another one in her bag. So, it would be natural
for her to find the photo and give it to the employee.

11

남자 어, 그렇게 하면 안 열리는데. 건물로 들어가려면
카드를 대거나 비밀번호를 눌러야 해요. 비밀번호
모르세요?

여자 아, 그래요? 제가 여기 이사 온 지 얼마 안 돼서 아
직 잘 몰라요. 어떻게 해야 하나요?

남자 관리실에 가서 아파트 동과 호수를 이야기하면 카
드도 주고 비밀번호도 알려줘요. 카드는 버스 카드
처럼 사용하고요. 카드가 없을 때에는 비밀번호만
누르면 돼요.

여자 아, 그렇군요. 감사합니다.

M Oh, it won't open if you do that. If you want to
go into the building, you have to place your card
or, press the entrance code. Dont you know the
entrance code?

W Oh, is that so? I moved here not so long ago, so I'm
not sure about here. What should I do?

M If you go to the janitor's office and tell them your
apartment and unit number, they will give you a
card and tell you the entrance code.

W Oh, I see. Thank you.

Select the following action

The woman is trying to get into the apartment building, but
can't go in because she doesn't have the entrance code.
The man tells her to go the janitor's office to get a card and
entrance code. The woman doesn't know the entrance

code and doesn't have a card, so she has to go to the
janitor's office.

12

남자 지난주에 본 면접 결과는 어떻게 됐어요?

여자 아직 이메일이 안 왔어요.

남자 어? 그건 홈페이지에서 직접 확인해야 해요. 회사
홈페이지에 들어가서 오른쪽에 보면 공지사항이 있
어요. 거기에 '합격자 발표'가 있어요.

여자 네, 찾았어요. '합격자 발표'를 누른 후 다음에는요?

남자 이름하고 생년월일을 쓰고 확인을 누르면 돼요.
해 보세요.

M Have you heard back from your interview last
week?

W No email yet.

M Email? You need to check directly from the
website. If you go on the company's website, there
is a notice board on the right. The 'successful
candidates' notice is there.

W Yes, I've found it. What do I need to do after
pressing the 'successful candidates' notice?

M You need to enter your name and date of birth,
and press enter. Try it.

Select the following action

The woman is looking at the website to check her interview
result, and the man is explaining how to check it. He tells
her to press the successful candidates notice on the notice
board and then enter in her name and date of birth.

※ **(13~16) Listen to the dialogue and select the
corresponding answer.**

13

남자 으아, 3시간 동안 공부만 했더니 너무 피곤하네.
산책하고 올까?

여자 산책? 피곤한데 그냥 쉬는 게 좋지 않을까?

남자 스트레스가 쌓일 때는 그 일하고 반대되는 일을 하면
좋대. 기분 전환도 되고 집중력이 더 좋아진다던데.

여자 그래? 그럼 한번 가 볼까? 근데 왜 그렇지?

남자 글쎄, 나도 책에서 읽은 거라서 정확하게는 잘 모르
겠는데. 아마 머리와 몸을 골고루 쓰는 것이 좋다는
게 아닐까? 궁금하면 산책하고 와서 인터넷으로 찾
아보자.

M Ah, I'm so tired because the only thing I did in the
last three hours was study. Should we come back
after a walk?

W A walk? Isn't it better to rest since you're tired?

M I heard it's good to do something opposite to
your work if you are getting stressed. They say it's
refreshing and also improves your concentration.

W Really? Then shall we go? But why is that so?

M Well, I read it in a book so I don't know too well.
Perhaps it means it's good to use your mind and
body evenly? If you're curious let's look it up on
the internet when we get back.

Understand the details

The man says that it's good to do something that is the opposite of what is causing stress, and the woman is curious about the reason. Since at the end of the conversation, the man suggests they search the internet, the man is planning to go on the internet after the walk.

14

여자   자, 여러분. 지금부터 이번 학기에 여러분의 성적을 어떻게 평가할지 이야기해 줄 테니까 잘 들어 보세요. 먼저 성적은 중간고사와 기말고사 그리고 출석 점수를 합쳐서 평가할 예정입니다. 중간고사는 시험을 보지 않고 조별 발표로 대신할 것이고, 기말고사는 각자 한 가지 주제를 정해서 보고서를 제출하면 됩니다. 중간 발표와 기말 보고서는 각각 40점씩이고 나머지 20점은 출석 점수입니다. 특별한 일이 있어서 결석을 해야 하는 경우에는 저에게 미리 이메일이나 문자 메시지를 보내도록 하세요.

W   Okay, everyone. I'm going to explain how I'm going to assess your grades this semester, so please pay attention. First, I'm going to accumulate the scores of your midterm exam, final exam, and attendance. The midterm exam will be a group presentation instead of an exam, and for the final exam, you need to each select one topic and write a report. The midterm presentation and final report will be 40 points each, and the remaining 20 points will be for attendance. If you need to miss class for special circumstances, please tell me in advance via email or text message.

Understand the details

The woman is talking about the assessment method for one semester. In ①, the grade includes points for midterm exam, final exam, and attendance. In ②, the midterm exam will be replaced with a group presentation, and in ④, the students must send an email or text message, rather than call by phone.

15

남자   건조한 날씨가 계속되면서 강원도 곳곳에서 많은 산불이 발생하고 있습니다. 지난달 15일 강원도 강릉에서는 50대 남성이 등산 중에 피우던 담뱃불을 다 끄지 않고 버려서 큰 산불이 발생했습니다. 이 산불로 소방차 30대가 출동하였고, 불을 끄던 소방대원과 주민 두 명이 부상을 입었습니다. 이러한 크고 작은 산불들은 누군가의 작은 부주의로 발생하여 주민들과 등산객들에게 피해를 입히고 있습니다. 요즘같이 건조하고 바람이 많이 부는 날씨에는 작은 불씨가 큰 산불로 이어질 수 있기 때문에 산불 예방에 더욱 힘써야 하겠습니다.

M   With the continuous dry weather, there have been many forest fires in different parts of Gangwondo. On the 15th of last month, a forest fire started in Gangneung, Gangwondo, when a man in his fifties tossed his cigarette without putting it out. Thirty fire trucks were mobilized, and one fire fighter along

with two civilians were injured due to the fire. These big and small forest fires occur as a result of someone's negligence and harm civilians and mountain hikers. As a small spark can lead to a big forest fire in dry and windy weather like now, we need to make an effort to prevent forest fires.

Understand the details

A forest fire due to cigarette light broke out in Gangwondo in the ongoing dry weather. Some people were injured from this forest fire. Through the last sentence, the man says that someone's small mistake could lead to great injury, so it's important to be cautious in the prevention.

16

여자   요즘 대학생들이 두 가지 이상의 전공을 선택하는 이유가 무엇인가요?

남자   예전에는 자신의 전공 외에 관심이 있는 다른 학문을 배우고 싶어서 복수 전공을 하는 학생들이 많았어요. 하지만 요즘에는 좀 다른 것 같아요. 제 주변 친구들을 보면 자기의 관심보다는 취업에 도움이 되는 전공들을 선택해서 복수 전공을 하는 것 같거든요. 요즘 취업이 어렵잖아요. 저도 다음 학기부터는 경영학을 복수 전공할까 생각하고 있어요. 아무래도 다른 전공들보다는 취업하기가 쉬울 것 같아서요.

W   Why do college students these days select two or more majors?

M   Before, many students pursued a double major in an area of study they wanted to learn more about other than their own major. But it seems to be different these days. When I see my friends around me, rather than selecting an area of study they are interested in, they choose to double major in areas that are helpful for employment. Because finding employment is difficult these days, I am also thinking about taking a double major in management next semester. This is because I think it will be a better major for employment than other majors.

Understand the details

The man talks about the reason college students do double majors. He says that many students choose an area that is helpful for finding employment, rather than an area of interest.

※ 〔17~20〕 Listen to the dialogue and select the main idea of the man.

17

여자 난 외국에서 혼자 배낭여행을 하는 사람들을 보면 부러울 때도 있지만 아무래도 위험한 것 같아서 나는 못 할 것 같아.

남자 일어나지 않은 일 때문에 미리 겁먹을 필요는 없는 것 같아. 사실 여행뿐만 아니라 일상생활에서도 교통사고처럼 위험한 일은 어디에서든지 일어날 수 있는 거 아니겠어? 그렇게 걱정만 하다가는 아무것도 할 수 없을 거야. 어차피 똑같은 가능성이라면 내 마음대로 이것저것 구경도 하고 새로운 경험도 하면서 좋은 추억을 많이 만드는 게 좋다고 봐 난.

W When I see people backpacking alone overseas, there are times I envy them, but I feel that it's too dangerous so I don't think I'll be able to do it.

M I don't think there's any need to be afraid of something that hasn't happened yet. In fact, dangerous situations like traffic accidents occur in everyday life, and not only while traveling. You won't be able to do anything if you just worry like that. If the chances are the same, I think its better to explore as many places as you want, experience new things, and create good memories.

Select the main idea

The woman thinks backpacking alone is dangerous. As a response, the man says that there's no need to worry about the future and that it's important to experience new things and create good memories. Therefore, the man thinks that backpacking is good.

18

남자 새 신용카드를 만들었나 봐. 신용카드 자주 사용해?

여자 응, 현금을 가지고 다니지 않아도 되니까 편리하고 안전하잖아. 그리고 카드에 따라서는 놀이공원이나 영화관에서 할인도 받으니까 돈을 절약할 수 있어.

남자 하지만 현금이 없어도 물건을 살 수 있기 때문에 오히려 돈을 낭비할 수도 있어. 난 신용카드 대신 체크카드를 사용하는데, 통장에 있는 만큼만 쓸 수 있으니까 돈을 더 절약하게 되더라고.

M It looks like you made a new credit card. Do you use it often?

W Yes. It's convenient and safe because I don't have to carry around cash. And depending on the card, I can save money by getting discounts at theme parks and movie theaters.

M But wouldn't you also be wasting money because you can buy items without cash? Instead of a credit card, I use a debit card. Since I can only use the amount of money in my account, I end up saving more money.

Select the main idea

The woman thinks that using a credit card saves money. On the other hand, the man thinks that credit cards could lead to indiscreet spending and he can save more using his debit card.

19

여자 요즘 틈만 나면 마라톤 연습을 하네요?

남자 아, 네. 요즘 살이 좀 찌기도 했고 다음 주에 열리는 마라톤 대회에 나가면 남을 도울 수도 있거든요.

여자 마라톤 대회에 나가면 남을 도울 수 있다니요? 무슨 말이에요?

남자 하하하. 마라톤 대회에 참가하면 1km를 달릴 때마다 천 원씩 모아서 생활이 어려운 노인을 돕는 데 쓴대요. 의미 있는 대회인 것 같아서요. 어려운 사람을 크게 도와주지는 못하더라도 건강도 지키면서 남을 도울 수 있으니 좋은 일이잖아요.

W You seem to be practicing for the marathon every minute you can.

M Oh, yes. Not only have I gained weight lately, but if I enter the marathon competition held next week, I can help others.

W You can help others by entering the marathon competition? What does that mean?

M Hahaha, if I enter the marathon competition, for every 1km I run, 1,000 won will be raised and used for the elderly in need. It seems to be a meaningful competition. It's not a huge way of helping those in need, but it's a good thing to keep up my health as well as help others.

Select the main idea

The reason the man is practicing for the marathon is for his health and to help others. This is because in the marathon competition the man will enter this time, 1,000 won is raised for every 1km run to help the elderly in need. In the last sentence, the man talks about how he can keep up his health as well as help others.

20

여자 제가 며칠 전에 아주 친한 친구에게 부탁을 하나 했는데, 그 친구가 그 부탁을 들어주지 않아서 너무 속상했어요. 어떻게 그럴 수가 있죠?

남자 속상했을 것 같기는 한데 그 친구 입장에서는 조금 다르게 생각할 수도 있을 것 같아요. 그 친구의 상황에서는 부탁을 들어주기가 어려워서 그랬을 거예요. 친한 친구라고 무작정 부탁을 들어줬다가 오히려 피해를 줄 수도 있잖아요. 가능하면 부탁을 들어줘야겠지만 그렇지 않으면 거절하는 것이 맞아요.

W A few days ago, I made a request to my friend, but my friend turned down that request so I was very upset. How could he/she do that?

M That would be upsetting, but I think you could think of it differently from your friend's point of view. Given your friend's position and circumstance, it was probably difficult to accept your request.

Accepting someone's request just because they're your close friend could actually end up hurting them. It's good to accept one's request when it's possible to do so, but if not, it's right to turn it down.

Select the main idea

The woman made a request to her friend, but was turned down and is upset. The man responds by saying that turning down a request is better than hurting them by accepting it just because one wasn't able to turn it down. '폐를 끼치다' is similar in meaning to '피해를 주다.'

※ **(21~22) Listen to the dialogue and answer the questions.**

여자 요즘은 회사 회식이 예전에 비해서 많이 달라진 것 같아요.

남자 그렇죠. 술을 마시기보다는 동료들과 영화나 연극처럼 공연을 보기도 하고 미술 전시를 보기도 하니까요.

여자 하지만 회식을 하면서 같이 술을 마시는 것이 나쁜 것만은 아닌 것 같은데요. 평소에 어려웠던 사람들과 술을 마시고 이야기를 하면서 자연스럽게 관계가 좋아지는 경우도 있잖아요. 스트레스도 풀고요.

남자 저 같은 경우에는 술을 마시면서 이야기를 하면 제가 하고 싶은 이야기를 충분히 하지 못해서 더 불편했던 것 같아요. 술을 마시다보면 집에도 늦게 들어가게 되고 그러면, 다음 날 회사 일에도 집중할 수 없었어요.

W It seems like company social events have changed a lot.

M That's right. Instead of drinking, coworkers sometimes go to watch a movie or a play, or go to an art exhibition.

W But I don't think drinking together during a company socials is a bad thing. There are cases where people who were on difficult terms are able to talk while drinking and naturally improve their relationship. It also relieves stress.

M In my case, I think I wasn't able to fully express what I wanted to say when we were drinking, so it was uncomfortable. After drinking, I would sometimes go home late and then have a hard time concentrating at work the next day.

21 Select the main idea

You can find the answer if you listen carefully to the man's last words. Seeing that the man thinks drinking prevents deep conversations and hinders company work, the man is negative about drinking at company socials.

22 Understand the details

The woman and the man are talking about the changes in company socials. Before, they usually drank at socials, but now the culture is changing to watching a movie or going to a coffee shop, etc.

※ **(23~24) Listen to the dialogue and answer the questions.**

남자 신촌동 주민센터지요? 지난주에 새로 이사를 와서 전입신고를 하려고 하는데 어떻게 하면 되나요?

여자 아, 네. 전입신고를 하는 방법은 두 가지가 있는데요. 주민센터로 직접 방문해서 하셔도 되고 인터넷으로 신고 하셔도 됩니다.

남자 제가 평일에는 시간이 없어서 주민센터를 방문하기는 좀 힘들 것 같은데요.

여자 그럼 인터넷으로 하세요. 인터넷으로 신고하시려면 공인 인증서를 준비하시면 됩니다.

남자 네, 그것 외에 또 준비할 것은 없나요?

여자 네, 공인 인증서를 준비한 후 인터넷 홈페이지에 회원 가입을 하시고 전입신고를 하시면 됩니다. 전입신고 한 후에는 신고 처리가 되었는지 꼭 확인하셔야 합니다.

M Is this the Sinchondong municipal office? I moved here last week and want to register my new address. How can I do that?

W Um, okay. There are two ways you can register your new address. You can either visit the municipal office or register online.

M I don't have time during the week, so I think it'll be difficult to visit the municipal office.

W Then you can do it online. If you'd like to register online, you need to have your certificate ready.

M Sure. Is there anything else I need to prepare?

W Yes, after you have your certificate authentication, sign up for membership at our website and register your new address. After you register your new address, make sure you check that the registration was processed.

23 Understand the man's action

You can find the answer if you listen carefully to what the man says in the beginning. He asked how he could register his new address. '절차' means the order or method in which a job is done.

24 Select the work the man should do

To the man who asks about the procedure of registering a new address, the woman tells him how to register online. The man has to have a certificate authentication and then sign up for membership on the website. Therefore, the man's job is to have a certificate authentication ready.

※ (25~26) Listen to the dialogue and answer the questions.

여자 이 학교에서는 방과 후 활동을 시작하면서 학부모들의 큰 호응을 얻고 있는데요. 어떻게 하신 건가요?

남자 최근 가정에서는 점점 늘어나는 사교육비 부담을 줄이기 위해 부모가 모두 일을 하는 경우가 많다고 합니다. 그러다 보니 학생들이 수업 후에 가정에서 제대로 보호 받지 못하는 경우도 있고 부모님들도 불안함을 떨치지 못하고 있습니다. 따라서 방과 후에 학교에서 다양한 수업을 만들면 학생들을 보호할 수 있고 사교육비도 줄일 수 있다고 생각했습니다. 그래서 저희 학교에서는 국어, 수학, 과학 수업뿐만 아니라 음악, 미술, 춤 등 다양한 수업을 준비했습니다. 그 결과 학생들이 공부도 더 열심히 하고 학교생활을 즐거워하게 되었지요. 그래서 내년부터는 평일에만 하는 방과 후 활동을 토요일까지 확대해서 좀 더 다양하게 학생들이 즐길 수 있도록 할 생각입니다.

W This school is receiving a lot of good responses from the parents since it started after-school activities. How did you do it?

M Lately, I heard there are many families where both parents need to work in order to manage the increasing private education expenses. As a result, there are cases where students aren't safe after school and parents feel insecure about them. Therefore, by providing diverse after-school classes, we thought it could both protect students as well as reduce private education expenses. So our school prepared diverse lessons on not only Korean, math, and science, but also music, art, dance, etc. As a result, students are working harder and enjoying their school life. Thus, from next year, we are thinking of expanding our after-school classes to Saturdays as well, so that students can enjoy more diverse options.

25 Select the main idea

The man thinks that the hardship of both parents and students caused by increasing private education expenses could be resolved by creating after-school activities.

26 Understand the details

The man's school prepared many diverse classes like music, art, dance, etc. In the future, they are planning to expand the after-school classes to Saturdays, so at present they are only implementing them on weekdays.

※ (27~28) Listen to the dialogue and answer the questions.

여자 민준아, 작년 한 학기 동안 학교 휴학하고 뭐 했어?

남자 나? 난 방학 동안 아르바이트 해서 모은 돈으로 여행도 다녀오고, 필요한 자격증이 있어서 자격증도 땄지. 또 틈틈이 봉사활동을 해서 학교에서 봉사 학점도 받았고. 또 뭘 했더라. 아! 규칙적으로 운동도 했어.

여자 와, 정말 많은 일들을 했구나! 새로운 경험도 하고 학점도 받아서 아주 보람 있었겠다. 그런데 졸업을 늦게 하면 취업에 불리하지 않을까?

남자 요즘 회사에서는 다양한 경험을 가진 직원을 선호한대.

여자 그런가? 그럼 너는 휴학한 것을 후회하지는 않아?

남자 물론이지. 계획을 잘 세운 후에 휴학을 해서 그 시간에 다른 학생보다 더 많은 경험을 가질 수 있었잖아.

W Minjun, what did you do last year during your semester leave of absence?

M Me? I went on a trip with the money I saved up from working during the vacation and got a license that I needed. I also volunteered in my spare time and earned volunteer credits at school. What else did I do? Oh! I exercised regularly.

W Wow. You really did a lot, didn't you? It must have been so rewarding experiencing new things and earning credits as well. But isn't it a disadvantage to graduate late when you look for work?

M I heard that companies these days prefer people with diverse experiences.

W Is that so? So you don't regret taking a leave of absence?

M Of course not. I took a leave of absence after planning well, so was able to experience more things than other students during that time.

27 Understand the reason

You can find the answer if you listen carefully to the woman's second question. The woman asked the man what he did during his leave of absence and is concerned that graduating later might be a disadvantage to his job search.

28 Understand the details

The man took a leave of absence last year. During that time he did many things like traveling, studying, volunteering, exercising, etc. In addition, he even earned credits for volunteering. Although the woman was concerned that graduating late might be a disadvantage to job searching, the man thinks that the experiences he had during his leave of absence helped build his competence.

여자 최근 도시형생활주택이라는 새로운 형태의 주거 공간이 등장해 많은 사람들에게 주목을 받고 있는데요. 도시형생활주택이라는 것이 뭔가요?

남자 쉽게 말하자면 기숙사 같은 집입니다. 증가하고 있는 1~2인 가구와 서민들의 주거 안정을 위해서 만든 것이죠. 특히 대학가나 사무실 밀집 지역 등 번화가에 있는 젊은 사람들을 중심으로 인기가 높아지고 있습니다. 이름에서 알 수 있듯이 도시형생활주택은 정해진 도시에만 지을 수 있고 관리사무소나 놀이터 같은 부대시설을 설치하지 않아도 됩니다. 또 세금도 원룸이나 오피스텔에 비해서 면제되는 것이 많기 때문에 요즘 저희 부동산에도 도시형생활주택에 대한 문의가 많이 들어오고 있습니다.

W Lately, a new residential space called an urban lifestyle housing has emerged and is attracting a lot of attention. What is an urban lifestyle housing?

M Simply put, it is a house that's like a dormitory. It's designed for increasing households with 1~2 people and home security for the working class. Its popularity is increasing especially in college towns and densely commercial areas, and among young people in downtown areas. As inferred from the name, urban lifestyle housing can be constructed in designated cities and doesn't have to be constructed with additional facilities like a janitor's office or playground. Also, unlike one-rooms or officetels, urban lifestyle housing is subject to various tax exemptions, therefore our real estate agency receives a lot of inquiries about them.

29 Find the man's vocation

You can find the answer if you listen to the man's last sentence. Since the man's real estate agency receives a lot of questions about urban lifestyle housing, it can be inferred that the man works at a real estate agency. A '공인중개사' is someone who professionally mediates the sale or purchase of land or buildings.

30 Understand the details

The man said that an urban lifestyle housing is subject to more tax exemptions compared to one-rooms and officetels. '면제되다' means that all obligations or responsibilities are lifted. When there is less tax to pay then obviously the tax is affordable.

남자 저는 모든 인간은 원래 이기적인 욕망을 가지고 있다고 생각합니다. 그래서 그대로 내버려 두면 서로 싸우고 남의 것을 빼앗고 자신의 욕망을 절제하지 못해 혼란스럽게 될 겁니다. 따라서 우리는 이러한 인간의 악한 본성을 억제하기 위해서 법이나 규범을 만들어 지켜야 합니다.

여자 만약에 어떤 아이가 우물에 빠지려고 할 때 그것을 본 사람은 누구나 그 아이에 대해 불쌍한 마음을 가지고 구해 주려고 할 겁니다. 저는 이것이, 인간이 동물과 다르게 도덕이라는 것을 가지고 있기 때문이라고 생각합니다. 이러한 선한 본성은 인간이 태어날 때부터 선천적으로 가지고 태어나는 것입니다. 그런 점에서 인간은 지극히 선한 존재입니다.

M I think all humans have innate selfish desires. So, if left as they are, things will become hectic as they will fight each other, steal from others, and won't be able to control their desires. Therefore, we need to make and keep laws and regulations in order to control the evil nature of humans.

W If a child is about to fall into a well, anyone who sees that will feel sorry for the child and try to save him/her. I think this is because unlike animals, humans have what is called morals. People are innately born with this kind of good nature.

31 Understand the woman's thought

The man says that because all people are innately born with bad desires they need to be controlled through education. On the contrary, the woman thinks that people are innately born with a good nature.

32 Understand the woman's attitude

The woman is expressing a different opinion from the man by using the example (analogy) that anyone who sees a child in a dangerous situation will want to help the child (rebut the other party's argument) to support her argument.

※ [33~34] Listen to the monologue and answer the questions.

여자 부모가 자녀를 사랑으로 키우고 돌보는 것은 예나 지금이나 부정할 수 없는 당연한 사실입니다. 그런데 자녀에게 지나치게 의지하고 심혈을 기울여 양육한 어머니는 자녀가 진학, 취업, 결혼 등으로 곁을 떠나게 되면 보통의 어머니보다 심한 우울증을 겪게 됩니다. 텅 빈 집안에 혼자 있는 시간이 많아지기 때문인데 그 증상이 심각해지면 병원 치료를 받아야 할 정도까지 이른다고 합니다. 이를 막기 위해서는 가족의 도움도 필요하지만 주부 스스로가 자존감을 세우고 긍정적인 생각을 하는 것이 중요합니다. 먼저, 부부가 함께 대화하는 시간을 늘리고 공통의 취미 생활을 만드는 것이 좋습니다. 또한 더이상 자녀가 중심이 된 인생이 아니라 자신에게서 가치를 발견해야 상실감에서 자유로울 수 있습니다. 무엇보다도 제일 좋은 것은 비슷한 상황을 겪은 주변 사람들과 이야기를 나누는 것입니다.

W That parents raise and take care of their children with love is an undeniably obvious fact both today and in the past. However, mothers who overly depend on their children and put their heart and soul in nurturing them experience extreme depression when their children leave their side for school, work, marriage, etc. Because they end up spending a lot of time in an empty house, they need medical treatment if the symptoms become that serious. In order to prevent this, of course help from family is needed, but the housewife needs to recover her self-respect and think positive thoughts. Moreover, she can be free from the feeling of loss if she discovers value in her own life rather than a child-focused life. More than anything, it's good to talk with people around them who are going through a similar experience.

33 Grasp the theme

The woman is talking about the cause of housewife depression and presenting various ways to overcome it. If you listen to and understand '이를 막기 위해서는,' you can find the answer.

34 Understand the details

Mothers who overly depend on their children can get depressed once the children leave the parents. In order to overcome this the woman says it's good to recover a sense of self-respect, increase conversation between the couple, and share common hobbies. Further, she says that talking to people around them is also a good method.

※ [35~36] Listen to the monologue and answer the questions.

남자 흔히 사람들은 나이가 들어 노인이 되면 새로운 것을 배울 필요가 없다고 생각합니다. 저 역시 몇 년 전까지만 해도 노인 교육에 대해 전혀 필요성을 느끼지 못하고 노인대학에 부정적인 시선을 보낸 것이 사실입니다. 일반 학생에 비해 학습 능력과 이해력이 현저하게 떨어질 것이 분명해 보였고 그렇기 때문에 '이제 와서 배우면 뭘 하나'라는 생각을 늘 가지고 있었습니다. 그러나 어느 날 노인 한글 교실 수업을 본 후로 제 생각은 완전히 바뀌었습니다. 노인들은 늦게 배우는 만큼 그 누구보다 열의를 가지고 수업에 참여하고 있었고 정말 온전히 배움을 즐기고 있다는 생각이 들었습니다. 교육으로 자신의 능력을 확장시키고 교육을 통해서 자신감을 가져 자신의 한계를 시험해 볼 수 있는 것은 정말 값진 일이라고 생각합니다.

M In general, people think that once you become a senior citizen there's no need to learn new things. Even a few years ago, I couldn't feel the need for education for senior citizens and even regarded senior university in a negative light. This is because it seemed obvious that their academic ability and level of comprehension are exponentially lower than ordinary students, so I thought, 'What's the use of learning at this point?' However, after observing a senior Hangul class, my thoughts completely changed. As late in life as they were learning, the senior citizens participated in class with passion and enjoyed the learning wholeheartedly. I think it's priceless to improve your competence through education and to test your limits by gaining confidence through education.

35 Grasp the theme

The man couldn't feel the need for senior university until his thoughts changed when he observed a senior Hangul class.

36 Understand the details

After observing a senior citizen Hangul class, the man's thoughts on senior education changed. It's important to know the meaning of '참관하다' in ③. He says that the senior citizens participated with passion in class. They would have engaged in the class '적극적' with passion. The word '소극적' in ④ is the opposite of '적극적.'

※ [37~38] The following is an educational program. Listen carefully and answer the questions.

여자 박사님, 언젠가부터 제품의 기능이나 우수성을 알리는 것보다는 소비자의 심리적인 감성을 자극하는 마케팅 전략이 증가하고 있는데요. 그 이유가 뭐라고 생각하십니까?

남자 네, 이제 제품들의 성능이나 디자인만으로는 소비자들이 큰 차이를 느끼지 못합니다. 그래서 기업들은 소비자들의 감성을 자극하는 광고를 통해서 해당 제품이나 서비스에 대한 긍정적인 이미지를 심어주는 데 노력하고 있습니다. 좀 더 자세히 살펴보면, 이런 광고에서는 소비자들이 쉽게 공감할 수 있는 감성, 즉 어린 시절의 추억이나 편안함, 따뜻함 등의 이미지를 불러일으킵니다. 그와 더불어 해당 제품이나 서비스를 통해 소비자들이 얻고자 하는 꿈과 희망을 자극하기 때문에 소비자들은 계속 그 제품을 이용할 수밖에 없습니다. 결국 사람들은 그 제품을 떠올리면 기업에서 심은 이미지를 먼저 떠올리게 되는 것입니다.

W Doctor, from some point in time, the marketing strategy of stimulating the consumer's psychological emotions is increasing rather than informing of the product's function or superiority. What do you think the reason is?

M Right, consumers are unable to feel the difference between the function or design of the products alone. That's why companies try to instill a positive image of a certain product or service through emotionally stimulating commercials. If you observe more closely, these commercials evoke images of childhood memories, comfort or warmth, etc. that people can easily relate to emotionally. In addition, they also stimulate consumers' hopes and dreams through the certain product or service, and so the consumers can't help but continue using them. Ultimately, whenever people remember a product, they are first reminded of the image instilled by the company.

37 Select the main idea

The man said that consumers aren't able to feel much difference in the product's function or design. Thus, companies instill a positive image and relatable emotions in the consumers so that they will purchase their products.

38 Understand the details

In the conversation, the man said that commercials should instill memories, comfort, warmth, dreams and hopes in the consumers. Thus, this is the same as saying move the hearts of consumers.

※ [39~40] The following is a talk. Listen carefully and answer the questions.

여자 네, 일부 어민들과 동물원 사이에 그러한 관계가 형성되어 있기 때문에 이러한 불법 포획이 근절되지 않는 것이군요. 그럼 박사님, 동물원에 있는 그 돌고래들을 바다로 돌려보내야 하는 건가요?

남자 돌고래들은 지금까지 좁은 수조 속에서 갇힌 채 매일 교육을 받고 있었고 매일 수차례 공연을 해야 했습니다. 원래 돌고래들은 하루에도 수백km씩 이동을 하며 사는 동물입니다. 그런 동물을 비좁은 공간에 가둬 놓고 기르면 정상적으로 살 수 없습니다. 한 돌고래 보호 운동가의 말에 따르면 동물원에 있는 돌고래들은 극심한 스트레스로 인해 수명이 짧은 편이며 그런 스트레스 때문에 먹이와 함께 다량의 안정제를 복용한다고 합니다. 하루라도 빨리 불법 포획된 돌고래들을 그들의 고향인 자연으로 돌려보내는 것이 옳다고 생각합니다.

W I see, this kind of illegal poaching isn't eradicated because some fishermen and zoos have that kind of relationship. In that case, doctor, should those dolphins in zoos be sent back to the ocean?

M The dolphins were caged in a small tank until now, and were trained daily to perform many times a day. By nature, dolphins are animals that travel hundreds of kilometers per day. If you take that kind of animal and confine it to a small tank, it can't live a normal life. According to one dolphin protection activist, dolphins in the zoo have a short life because of extreme stress, and because of the stress, need to take a large amount of stabilizers with their food. I think it's right to return these illegally poached dolphins to the wild, their home.

39 Understand the previous content

If you listen to the woman's words carefully, you will find the answer. In the woman's first statement, she talks about how illegal poaching is not eradicated because of the relationship between fishermen and zoos.

40 Understand the details

Dolphins caught by fishermen are being illegally transported to zoos and bred in zoos under stress. The dolphins can't live long due to stress and the need to consume stabilizers.

※ [41~42] The following is a lecture on outer space trash. Listen carefully and answer the questions.

남자 우주 쓰레기의 발생 원인에 대한 관심이 늘고 있습니다. 우주 쓰레기란 우주 공간을 떠도는 다양한 인공물들을 통틀어 일컫는 말입니다. 우주 쓰레기의 발생 원인은 대략 세 가지 정도로 나뉩니다. 첫째, 인공위성 발사에 사용되는 여러 가지 기계들입니다. 두 번째 원인은 임무를 마치고 더 이상 작동하지 않은 채 지구 궤도에 남아 있는 인공위성입니다. 인공위성의 발사가 증가함에 따라 인공위성으로 인한 우주 쓰레기 발생도 늘고 있습니다. 세 번째로는 인공위성이 고장으로 인해 폭발하면서 그 파편들이 우주쓰레기가 되는 경우입니다. 결국 인공위성이 우주 쓰레기 발생의 주요 원인인 셈입니다. 이러한 우주 쓰레기는 궤도가 일정하지 않기 때문에 수거를 하기도 쉽지 않습니다. 더 큰 문제는 이것이 지구로 낙하해 피해를 줄 수도 있다는 점입니다. 따라서 하루빨리 과학자들은 우주 쓰레기 처리 방법에 대해서 진지하게 연구를 해야 할 것입니다.

M There is a growing interest in the cause of outer space trash. Outer space trash refers to the diverse artefacts floating around in outer space. There are generally three causes of outer space trash. First, the many machines used to launch satellites. Second, satellites that have completed their mission are also a main cause; they no longer work but are still left in the earth's orbit. Outer space trash is increasing as more satellites are launched. Third, there are instances where satellites explode due to a malfunction and the fragments become outer space trash. Ultimately, satellites appear to be the main cause of outer space trash. These kinds of outer space trash are hard to collect because of their irregular orbit. The greater problem is that they can fall to the earth and cause damage. Therefore, scientists can't lose a day in researching seriously about how to deal with outer space trash.

41 Understand the details

The man is talking about the cause of outer space trash. He says that the greatest cause is satellites, and also mentions possible damage that can come about as a consequence.

42 Understand the man's thought

If you observe the man's words, all the causes of outer space trash are related to satellites. According to this, you can know that the man thinks that outer space trash is caused by satellites.

※ [43~44] The following is a documentary. Listen carefully and answer the questions.

남자 깨진 도자기를 다시 원래의 형태로 복원하는 일은 쉬운 일이 아닙니다. 특히 유물로 출토된 도자기는 오랜 시간이 흘렀기 때문에 복원에 더욱 신중을 기해야 합니다. 도자기 유물을 복원할 때 가장 중요한 과정 중에 하나가 오염물을 제거하는 것입니다. 도자기 표면 또는 내부에 있는 여러 가지 오염물을 제거해야 추가적인 도자기 손상을 방지할 수 있기 때문입니다. 그렇다고 도자기에 있는 모든 오염물을 제거할 수 있는 것은 아닙니다. 예를 들어 바다에서 출토된 도자기의 경우 염분 등 손상을 유발하는 물질은 반드시 제거 처리가 필요합니다. 하지만 오염물이 도자기의 내부 조직까지 침투한 경우에는 처리하는 도중에 도자기가 더욱 손상될 수 있습니다. 또 도자기 오염물 제거에 사용되는 화학적인 방법은 그게 무엇이든 도자기에 영향을 끼치게 됩니다. 따라서 도자기의 오염물 제거는 필수적이라고 생각될 때만 수행하고 가급적이면 그 범위를 최소화하여 처리하는 것이 바람직하다고 하겠습니다.

M It's not easy to restore shattered pottery to its original form. Especially pottery that was excavated as an artifact takes extra caution because it has aged so much. One of the most important steps in restoring artifact pottery is removing the contaminants. This is because only after removing all contaminants on the surface and inside of the pottery can you prevent further damage to the pottery. That doesn't mean you can remove all the contaminants from the pottery. For example, certain harmful contaminants like salt, etc. must be removed from pottery excavated from the ocean. However, if the contaminant has already penetrated inside the pottery, removing the contaminants can actually damage it more. Further, whatever chemicals are used to remove contaminants will also affect the pottery itself. Therefore, I would say that contaminants should be removed when it's a necessity, but if possible, it should be minimized in its scope.

42 Understand the reason

The man says further damage can be prevented by removing many contaminants on the pottery. '손상을 방지하다' means '막는다' damage from occurring.

44 Select the main idea

If you listen carefully to expressions like '그렇다고,' '하지만,' etc., you will find the answer. He mentions that this doesn't mean that all the contaminants can be removed, in fact, it can be more dangerous. Also, in the last sentence, he says when it's deemed necessary to remove contaminants, it's good to minimize the process.

남자 역사란 무엇일까요? 역사는 단순히 과거 사실들의 집합이 아닙니다. 자기 나라의 역사를 마땅히 알고 선조들의 지혜를 본받아야 하는 것입니다. 다시 말하면 역사는 국민과 국가의 정체성을 유지시켜 나가는 원동력이라고 할 수 있습니다. 그래서 학교에서 행해지는 역사 교육의 중요성을 결코 부정할 수 없습니다. 독일은 역사 교육이 결국은 인성 교육으로 이어진다는 생각으로 초등 과정부터 역사 교육에 많은 시간을 투자하고 있습니다. 또 미국은 주마다 다른 교육 과정을 운영하면서도 미국사와 세계사는 초등학교 때부터 반복적으로 가르칩니다. 일본은 일본사가 대학 입학시험에서 필수에서 선택으로 전환된 뒤, 학생들 사이에서 역사 기피 현상이 나타나면서 문제가 되었습니다. 그러던 것이 3년 전부터 다시 필수과목으로 전환되면서 역사 교육의 중요성을 새로 인식하고 있습니다. 단재 신채호 선생은 역사를 잊은 민족에게 미래는 없다고 했습니다. 청소년들에게 역사를 가르치지 않는 것은 나라를 사랑하는 마음도 심줄 수 없을뿐더러 개인주의와 이기심을 자라게 할 것입니다.

M What is history? History is not merely a collection of past facts. It's about having adequate knowledge of your country and emulating the wisdom of your ancestors. In other words, History is the ultimate driving force that maintains the identity between the people and the nation. Therefore, you can't deny the importance of the education of history taught in schools. Germany considers the education of history to be linked ultimately with character education and so invests a lot of time in the education of history from the elementary program. Moreover, although every state in the United States follows a different curriculum, American history and world history are taught repetitively from elementary school. In Japan, after history became a requisite subject to an elective subject for college entrance exams, there was a problem of students avoiding history. From three years ago, history became a requisite subject again and people are realizing anew the importance of the education of history. Danjae Shin Jaeho once said that a nation without a history has no future. Without teaching history to youth, not only do you fail in instilling a heart of patriotism but you will breed their individualism and self-centeredness.

45 Understand the details

The man says that history is the driving force that maintains the identity of the people and the nation. In Germany, although the education of history is thought to be important and regarded in the same context as character education, it doesn't mean they replace the education of history with character education.

46 Understand the man's attitude

The man is expressing his opinion and using examples of Germany, the United States, Japan, etc.

남자 최근 여성 할당제를 통해서 여성 정치인의 참여를 확대해야 한다는 주장이 있는데요. 이에 대해 일각에서는 남성 정치인에 대한 역차별이라는 주장도 맞서고 있는데 대표님께서는 이 문제를 어떻게 보십니까?

여자 전 세계 인구의 반을 차지하는 것이 여성인 만큼 여성의 정치 참여가 확대되어야 한다고 생각합니다. 한국의 정치인 중에서 여성 의원의 비율은 겨우 15.7%에 불과합니다. 또한 여성의 대학 진학률이 70%로 남성을 추월하면서 많은 여성 인재들이 쏟아지고 있지만 유독 정치계에서 여성을 찾아보기란 쉽지 않습니다. 여성들의 목소리와 입장을 누구보다 진솔하게 대변할 수 있는 것은 바로 여성 의원들입니다. 따라서 여성 할당제를 통한 정치 참여 확대는 사회 발전을 위한 바람직한 현상이라고 할 수 있겠습니다.

M Lately there has been an argument about how participation of women politicians should be expanded through a female quota system.

W Since half of the world's population is women, I think women participation in politics should be expanded. The percentage of women National Assembly members is only 15.7%. Further, although the percentage of women that enroll in university is 70% and supercedes that of men, and intellectual women are pouring out, oddly enough, it's not easy to find women in the political world. The ones who can advocate the voice of women most truthfully are women National Assembly members. Therefore, I can say that expanding the participation of women in politics through the quota system is an ideal phenomenon for the development of society.

47 Understand the details

The woman says that female political participation should be increased and talks about how the university entrance rate for women has superceded that of men. '추월하다' means that what used to be behind caught up and is now ahead.

48 Understand the woman's attitude

The woman uses the percentage of female National Assembly members (15.7%) and university entrants (70%) as supporting evidence of her opinion.

[49~50] The following is a lecture. Listen carefully and answer the questions.

여자 오늘 강의에서는 생계형 범죄에 대해서 살펴보겠습니다. 생계형 범죄란 말 그대로 생활이 어려워서 저지르는 범죄를 말하는데 절도가 가장 흔합니다. 그럼 생계형 범죄를 저지른 사람은 처벌을 받아야 할까요? 이 문제에 대해서는 극명하게 의견이 엇갈리고 있습니다. 처벌해야 한다는 입장에서는 더불어 사는 이 사회에서 법은 반드시 지켜야 사회 질서가 유지될 수 있다고 봅니다. 작은 범죄라고 해서 눈감아 주다 보면 결국은 사회의 기초가 뿌리째 흔들리게 되는 결과를 낳을 것이라고 주장합니다. 반면에 생계형 범죄가 증가한다는 것은 그만큼 사회에 어려운 약자들이 많다는 증거라고 말하는 사람들도 있습니다. 이들은 생계형 범죄자를 일반 범죄자들과 똑같은 잣대로 처벌하는 것은 다시 생각해 볼 문제라고 말합니다. 아무리 법과 도덕이 중요하다고는 하지만 그것이 한 개인의 생존권을 앞설 수는 없기 때문입니다. 갈수록 생계형 범죄가 증가하는 이 시점에서 이 문제에 대한 여러분의 의견을 들어 보도록 하겠습니다.

W In today's lecture, we will look at survival crimes. Just as the name suggests, survival crimes are crimes committed when survival is at stake and the most common of these is theft. Then, should those that commit survival crimes be punished? The opinions about this are clearly divided. The side that believes they should be punished believe this is the only way to keep social order in an interdependent society. This opinion claims that overlooking small crimes will result in the whole foundation of society being shaken at its roots. On the other hand, some people say that an increase in survival crimes is also evidence of an increase in society of those in need. They say that the issue of whether to punish them according to the same standard as ordinary criminals is something to think about. This is because even though law and morals are important, they shouldn't be considered before an individual's livelihood. At this point in time when survival crimes are increasing, I would like to hear your opinions on the matter.

49 Understand the details

The woman is talking about survival crimes. While talking about whether the same law should be applied to survival crimes, she mentions that overlooking small crimes will eventually shake the society's foundations. '눈감아 주다' means to overlook someone's wrongdoing.

50 Understand the woman's attitude

If you understand the last words of the woman, you will find the answer. The woman doesn't make a conclusion about the two opinions, but says that she'll listen to other people's opinions.

※ **(51~52)** Read the text and fill in each ( ) with a sentence.

51

> Invitation.
> It's been one year since our Jinsu's birth. Therefore, we want to invite all those who have loved and cherished Jinsu during this time and (㉠).
> Even if you're busy, we would really appreciate it if you could come and celebrate with us.
> (㉡)?
> If you don't know this location, please contact us.

Write a sentence appropriate to the context

㉠: The sentence should have the word '돌잔치' (first birthday party) and grammatical expression meaning '계획' (plan).

This writing is an invitation, and so it's important to express politely one's plans and intentions. The expressions presented in the 3-point answer sheet are elementary level grammatical expressions and conclusively express one's plans and intentions.

㉡: There is a clue in the next sentence. There needs to be a sentence asking about the location.

Words 돌잔치| a first birthday party

52

> We can examine the condition of our health through our habits. According to study, those who eat more vegetables than meat have better digestive systems than those who don't. Also, those who walk 30 minutes a day have a longer lifespan than those who don't. We see how those around us who don't drink and smoke and have routine lifestyles that are (㉠) than those of the opposite. Therefore,
> (㉡).

Write a sentence appropriate to the context

㉠: This sentence is a complex sentence. The sentence, '규칙적인 생활을 하는 사람들이 그렇지 않은 사람들보다 건강하다.' becomes the object, and then there needs to be a predicate that responds to the subject '우리는' and adverbial phrase '주변에서.' Think of a predicate that responds to '우리는 주변에서,' such as '우리는 주변에서 볼 수 있다/보곤 한다/보고 있다/본다,' etc.

㉡: Write a sentence that is the theme of this text.
To eat more vegetables than meat, to walk 30 minutes or more per day, to not smoke or drink, and to have a routine lifestyle are all considered 'healthy habits.' Therefore, '건강한 습관이 중요하다' can be said to be the theme sentence.

Words 습관 habit 수명 lifespan

※ **(53)** Look at the chart and write about the pros and cons of early education, then write about what needs to be done for a proper education. Write 200~300 characters.

53

> Pros and cons of early education
> - Pros of early education
> ① You can discover diverse talents early.
> ② Since at this time the brain is developing at a rapid pace, acquisition is fast.
> - Cons of early education
> ① The child receives a lot of psychological stress.
> ② It's possible to lose interest in the lesson.

Write with the given information

Write an outline.
- Introduction: concept of early education
- Body: pros and cons of early education
- Conclusion: direction of early education for proper education

Start the writing with an introduction about the issue of early education, like the concept of early education or the reality of early education. The body must logically connect the pros ① and ②, and the cons ① and ② from the simple chart. You won't receive a good score if you just write two sentences in a row. In the conclusion, organize your opinion about the solutions to the cons of early education given in the simple chart.

※ **(54)** Write your thoughts on the given theme using 600~700 characters.

54

> Modern day people get a lot of stress from everyday life. Write about an effective way to reduce stress based on the following content.
> • What is the cause of getting stress?
> • What kind of phenomena occur when stressed?
> • What is an effective way to reduce stress?

Write in accordance with the theme

Write an outline 1
- Introduction: cause of stress
- Body: phenomena that occur when stressed
- Conclusion: effective way to reduce stress

Write an outline 2
- Introduction: present the problem (one good way is to mention briefly in the introduction why stress is a problem and starting the writing naturally).
- Body: cause of stress
  phenomena that occur when stressed
- Conclusion: effective way to reduce stress

First write the outline thinking how you will organize the three given contents in the introduction-body-conclusion. Then, write a short note on the details for the 'cause-effect-method,' and write the answer so that it flows.
When writing the '스트레스를 줄일 수 있는 효과적인 방법' (effective way to reduce stress), think of what causes stress. If you think of the general reasons for getting stress and the ways to reduce those causes, you will be able to write out your answer more easily.

	조	기	교	육	이	란		아	직		초	등	학	교	에		들	어	가	20
지		않	은		어	린	이	에	게		교	육	을		하	는		것	을	40
말	한	다	.		조	기	교	육	은		장	점	도		있	지	만		단	60
점	도		많	기		때	문	에		주	의	해	야		한	다	.			80
	조	기	교	육	을		하	면		아	동	의		재	능	을		일	찍	100
발	굴	할		수	도		있	고	,		아	동	은		습	득	력	이		120
빨	라	서		교	육		효	과	도		좋	다	.		하	지	만		아	140
동	이		정	신	적	으	로		스	트	레	스	를		받	고	,		수	160
업	에		흥	미	를		잃	을		수		있	다	는		단	점	도		180
있	다	.																		200
	따	라	서		올	바	른		교	육	을		위	해	서	는		아	동	220
이		교	육	을		받	아	들	일		준	비	가		될		때	까	지	240
기	다	려		주	는		것	이		좋	다	.		그	리	고		조	기	260
교	육	을		할		때	는		놀	이		위	주	로		하	여		아	280
동	이		공	부	를		놀	이	처	럼		즐	겁	게		받	아	들	이	300
도	록		해	야		한	다	.												320
																				340
																				360
																				380
																				400

인간은 그 누구도 스트레스로부터 자
유로울 수 없다. 적당한 스트레스는
우리를 나태하지 않고 활기차게 살게
해 주는 자극이 되지만 과도한 스트레
스는 우리 몸을 병들게 한다.
　스트레스의 원인은 다른 사람과의 마
찰, 과도한 업무, 실직, 수면 부족
등의 외적 원인과 높은 기대감, 완벽
주의 같은 내적 원인으로 나눌 수 있
다. 특히 현대인들은 빠르게 변화하는
사회 속에서 미래에 대한 확신을 할
수 없기 때문에 스트레스를 많이 받는
다.
　스트레스는 정신적, 신체적 질병을
야기한다. 스트레스를 받으면 정신적으
로 지쳐서 성격이 신경질적으로 변하고
뇌세포가 줄어들면서 기억력도 감소한다.
그리고 몸이 약해져서 각종 질병에 잘
걸리게 된다. 또한 스트레스는 주변
사람들에게도 피해를 준다. 스트레스를
받는 사람의 주위에 있으면 그 스트레
스가 전염이 되기 때문이다.
　우리는 스트레스를 일으키는 상황을
바꿀 수는 없다. 그러므로 스트레스를
받아들이는 마음가짐을 바꾸는 것이 현
명하다. 같은 상황에서 사람에 따라
스트레스를 받는 정도가 다른 걸 보면
결국 스트레스의 원인은 대부분 스스로
만들어 내는 것이라고 볼 수 있다.
욕심을 줄이고 기대치를 낮추는 것이
스트레스를 줄일 수 있는 가장 효과적
인 방법이다. 미래의 자신이 모습에
대한 욕심을 조금만 버린다면 미래에
대한 불안감으로부터 오는 스트레스 또
한 줄어들 것이다.

※ [1~2] Select the most appropriate phrase for (   ).

1

People exercise hard to (   ) their health.

Select the appropriate vocabulary & grammar

As the reason for exercising needs to be explained, '– 위해
서' must go in the sentence.

Ex 비를 맞지 않기 <u>위해서</u> 우산을 써야 합니다.

> **Words** 건강을 지키다 Maintain a healthy state

> **Note** ㄴ 덕분에: Used when stating the advantages
> gained through the grace or help of someone
> or the occurrence of a certain incident. Also
> possible in 'N 덕분에' form.
> **Ex** 잘 가르쳐주신 선생님 <u>덕분에</u> 대학에 합격할 수 있었다.
>
> –(으)ㄴ 김에: Used when doing one activity while
> undertaking another similar activity at the same
> time.
> **Ex** 운동을 <u>시작한 김에</u> 식단 조절도 해서 건강 관리를 해
> 야겠어.
> <u>생각난 김에</u> 밀린 일을 다 했어.
>
> –(으)ㄴ 대신에:
> 1) Used when the previous words and the
>   following words are different or the opposite
>   in terms of expressed condition or action.
>   **Ex** 약은 입에 <u>쓴 대신에</u> 효과가 매우 좋다.
> 2) Used when the action expressed in the
>   previous words are compensated at a similar
>   level or by something else.
>   **Ex** 편의점은 24시간 운영해서 <u>편리한 대신에</u> 가격이
>   조금 비싸다.

2

I (   ) a fire in the vicinity yesterday. Was there
significant damage?

Select the appropriate vocabulary & grammar

The speaker has heard about a fire that happened
yesterday, and is inquiring about the situation of the
damage.
'–다던데' is used when mentioning a fact heard from
someone else, then talking in relation to that fact.

Ex 이 문제가 어렵<u>다던데</u> 우리 같이 풀어요.

> **Note** –더라도: Used to show that though the previous
> content is assumed or recognized, it has
> no relation to or influence over the following
> content.
> **Ex** 조금 <u>어렵더라도</u> 도움이 되는 책이니 꼭 읽어 봐.
>
> –다시피:
> 1) Used to mean '–는 것과 거의 같이' ('-almost as
>   if')
>   **Ex** 철이는 요즘 도서관에서 거의 <u>살다시피</u> 한다.
> 2) Used to mean '–는 바와 같이' ('as -'). Comes
>   after verbs such as 알다, 보다, 느끼다, 짐작하다.
>   **Ex** 너도 <u>알다시피</u> 이 세상에 완벽한 것은 없어.

> –다거나:
> 1) Used when explaining by listing various
>   actions or conditions as examples.
>   **Ex** <u>바쁘다거나</u> 피곤하다고 해서 자꾸 일을 미루면
>   안 돼요.
> 2) Used when choosing one of two or more
>   conflicting actions or conditions.
>   **Ex** 음식이 <u>싱겁다거나</u> 짜다고 알려 주시면 도움이
>   됩니다.

※ [3~4] Select the phrase that has the closest
meaning to the underlined.

3

I <u>looked</u> here and there for about an hour, but I couldn't
find it.

Select the expression closest in meaning

The expression '–는데도' is used when the following
situation occurred despite the previous situation. Therefore,
'찾아 봤지만' is closest in meaning.

Ex 밖에 눈이 많이 오는데도 거리에 사람들이 많습니다.

> **Note** –(으)면:
> 1) Used when an uncertain fact is assumed.
>   **Ex** 좋은 사람 <u>있으면</u> 나 좀 소개해 줘.
>   한 골만 더 넣으면 우리 팀이 우승이야.
> 2) Used when it's a condition to the following
>   content.
>   **Ex** 오후 5시가 <u>넘으면</u> 가게 문을 닫습니다.
>   오래된 음식을 먹으면 배탈이 날까요?
>
> 아/어서: For verbs and adjectives with vowels
> 'ㅏ, ㅗ' as their end syllable, '–어서' for others.
> 1) Used when the previous words and the
>   following words occur in chronological order.
>   **Ex** 그 동안 발표한 자료를 <u>모아서</u> 책을 만들기로 했다.
> 2) Used when describing the reason or basis.
>   **Ex** 어제 잠을 <u>못 자서</u> 하루 종일 피곤하다.
> 3) Used when describing the means or method.
>   **Ex** 아기 젖병은 <u>삶아서</u> 쓰도록 한다.
>
> –(으)니까: Used when the previous words are
> the cause, basis, or premise of the subsequent
> content.
> **Ex** 시간이 <u>없으니까</u> 택시를 타야겠다.

4

I had no expectations before I met (the person), but
(the person) is <u>better than I thought</u> after meeting (the
person).

Select the expression closest in meaning

'생각보다 괜찮네' means the situation is better than what
was expected. Thus, '기대한 것, 예상한 것에 비해 더 괜찮았
다' is closest in meaning.

−(으)네(요): Used to express an admiration for something, expecting a response from the listener.

Ex 저 배우는 실물이 훨씬 예쁘네. / 이 작품은 아주 훌륭하네.

−더라: Used when relaying a fact newly acquired through actual experience.

Ex 은희가 못 본 사이에 많이 예뻐졌더라.

−ㄹ 텐데: Used when showing the strong assumption of a person talking about something, ending the sentence with a related topic or a strong assumption.

Ex 일이 많을 텐데 벌써 자려고? / 몸이 아플 때는 좀 쉬는 게 좋을 텐데.

−(으)ㄹ 줄: Used when one either knows or doesn't know a fact or the way to do something.

Ex 수미는 수영을 할 줄 모른다. / 어제 늦게 자더니 아침에 지각할 줄 알았다.

※ (5~8) **Select what the text is about.**

5

If you're connected to the internet, you can choose the item you like and even have it delivered!

Select the main idea

As it's possible to choose an item and get it delivered when there is internet connection, this is an explanation about internet shopping.

Words 물건을 고르다 choosing an item
배송 받다 get it delivered
인터넷 쇼핑 Internet shopping

6

<Precautions>
• Set the water temperature at below 60 degrees
• Can't use washing machine, only hand wash possible
• Do not soak in water with colored clothes

Select the main idea

'물 온도는 60도 이하' means the temperature has to be below 60 degrees, and '세탁기 사용 불가, 손세탁만 사용 가능' means the washing machine can't be used, and only washing with hands is possible.
'색깔 있는 옷과 함께 물에 담그지 말 것' means the laundry must be done separate from the colored clothes. From the text, it is clear that this is an explanation about the precautions to take when doing the laundry (세탁 = 빨래).

Words 주의 사항 Precautions

7

<Recruiting Members>
• You can capture good memories with just a camera!
• Membership fee is 20,000 won per month
• Meet twice a week, every Wednesday and Friday

Select the main idea

'주 2회 모임' means meeting regularly twice a week, and it can be known from the title of recruiting members, that the text is about a meeting (모임 = 동호회).

Words 회원 모집 recruiting members
회비 membership fee

8

Bunhwangsa - Anapji - Cheomseongdae - Bulguksa - Seokguram
2-day course, 65,000 won
You can meet Korea's former capital city, *Gyeongju*.
We guarantee beautiful night views and delicious food.

Select the main idea

'1박 2일 코스' means a two day and one night tour schedule. From the words 명소, 야경, etc. it can be known that the text is about traveling and therefore '관광.'

※ **(9~12) Select the answer with the same content as the text or chart.**

2424 Moving Company
1. Possible moving hours: 10a.m.~10p.m.
   (You must pay an additional fee after 6pm.)
2. We nail up frames, clocks, etc.
3. We receive a separate fee of 10,000 won for installing refrigerators and air conditioners.
4. Reimbursement: 100% for 7 days in advance; 70% for 3 days in advance; 50% for 1 day in advance

9 Understand the details

The text is a notice about the services provided by a moving company.
The service is charged, with the possible moving hours from 10a.m. to 10p.m. and an additional fee from 6p.m. The phrase '액자와 시계 등의 못을 박아 드립니다.' means nailing is done free of charge. As an additional 10,000 won is charged for installing refrigerators and air conditioners, this is a paid service.
For reservation cancellation, the reserved amount is 100% (=full amount) reimbursed if the cancellation is made 7 days in advance, 70% for 3 days in advance, and 50% for 1 day in advance.

10 Understand the details

The ratios shown on the graph are as follows.
Purchased items: Clothes/Shoes > Music > Video > Book/
Magazine/Newspaper > Food
Items purchased by women: Clothes/Shoes > Music >
Book/Magazine/Newspaper > Video > Food
Items purchased by men: Clothes/Shoes > Music > Video
> Book/Magazine/Newspaper > Food
Apart from video, most of the items purchased online are
by women than men.

11

The country's only Astronomy Science Festival is
planned to be held for 4 days at Starlight Village
starting on the coming 21st. During this festival, the
largest telescope in Asia, at 1.8 m, will be shown, so it
will be possible to observe the stars. Moreover, at the
robot experience hall that is popular among children,
it will be possible to see a dancing robot, so there are
high expectations.

Understand the details

The period will be for four days from the 21st, and the
venue will be 별빛마을 (Starlight Village). The experiences
will be observing stars with a 1.8m telescope, the largest in
Asia, and seeing a dancing robot at the robot experience
hall.

> **Words**   1 day (=하루), 2 days (=이틀), 3 days (=사흘),
> 4 days (=나흘)...

12

With its cool weather, fall is a good time to go hiking to
see the fall foliage. But unlike other seasons, the daily
temperature range is big, so what you wear to hike is
important. If you wear thin clothes only thinking of the
temperature at the time you start hiking, you could
catch a cold. So long-sleeved shirts are appropriate for
hiking. For pants, it's good to wear loose cotton pants.

Understand the details

When hiking to see the fall leaves, as the temperature
range is big, you should wear clothes with the temperature
difference in mind, a long-sleeved shirt and loose cotton
pants.

※ **[13~15] Select the answer with the correct order.**

13

(가) The simplest method is to take an anti-febrile.

(나) If the fever remains even after doing so, rub the
body with a cold towel.

(다) What should you do to reduce a fever?

(라) The reason for getting a fever is because of an
inability to control body temperature due to poor
health.

Put the sentences in the correct order

The text is an explanation about the method of reducing a
fever and the reason for it.
(가) is explaining the easiest method. As (나) is explaining
'그렇게 해도 열이 나면~,' ('if the fever remains even after
doing so~') it's appropriate for (나) to come after (가).
(다) is asking about the way to reduce a fever, and (라) is
explaining the reason for a fever. Therefore, the correct
order is (라) the reason for a fever, (다) a question about the
way to reduce a fever, (가) the easiest way, (나) another way
if the fever isn't reduced even after the easiest way.

14

(가) It is said that the reason for the different titles is
because relative relations are important.

(나) I'm now quite adjusted to life in Korea, but the
different titles are still difficult.

(다) I'll be more careful in using titles to avoid mistakes
in the future.

(라) On top of that, it's even more difficult for someone
like me, a foreigner married to a Korean.

Put the sentences in the correct order

The text is explaining the titles in Korean.
(가) is about the reason titles are important in Korea. (나)
states that the speaker is adjusted to life in Korea, but still
finds titles difficult. (다) is the speaker's resolve to be more
careful with titles. (라) is explaining that titles are more
difficult for the speaker as the speaker is a foreigner.
Thus, the correct order is the present thoughts of the
speaker and the speaker's difficulty with titles, followed
by the reason and importance of titles, and therefore the
attitude the speaker needs to have.

15

(가) *Doenjang* is a distinct Korean food that is used a
lot as a base sauce.

(나) Furthermore, *Doenjang* is outstanding in nutrition
as you directly eat beans.

(다) Especially, if you use it to make soup or a
vegetable dish, you can get a new taste.

(라) Not only that, but it has recently been revealed
that it is effective in preventing cancer.

Put the sentences in the correct order

The text is an explanation about the positive attributes of
Doenjang.
(가) is about the use of Doenjang, (나) is about the positive
attributes of Doenjang, (다) is about the characteristics of
Doenjang, and (라) is also about the positive attributes of
Doenjang.
It's correct for the (나) and (라), which are both about the
positive attributes of Doenjang, to come back to back. As
the two sentences begin with '또한' and '뿐만 아니라,' their
previous sentences should be related to (나) and (라). Thus,
the correct order is 'Use of Doenjang - Characteristics of
Doenjang (특히~) - Positive attributes of Doenjang (또한~:
Adds content) - Additional positive attributes of Doenjang
(뿐만 아니라~ 최근에는: Adds recently known content).

16

To gain a habit of saving, it is important to carefully set a goal. (　　). In other words, goals like 'to buy a computer' or 'save 10 million won in 3 years' are more helpful than a goal like 'to save a lot of money.'

Select the appropriate content for the context

The text states that specific goals like 'to buy a computer' or 'save 10 million won in 3 years' are more helpful than a goal like 'to save a lot of money' as a goal for savings.

17

This spring, yellow dust is said to get worse in May. Yellow dust contains much dust and different heavy metal substances, so thorough preparation is necessary. As such, it is essential to maintain clean hands to prevent the spread of dust and germs. Also, when returning from outdoors, you must (　　) remaining on your clothes and brush your teeth clean.

Select the appropriate content for the context

Yellow dust contains fine dust and heavy metals, so the substances remaining on clothes are also dust and heavy metals. The text explains that this is why you must wash your hands, brush your teeth, and completely shake the dust off your clothes when you return from outdoors.

18

A country life with nature is certainly a relaxing and beautiful thing. But in your case, Minsu, wanting to go to the countryside because city life is hard is not a good thing, so I would like to advise you to reconsider. It could actually be more tiring and harder than city life. (　　). Also, minimum economic ability is still a necessity in the countryside.

Select the appropriate content for the context

The text is giving advice about the factors to be aware of when deciding on a country life. Going because of a dislike for city life is escaping, but because country life is tiring and requires minimum economic ability, it shouldn't be a means of escape from reality.

Of the summer vacation fashion, hairstyle is very important. That's why when summer approaches, hair salons are crowded with women who want to change their hairstyles. Hairdressers say different hairstyles suit different people depending on the length of their hair. For women with long hair, light brown hair and straight hair that looks cool suits them. (　　) dark brown hair and a thick perm suit women with short hair.

19 Select the appropriate phrase for the sentence

After explaining the hairstyles that suit women with long hair, the text explains the hairstyles that suit women with short hair. As it's explaining the hairstyles that suit opposite hair lengths, the answer is ②.

20 Understand the details

The text states that in the summer vacation season, light brown and straight hair suit women with long hair and dark brown and thick permed hair suit women with short hair.

Who do you think is a true friend? Recently, the book *How to be a real friend* was published. In the book, the author states that if you want a true friend, you must first be a true friend. It is necessary to listen well (　　) to what your friend wants, don't calculate whether you're in a losing game, and approach your friend in times of trouble. Moreover, the author states that a true friend is someone who can be happier than me when something good happens to me. How about spending some time today thinking about who a true friend is?

21 Select the appropriate phrase for the sentence

'귀를 기울이다' is an expression of generosity that means 'listening carefully to the other person's words.' The text mentions 'listen well,' so '귀를 기울이다' is the appropriate answer.

22 Select the main idea

As seen by the title of the book, *How to be a real friend*, this text explains that to gain a true friend you must first be a true friend yourself. Then it goes on to explain the method and attitude for it.

I am a traveler to remote areas and relief team leader, and I recently sent my team members to *Sudan*, Africa. Sudan has been in war for the last 20 years due to political problems, and so many places have been destroyed. Our team has been dispatched here and carrying out various medical activities. I have come here to see whether my team is working well according to the plan and whether there are any difficulties. Seeing my team members for the first time in a while, their faces were much tanned and their bodies were thinner as they weren't used to the food. I didn't know the situation was tough when I worked, but seeing my team members makes me <u>choke up</u>.

23 Grasp the writer's feelings

The expression '코끝이 찡하다' is used when you feel like you could cry because you're so moved by something. The team leader's heart aches seeing the situation and hardship of the team members doing relief work in Africa.

24 Understand the details

The relief team was dispatched to help the disaster in Sudan, but the team members are having a hard time because of the food and life. The team leader isn't working after being dispatched.

※ 〔25~27〕 The text is the title of a newspaper article. Select the answer that best explains it.

25

Scouted Lee Minsu, '30th win in sight' for K baseball team

Grasp the content by the title

'영입' means going into a new team, '우승이 눈앞에' means the win is close at hand.

26

More than half of temporary workers 'can't take sick leave' in fear of criticism

Grasp the content by the title

'아파도 병가 못 써' means a sick leave system is in place, but temporary workers can't take sick days as they wish.

27

Baekyang Fall Leaves Festival receives 402,000 visitors in 2 days, a new record number of people

Grasp the content by the title

'역대 최고 인파' means the most number of visitors up to now.

※ 〔28~31〕 Read the text and select the most appropriate phrase for ( ).

28

Many people find traditional music to be difficult, and most of them say they don't know what to listen to first. Of course it would be nice ( ) but if you don't have enough time, it is good to start with the familiar ones that come out in commercials or movies, etc. Also, as a start, it is good to choose a piece that isn't too long so interest isn't lost.

Select the appropriate content for the context

The text explains that if you don't have much time, it's good to listen to music you can easily hear in commercials, etc. and to start with the short pieces. It's therefore appropriate for the previous content to be about the way to learn traditional music when you have a lot of time. Thus '기초부터 체계적으로 배운다' ('learning systematically from the basics') is the most appropriate answer.

29

Of the many languages in the world, Korean is a developed language in terms of the honorific form in which you lower the self and uplift others. But recently, ( ) the culture of acknowledging one another has been much damaged. This situation is having a negative impact on making a bright and healthy society.

Select the appropriate content for the context

Korean is a developed language in terms of the honorific form that uplifts others. But this has been damaged a lot recently. Therefore, ( ) should contain an explanation for the reason the culture of acknowledging one another has been damaged.

30

The early environmental pollution in developed countries was due to mass production and mass consumption, but the pollution in developing countries was due to the development of natural resources to resolve poverty. At this early stage, the environmental pollution in developed countries and developing countries were unrelated problems. But now the environmental problems in developed countries lead to pollution in developing countries. Therefore, both developed countries and developing countries are in ( ) situation. Through this, the environmental problem can be expected to be resolved to some extent.

Select the appropriate content for the context

Korean is a developed language in terms of the honorific form that uplifts others. But this has been damaged a lot recently. Therefore, ( ) should contain an explanation for the reason the culture of acknowledging one another has been damaged.

31

The era of unmanned cars is expected to begin. Recently, cars have been developed that can reach the destination by grasping the roads and topography on their own without a person at the wheel. But as they need to understand all the traffic signs and unexpected situations on their own, they need many more safety features than existing cars. Otherwise (　　).

Select the appropriate content for the context

The development of unmanned cars allows people to have more comfort, but the cars require a much higher standard of technology than the existing cars. '그렇지 않으면' ('Otherwise') must explain what could happen if the previous content doesn't happen.

※ [32~34] Read the text and answer the questions.

32

Sam which means *Ginseng* in a broad sense is highly renowned as healthy plants from old times. Originally, *Sansam*(wild ginseng) got its name as it only grows wild in mountainous areas. And it is considered a mystical plant because there are so few. But from the early period of Chosun dynasty, its production has increased since people had even started to grow them. Thus the *sam* started to be called *Insam* which means ginseng commonly these days.

Understand the details

The text states that people have even started to grow *ginseng* But from the early period of Chosun dynasty as it is few in number. Thus, ④ is the answer and ③ is incorrect. As *ginseng* is a product growing wild *ginseng*, ② is incorrect.

33

In recent years, the number of single people has been increasing. The ratio is especially increasing rapidly among people in their 30s and 40s, and also consistently for those in their late 40s. The reasons for choosing a single life are difficulties of doing work and family life together, pursuit of joy in work, preference for a liberal life, abhorrence for marriage, etc.

Understand the details

The number of single people are increasing, and the reasons are difficulties in balancing work and family life, enjoying work, preferring a liberal life, abhorring marriage, etc.

34

Hanok is Korea's distinct traditional house. The standard *Hanok* is a wooden building, so many trees are used to build a house. The pillars and basic structure are made of wood, and even when one structure is connected to another, wood is used instead of iron nails. Furthermore, the walls are made of mud, with pillars built within the walls to prevent them from falling and to make them sturdy. The mud walls absorb moisture and therefore it doesn't get humid during the monsoon season and it's warm in winter.

Understand the details

The traditional Korean house, *Hanok*, is made of wood and mud. Wood, not nails, is used to connect the basic structure.

※ [35~38] Select the answer that is most appropriate as the theme of the text.

35

When people become used to their lives, they prefer a comfortable life to a new challenge. But how about plucking up a little courage and starting a new challenge? Instead of just accepting the given life, build up your own life. Even if you face a seemingly impossible situation, if you keep trying, you will certainly achieve success.

Select the theme

The text is about building your own life instead of seeking a comfortable life because if you continuously face new challenges, you will eventually be successful.

36

The reason a tradition has been treated as inefficient and impractical up to now is because of the lack of understanding about it tradition and because it hasn't been carried out properly. It's not because there is a problem with the tradition itself. Therefore, whether it can survive in the 21st century, be it in a nation or a community, depends on how well their members understand and creatively continue the tradition.

Select the theme

The answer can be found in the text stating that whether a tradition can survive depends on how well the members understand and creatively continue it.

37

The role of lighting isn't simply just to brighten the stage. Not only does it make the dynamic movements and the still movements stand out, but it also sets the necessary ambiance for each scene. Also, by controlling the intensity of the lighting, it can make the flow of the story at times gentle and at times dramatic.

Select the theme

The text is explaining the diverse roles of lighting on stage.

38

As the participation in voting even in the voting season is low, different ways to increase the participation rate are being discussed. It is even more regrettable that the voting rate of young people, who will be leading the future, is exceptionally low. The phenomenon of criticizing and slandering current politics but not voting is due to the belief that voting won't change anything. But if change is truly desired, shouldn't an interest in society be expressed through action?

Select the theme

The text states that young people shouldn't just criticize and slander the current society, but vote for real change as a way of expressing their interest in society.

※ 〔39~41〕 **Find the most appropriate place for the given sentence in the text.**

39

'High and clear fall sky of Korea' is becoming a phrase of the past. (㉠) It is because of the increasing fine dust. (㉡) This fine dust is regarded as the main cause of largely threatening the bronchial tubes, eyes, and skin of Koreans. (㉢) This is the result of the need for a lot of fossil fuel for rapid economic growth. (㉣)

The large increase in the amount of fossil fuel since the 90s is considered to be the cause.

Find the sentence location

As the text is explaining the reason for the increase in fine dust, and the sentence after ㉢ mentions 'fossil fuel,' it's most natural to place the sentence in ㉢.

40

As a rule, the 'World Trade Organization' guarantees benefits not only to its member countries but also partner countries. (㉠) On the contrary, a 'Free Trade Agreement' only imposes low tariffs on its member countries. (㉡) The positive aspect of this rule is the promotion of export and trade of dominating products. (㉢) Also, a trade creation effect can be achieved at the same time. (㉣)

However, the situation occurs where these low industries have to close down.

Find the sentence location

The text is about the problems of the free trade agreement, so the sentence following the positive aspects should be connected with '하지만' ('However'). Thus, the sentence must go in ㉣.

41

Even until a few years ago, installment savings was a good investment technique. (㉠) With the prolonged economic regression, however, it has become impossible to increase money only through installment savings. (㉡) But it isn't easy to find the biggest strength of installment savings and deposits, namely capital guarantee, in stock investment. (㉢) For beginners who find it burdensome to invest directly in stocks, it is also good to invest through a specialized company. (㉣)

In such a situation, stock investment can be a new alternative.

Find the sentence location

The text is introducing stock investment as a new investment technique. A new method of stock investment is suggested in a situation where it's impossible to save money through installment savings. Thus, the sentence should go in ㉡.

※ 〔42~43〕 **Read the text and answer the questions.**

Eungchil's charge is clearly revealed here, too. He hadn't intended it at first. He has quite a liberal mind. He met with the landowner and had discussions in quite a nice way. He asked if it could be possible to reduce the price because this year was a lean year for the farm. But the landowner silently shook his head. Even when Eungchil said, if you come out like this I'll set the field on fire, he didn't accede. From the landowner's perspective, he was worried that if he gave in to this, other tenant farmers would also change their attitudes. So he was only giving pressure on the surface. It was okay even up to the point when Eungchil was angry; the source of the problem was Eungchil's <u>fist that flew unknowingly</u>.

In this situation, the devil's play continued. The rice disappeared. Only the good rice was taken, not the bad. Eungchil found out when he went to the field early in the morning. It was really off-putting. If the rumor spread, it would be impossible for him not to be suspected of theft.

42 Grasp the feelings

Eungchil met with the landowner, and despite threats to set the field on fire, etc. was denied the plea to reduce the price. As the landowner gave pressure to such a situation, Eungchil punched the landowner. It was because he wasn't satisfied with the landowner's answer and was angry.

> Words 주먹빵이 들어가다 hit the cheek hard with a fist.
> 불만스럽다 a bad feeling because of a dislike.
>
> Ex 그가 묵은 호텔은 깨끗하지도 않고 시설도 낡아 불만스럽기 짝이 없었다.
> 선수들이 제대로 실력발휘를 하지 못하자 감독은 불만스러운 표정을 지었다.

43 Understand the details

Eungchil met with the landowner, and despite threats to set the field on fire, etc. was denied the plea to reduce the price. In such a situation, the landowner pressured Eungchil, so he hit him on the cheek, then a situation occurred where only the good rice in the field disappeared.

Under the volume-rate garbage disposal system, the more garbage you produce, the more processing cost you have to pay. If you are caught throwing out garbage without using the standard bag, you have to pay a penalty fee of 1 million won. The Ministry of Environment launched this system in April 1994, and it has made a big achievement by reducing garbage volume by 30~40% and increasing the collection of recyclables by more than two-fold. Moreover, as a nation, this has led to an economic effect of around 1 trillion 200 billion won. On the other hand, it is evaluated that the burden of homes due to the cost of bags is no small matter. Also, the bags don't easily decompose in the ground, so ( ).

44 Select the title

The text is explaining the benefits and problems of practicing the volume-rate garbage disposal system.

45 Select the appropriate content for the context

An explanation about the problems that occur because the garbage bags don't decompose in the ground is necessary.

S bank is launching the 'ATM multilingual remittance service' for foreign workers in Korea to transfer foreign currency to their families back home more easily. (㉠) This service was provided to help foreign workers after learning that the workers who regularly send money home have language problems as well as difficulties in going to the bank. (㉡) Afterwards, foreign clients can easily transfer money abroad from 72,000 ATMs across the country even at night on weekdays and on weekends without visiting the bank. (㉢) Also, S bank is planning to lower the remittance fee by 80% by September. Then, the burden of paying the fee will also be reduced. (㉣)

Workers who want to use this service must visit a bank once to register their information.

46 Find the sentence location

The text is an explanation about the reason for a Korean bank to implement a multilingual remittence system for foreigners and the way to use this system. In view of the content, the sentence should come in ㉡ to naturally connect with the next sentence '이후 외국인 고객들은 은행 방문 없이~.'

47 Understand the details

To use the service, workers must visit the bank once to register. Afterwards, they don't have to visit the bank, but can use an ATM around the country even at night on weekdays and on weekends. The remittance fee will also be reduced by 80% by September.

It has been a long time since karaoke has become a cultural space for young people. The 'rooms' in a karaoke are closed spaces of 2 to 3 pyeong. One of the many reasons young people go to these closed spaces is because they don't have any other cultural space. But the problem is that karaokes aren't a sound cultural space for young people, either. It's because the songs they sing are ( ). A karaoke is a place that young people, who should be the leaders in creating an experimental culture are losing their creativity by singing these kinds of songs. If open cultural spaces are provided for young people to fully demonstrate their creativity, the culture of young people will become active and bloom in a healthy way. Then, young people won't be under the protection and surveillance of the older generation, but be the leaders in creating a healthy culture, and play the role of bringing a new vitality to our culture.

48 Grasp the purpose

The karaoke that has established itself as a culture for young people is from the culture of the older generation that is bathed in commercialism. For young people to grow as creators of a creative and healthy culture, they must be provided with a sound and creative cultural space.

49 Select the appropriate content for the context

The text is explaining the reason behind why karaokes can't be sound cultural spaces for young people. It's because all the songs they sing are passed down from the commercialism of the older generation.

50 Grasp the writer's attitude

Refer to the explanation for question 48. The text is indicating the problems of the present culture of young people, and suggesting the need for a creative cultural space as a way to solve the problem.

실전 모의고사 ❷회 Actual Practice Test 2

정답 Answers

듣기 [1~30]

1. ①　2. ②　3. ①　4. ④　5. ②　6. ①　7. ①　8. ④　9. ②　10. ③

11. ②　12. ④　13. ②　14. ④　15. ③　16. ④　17. ④　18. ①　19. ②　20. ③

21. ④　22. ②　23. ④　24. ①　25. ③　26. ③　27. ①　28. ②　29. ②　30. ③

31. ④　32. ②　33. ①　34. ③　35. ②　36. ③　37. ③　38. ③　39. ④　40. ③

41. ①　42. ④　43. ④　44. ③　45. ①　46. ①　47. ③　48. ②　49. ④　50. ②

쓰기 [51~52]

51. ㉠ **5점** 준비하면 된다고 합니다. / 가져가면 된다고 합니다.
　　　3점 준비하면 됩니다. / 가져가면 됩니다.

　　㉡ **5점** 갔으면/가면 좋겠다고 했습니다. / 가냐고 물었습니다. / 가자고 했습니다(합니다). / 가기 바란다고 했습니다.
　　　3점 가기를 원합니다. / 가기를 바랍니다.

52. ㉠ **5점** 참가하여 최선을 다하는 것이다. / 참가하여 끝까지 노력하는 것이다.
　　　3점 참가하는 것이다. / 최선을 다하는 것이다.

　　㉡ **5점** 노력이라는 것을 깨닫게/알게 된다.
　　　3점 노력한다. / 노력이라 한다.

★ [53~54] Model responses are given with explanations.

읽기 (1~50)

1. ① 2. ② 3. ④ 4. ③ 5. ② 6. ① 7. ③ 8. ④ 9. ④ 10. ②

11. ③ 12. ③ 13. ③ 14. ① 15. ① 16. ② 17. ② 18. ① 19. ② 20. ①

21. ② 22. ③ 23. ④ 24. ① 25. ④ 26. ④ 27. ③ 28. ② 29. ③ 30. ④

31. ④ 32. ② 33. ③ 34. ② 35. ④ 36. ② 37. ④ 38. ② 39. ③ 40. ③

41. ① 42. ① 43. ① 44. ③ 45. ① 46. ② 47. ① 48. ② 49. ② 50. ①

듣기 | Listening

※ 〔1~3〕 Listen to the dialogue and select the appropriate picture.

1

남자 손님, 어떠세요? 이 정도면 괜찮지요?

여자 괜찮기는 한데 월세에 비해서 집 상태가 별로인데요. 베란다도 없고, 화장실도 좀 작은 거 같고요.

남자 그래도 요즘 이런 방 구하기가 쉽지 않은데요. 그럼 다른 집도 보실래요?

M How is it, madam? This is okay, don't you think?

W It's okay, but the condition of the house isn't good considering the monthly rent. There's no balcony, and the bathroom seems rather small.

M But it's hard to find a place like this. Well, would you like to take a look at another place?

Select the dialogue-related picture

From the words '손님,' '월세,' '방 구하다,' etc. it can be induced that the woman is looking for a house. But she doesn't like this one because there is no balcony and the bathroom is small. Thus, ② where the man and the woman are in a nicely decorated room is incorrect. Moreover, the woman only said the bathroom is small, not that the sink is broken. ③ is therefore also incorrect. Lastly, as the house the woman is looking at doesn't have a balcony, ④ is also incorrect.

2

여자 우리 비행기 시간이 몇 시라고 했지?

남자 3시간 후야. 차가 안 막혀서 너무 일찍 도착했네. 좀 지루한데 2층 커피숍에 가서 차 한잔 마실래?

여자 그럴까? 그런데 난 아침을 못 먹어서 배가 고파. 너도 뭐 좀 먹는 게 어때?

W What time did you say our flight is?

M In three hours. We've arrived so early because there was no traffic. It's a bit bored. Do you want to get some coffee at the coffee shop on the second floor?

W Shall we? But I'm hungry because I didn't have breakfast. How about you get something to eat, too?

Select the dialogue-related picture

As the two people are talking about their flight time, it can be known that they're in an airport. But they have a lot of time because they arrived too early. The man suggests to the woman that they go to a coffee shop, and the woman says she is hungry. As the two people aren't drinking coffee right now, ① is incorrect. Also, the woman only says she's hungry, but she's not eating right now. Thus, ③ is also incorrect. Furthermore, there is no need for the two people to hurry because they have a lot of time. ④ is therefore also incorrect.

3

여자 지난해 한국을 방문한 외국인들이 가장 많이 찾은 곳은 제주도인 것으로 조사됐습니다. 관광지별로 살펴보면 한국에서 여행한 경험이 있는 외국인 중 70%가 제주도를 방문했고, 서울 인사동이 65%, 서울 강남이 52%, 경주가 31%로 나타났습니다. 이번 조사의 결과를 통해 대도시를 중심으로 외국인 관광객들이 많이 방문한다는 것을 알 수 있었습니다.

W A survey showed that Jejudo was the most visited place in Korea by foreigners last year. By tourist destination, of the foreigners who have experience traveling Korea, 70% visited *Jejudo*, 65% visited Insadong in Seoul, 52% visited *Gangnam* in Seoul, and 31% visited *Gyeongju*. The survey results revealed that foreign tourists mainly visited the big cities.

Select the dialogue-related picture

You can find out the answer if you listen carefully to the woman's first sentence. The woman said that Jejudo was surveyed as the most visited place by foreigners traveling in Korea. She also talked about *Insadong*, *Gangnam*, *Gyeongju*, etc. Therefore, the answer is ① where the survey was on tourist destinations.

※ 〔4~8〕 Listen to the conversation and select the dialogue that could follow.

4

여자 어휴, 드디어 끝났네.

남자 재미없었어? 난 공연이 재미있어서 시간 가는 줄 모르고 봤는데. 다음 주말에 한 번 더 보지 않을래?

여자 _____

W Ah, it's finally over.

M Wasn't it fun? I thought the performance was so fun, I didn't know the time went by. Don't you want to watch it again next weekend?

W _____

Select the following phrase

The expression '드디어' the performance is over indicates that the woman found the performance to be boring. But the man suggests they watch it again. It would be natural for the woman to reject this.

5

여자 어? 우리 팀이 공격에 성공한 것 같은데 왜 점수를 안 주는 거야? 저 경기는 규칙이 너무 복잡해서 잘 모르겠어.

남자 그러니까 경기 보기 전에 규칙을 좀 알아보면 좋잖아. 내가 설명해 줄게 들어 봐.

여자 _____.

W What? Why aren't they giving our team points when it seems we succeeded in the attack? I don't understand the game because the rules are too complicated.

M That's why it would have been good to find out the rules before the game. I'll explain them to you, listen.

W _____

Select the following phrase

The man and the woman are watching a sports game together, but the woman doesn't really know the rules. The man says he will tell her the rules, so it would be most appropriate for the woman to learn them properly through this opportunity. There is no relation between the possibility that our team might lose and that the woman doesn't know the rules, as in ②. Also, there is no relation between warming up for the game and the rules of the game, as in ③.

6

여자 그 다음에는 준비한 재료들을 밀가루하고 잘 섞으면 돼요. 한번 해 보세요.

남자 아, 이렇게요? 제가 생각한 것보다 어렵지 않네요. 또 만들어 보고 싶은 요리가 있는데 그것도 가르쳐 주실 수 있어요?

여자 _____.

W Then you have to mix the prepared ingredients with the flour well. Try it.

M Oh, like this? It's not as hard as I thought it would be. There's another dish I want to make, could you teach me how to make that too?

W _____

Select the following phrase

The man and the woman are cooking. The man says cooking isn't as hard as he thought, and requests to learn another dish. The woman has to either accept or reject the man's request. ① is an acceptance and ④ is a rejection. But as the man didn't mention a specific date, ④ is inappropriate.

7

여자 30분 넘게 기다리고 있는데 왜 안 와요? 무슨 일 있어요?

남자 아, 정말 미안해요. 전화하려고 했는데 못 했어요. 갑자기 집에 일이 생겨서 약속 장소로 가다가 집으로 되돌아가고 있어요. 집에 갔다가 다시 가면 40분쯤 걸릴 것 같은데 근처에서 기다려 줄 수 있어요?

여자 _____.

W I've been waiting for over 30 minutes, why aren't you coming? Has something happened?

M Oh, I'm so sorry. I wanted to call you, but I couldn't. Something suddenly came up at home. I was on my way but had to turn back and am now on my way home. If I go back after I drop by home, it'll take another 40 minutes. Could you wait somewhere nearby?

W _____

Select the following phrase

The woman has waited for more than 30 minutes, but the man asks her to wait another 40 minutes. In response, it would be natural for the woman to reject the request and suggest they meet some other time.

8

여자 김 대리님, 이 서류 좀 봐 주시겠어요? 지난주에 과장님께서 부탁하신 자료인데 잘 된 건지 모르겠어요.

남자 이 자료를 이제 준비한 거예요? 어제 회의 때 필요한 거였는데. 자료는 과장님께서 어제 직접 준비하신 것 같았어요.

여자 _____.

W Mr. Kim, could you look at this document? It's material the deputy head asked for last week, but I don't know if it's been done properly.

M You finally have the material? It was needed at yesterday's meeting. I think the deputy head personally prepared the material.

W _____

Select the following phrase

The woman was late in preparing the material requested by the deputy head. The deputy head eventually prepared the material personally. The most appropriate response would be for the woman to apologize to the deputy head.

※ (9~12) Listen carefully to the dialogue and select the action that the man will take.

9

여자 세상에, 창밖을 좀 봐.

남자 밤새 눈이 엄청 내렸네. 그런데 곧 출근 시간이라서 사람들이 지나다닐 때 위험할 수도 있겠다. 길이 미끄럽잖아.

여자 맞아. 눈길에 넘어지면 많이 다칠 텐데. 우리 집 앞이라도 눈을 치우는 게 좋겠어. 그런데 난 요리하는 중이라…….

남자 알았어. 내가 나갈게.

W Oh my, look outside the window.

M It's snowed a lot during the night. But it'll be rush hour soon, so it might be dangerous for people when they pass by. The road is slippery.

W Right. They'll get injured if they fall on the snow. It would be good to clear the snow at least in front of our house. But I'm in the middle of cooking...

M Okay, I'll go out.

Select the following action

The woman and the man are worried that people might get injured from the heavy snow that fell during the night. The woman says they should clean the snow at least in front of their house. But the woman says she's currently cooking. This means she can't go outside. The man then say's he will go outside. Thus, after the conversation, it would be natural for the man to go outside and clear the snow.

10

남자 2주 전에 이 MP3를 샀는데, 어제부터 갑자기 음악이 안 나와요.

여자 아, 그러세요? 그럼 번호표를 저에게 주시고 수리 신청서 좀 작성해 주세요. 혹시 MP3를 물에 빠뜨리신 적은 없지요?

남자 그럼요. 번호표 여기 있습니다.

(잠시 후)

여자 MP3 상태를 보니까 시간이 생각보다 오래 걸릴 것 같은데요. 괜찮으신가요?

남자 그래요? 이따가 약속이 있는데……. 그냥 고쳐 주세요. 오늘이 아니면 시간이 없어요.

M I bought an MP3 two weeks ago, but yesterday it suddenly stopped playing.

W Oh, really? Then give me your number ticket, and please fill out the repair request form. Oh, you didn't drop the MP3 in water, did you?

M Of course not. Here's my number ticket.
(Soon after)

W Looking at the condition of the MP3, it's going to take longer than I thought. Is that okay?

M Really? I have an appointment later... Just fix it, please. I don't have time other than today.

Select the following action

The man came to fix his MP3 because it broke, but the repairing will a long time. The man has an appointment, but as he doesn't have time other than today it can be assumed that after the conversation the man will wait until the repairing is done.

11

여자 오늘부터 성적 확인 기간인데 점수 잘 받았어요? 저는 전공 과목 점수가 별로 안 좋아요. 아무래도 결석을 많이 해서 그런가 봐요.

남자 저도 점수가 안 좋아요. 그런데 저는 결석을 한 적도 없고, 발표도 열심히 해서 수업 시간에 칭찬까지 받았는데 점수가 안 좋아서 좀 당황스러워요.

여자 그래요? 그럼 교수님께 가서 상담을 한번 해 보는 게 어때요? 한 학기에 한 번은 담당 교수님과 상담을 해야 하잖아요. 가서 여쭤 보세요.

남자 아, 그렇군요. 고마워요. 바로 가야겠어요.

W We can check our grades from today. Did you get good grades? The grade for my major isn't that good. It must be because I missed a lot of classes.

M My grade isn't good, either. But I've never missed a class, and I worked hard on my presentation and even received a compliment in class. I'm a bit surprised that my grade isn't good.

W Really? Then why don't you go to the professor and talk about it? We have to talk to our professor in charge once a month. Go and ask.

M Oh, right. Thanks. I'll go right away.

Select the following action

It's the grade-checking period from today, but neither the man nor the woman have good grades. The woman accepted her grade because she missed a lot of classes, but the man can't understand the reason for his bad grade. To this, the woman suggests that he visit the professor and talk about it. The man says he'll go right away. Thus, after the conversation with the woman, the man will go to talk to the professor. The answer is therefore ②.

12

여자 박 대리님, 시간 괜찮으시면 저 좀 도와주세요.

남자 그래요, 무슨 일이세요?

여자 제가 오후 프레젠테이션 때 쓸 자료를 집에 놓고 왔어요. 그래서 지금 집에 가야 하는데 사무실에도 일이 많아서요. 먼저 옆 팀에 전화해서 회의는 오후 3시라고 알려 주세요. 그리고 이 보고서를 복사해서 과장님께 전해 주세요. 부탁해서 미안해요.

남자 아니에요. 어렵지 않은데요 뭐.

여자 아 참, 옆 팀 사무실 전화번호 모르지요? 제가 책상 위에 메모해 놓았으니까 가서 확인해 보세요. 그럼 저는 다녀올게요.

216 **Test Guide to the NEW TOPIK Ⅱ**

W Mr. Park, if you have time could you help me?

M Sure, what is it?

W I left the material I need for the afternoon's presentation at home. So I want to go home right now, but there's too much work in the office. First, please call the team next to us that the meeting is at 3pm. Then make a copy of the report and give it to the deputy head. I'm sorry for making this request.

M No, it's nothing difficult anyway.

W Oh, by the way, you don't know the other team's phone number, do you? I've left a memo on my desk, so check it there. I'll be back then.

Select the following action

The woman asks the man to call the team next to them and to make a copy of the report. But because the man might not know the phone number of the team, she left a memo of it on her desk. After the woman leaves for home, the man should check the phone number of the team that is on the woman's desk, then make the call.

※ 〔13~16〕 **Listen to the dialogue and select the corresponding answer.**

13 여자 혹시 요즘도 잠을 못 자? 얼굴이 정말 피곤해 보여.

남자 응, 스트레스가 너무 많아서 거의 매일 밤을 새워.

여자 그럼 잠을 자기 전에 누워서 발가락을 움직여 봐. 그렇게 하면 10분 안에 잠을 잘 수 있다던데.

남자 그래? 그럼 한번 해볼까? 근데 발가락이랑 잠이 무슨 상관이야?

여자 스트레스를 받으면 피가 머리 쪽으로 모여서 잠을 쉽게 잘 수 없는데 발가락을 움직이면 피가 발쪽으로 쏠려서 머리의 온도가 낮아진대. 그래서 잠을 깊게 잘 수 있는 거래.

W Can you still not sleep these days? You look really tired.

M Yes. I stay up almost all night because I'm too stressed.

W Then lie down and move your toes before you go to sleep. Apparently, if you do that you can fall asleep in ten minutes.

M Really? Maybe I'll try it. But what do your toes have to do with sleeping?

W If you're stressed, the blood goes to your head and this is why you can't sleep easily. But if you move your toes, the blood will go to your feet and so the temperature of your head will drop. Then you can fall into a deep sleep.

Understand the details

To the man who can't sleep because of stress, the woman recommends doing a toe exercise before sleeping. This is because a blood that is gathered in the head because of the stress will go to the toes, and this will lower the temperature in the head, which will allow him to fall asleep.

14 남자 아파트 관리실에서 알려드리겠습니다. 아파트 온수 수도관을 교체하는 공사로 오늘 오전 10시부터 오후 4시까지 2시간 간격으로 온수가 공급되지 않습니다. 오전 10시부터 12시까지는 130동, 12시부터 2시까지 131동, 2시부터 4시까지 132동에 온수가 공급되지 않을 예정입니다. 온수가 나오지 않는 시간에도 냉수는 그대로 사용하실 수 있으니 참고하시기 바랍니다. 주민 여러분들의 많은 이해와 양해를 부탁드립니다.

M This is the apartment janitor's office. Due to the exchange construction of the water pipe for the hot water of the apartment, there will be no hot water from 10a.m. to 4pm today in two hour intervals. There will be no hot water from 10a.m. to 12p.m. for building 130, from 12p.m. to 2p.m. for building 131, and from 2p.m. to 4p.m. for building 132. Please keep in mind that you will be able to continue using the cold water even when there is no hot water. We ask for your kind understanding.

Understand the details

Due to the exchange of the water pipes for the hot water, hot water won't be provided for six hours from 10a.m. to 4p.m. But for each building, this means hot water will be suspended for only two hours each. Unlike ③, building 130 can't use hot water for two hours from 10a.m. to 12p.m. Also, apart from the hot water, it's possible to use the cold water.

15 여자 열흘째 쉬지 않고 내리는 폭설로 강원도가 큰 피해를 입고 있습니다. 지난 7일부터 내린 눈으로 집이 눈에 파묻히고 곳곳에서 비닐하우스가 무너지는 사고도 계속되고 있습니다. 또한 도로에 있는 눈을 치우지 못해 교통이 마비된 곳도 많고, 학교와 시장 등도 문을 닫았습니다. 이로 인해 생활용품을 구하지 못한 시민들의 불편이 점점 커지고 있습니다. 기상청에서는 앞으로도 최소 3일 동안 눈이 더 올 것으로 예상하고 있어 하루 빨리 정부의 대책이 필요합니다.

W The snowfall that has been ongoing for ten days is causing a lot of damage in *Gangwondo*. Due to the snow that has been falling since the 7th, vinyl greenhouses are being buried in the snow, and several of them are even coming down. Also, there is a lot of traffic congestion because the snow on roads couldn't be cleared, and schools and markets, etc. have closed down. This has led to increasing difficulties for civilians who can't buy household items. The weather forecast expects the snow to continue for at least another three days, so it's necessary for the government to come up with a solution as soon as possible.

It has been snowing a lot in *Gangwondo* for ten days since the 7th, and the damage is serious. Greenhouses can't be seen and are even falling down, and there is traffic congestion. As traffic congestion doesn't mean many accidents have happened, ② can't be the answer. Schools and markets have closed down, so the civilians can't buy household items and are experiencing much inconvenience. Moreover, the weather forecast expects the snow to continue for another three days.

16

남자 교환학생 제도의 장점은 뭔가요?

여자 여러 가지 장점이 있죠. 가장 큰 장점은 어학연수
와 학점, 이 두 가지를 한 번에 얻을 수 있다는 것이
죠. 어학연수를 가려면 보통 대학교를 휴학하고 가
야 하지만 교환학생은 그렇지 않아요. 어학연수를
하면서 학점도 받을 수도 있어요. 또 교환 학생으로
다녀오면 취업에도 도움이 돼요. 교환학생은 아무
나 갈 수 있는 것이 아니잖아요? 많은 경쟁자들을
물리치고 교환학생으로 뽑혔다는 것만으로도 기업
에 좋은 인상을 줄 수 있지요.

M What are the positive aspects of the exchange student system?

W There are many positive aspects. The biggest would be that you can attain both language study and credits together at once. Usually if you want to go on a language study, you have to take a break from college. But not for exchange students. You can study abroad and learn the language of the country, and get credits from college. Also, having been an exchange student helps you in getting a job. Not everyone can be an exchange student, can they? Just the fact that you became an exchange student beating all the competitors will give a good impression to companies.

Understand the details

There are largely two positive aspects to being an exchange student. One is that you can learn the language of the country, and the other is that you can get college credits. Also, when you come back to Korea, it will help you in getting a job. As exchange students are taking classes in another college, they don't need to take a break from school, and there is no mention that all people who were successful in getting a job were exchange students.

※ [17~20] Listen to the dialogue and select the main idea of the woman.

17

남자 다음 주말에 친구들하고 등산을 가기로 해서 등산
화를 사러 백화점에 갔었는데 너무 비싸서 깜짝 놀
랐어.

여자 맞아. 그런데 등산복, 등산화는 말할 것도 없고 작
은 지팡이나 모자도 비쌀수록 더 잘 팔린대. 브랜드
마다 가격 차이가 많이 나고. 내가 보기에는 비싼
상품이라고 해서 특별히 좋은 것은 잘 모르겠는데
말이야. 괜히 다른 사람들에게 보여주기 위해서 비
싼 것을 사는 것보다는 내 경제 수준에 맞는 제품을
사는 게 좋은 것 같아.

M I planned to go hiking with my friends next weekend, so I went to the department store to buy hiking boots but I was shocked because they were so expensive.

W You're right. But apparently, items sell better the more expensive they are. It goes without saying for hiking outfits and boots, and even hiking sticks and hats, etc. are different in price depending on the brand. But I don't know if expensive items are especially better. I think rather than buying something expensive just to show off to others, it's better to buy something that's within your financial means.

Select the main idea

The woman says she doesn't feel expensive items are particularly better, but they do sell more the more expensive they are. As she can't recognize the difference between expensive items and those that aren't, ① is inappropriate as the answer. Also, she says the reason expensive items sell well is because people buy them to show them off. But the woman thinks it's better to buy something that's within one's financial means.

18

여자 집을 사야 하는데 은행에서 돈을 얼마나 빌려야 할까?

남자 은행에서 대출을 받으려고? 저축해 놓은 돈이 있는
데 왜 대출을 받아? 대출을 받으면 매달 대출금을
갚아야 하고 신용 등급도 좀 떨어지지 않아?

여자 그렇기는 한데, 저축해 놓은 돈은 급한 일이 생기면
사용해야 하고, 만약에 대출금을 연체하지 않고 잘
갚으면 오히려 신용 점수가 더 좋아져. 무리하지 않
는 정도에서는 대출을 받는 것이 더 좋은 것 같아.

W I need to buy a house, but how much money do you think I'll need to borrow from the bank?

M You want to get a mortgage from the bank? Why do you want to get a mortgage when you have savings? If you get a mortgage, don't you have to pay a monthly interest, and doesn't your credit rating drop a bit?

W That's true, but the savings should be kept just incase there's an emergency situation. And if you don't delay the interest and pay it well, your credit will actually rise. For practical purposes, I think it's better to get a mortgage.

19

남자 지난주에 미용실에 갔었는데 회원 가입 신청서에 직업과 학력을 쓰라고 하더군요.

여자 네? 직업과 학력을 쓰라고요? 미용실에서 손님의 직업이나 학력이 필요한 이유가 있을까요?

남자 그러니까요. 저도 이상하다고 생각했어요.

여자 개인 정보는 꼭 보호해야 하는데 일부 사람들은 그 것에 대한 생각이 아직도 부족한 것 같아요. 사람들의 생각이 바뀌려면 나라에서 더 적극적으로 홍보도 해야 하고 교육도 해야 하는데 그런 것도 전혀 없는 것 같고요.

M   I went to the barber's, but they told me to write my job and educational background when I wanted to become a member.

W   What? Write your job and educational background? Why do the barber's need to know their customer's job or educational background?

M   Exactly. I thought it strange, too.

W   Your personal information must be protected, but I think there are some people who still don't realize this. For people's minds to change, the country needs to promote and educate this more actively, but there doesn't seem to be any such effort.

20

남자 자기에게 필요하지 않은 물건인데도 친구나 유행 때문에 물건을 구입하는 사람들이 많은 것 같습니다. 이런 현상에 대해서 선생님은 어떻게 생각하세요?

여자 사실 사람들이 친구나 유행을 따라서 물건을 사는 것이 어제 오늘 일은 아니죠. 사람은 사회적인 동물이기 때문에 물건을 살 때 다른 사람의 영향을 받게 됩니다. 또한 같은 물건을 가지면 친구와 더 친해지는 기분을 느끼게 되잖아요. 그래서 친구가 새 휴대 전화를 사면 나도 사고 싶은 마음이 생기는 것이죠.

M   I think there are many people who buy items even if they don't need them just because of their friends or the trend. What are your thoughts on this phenomenon?

W   Actually, it's not new that people buy items because of their friends or the trend. Humans are social animals, so we're influenced by others when we buy items. Also, we feel a closer affinity to our friends when we have the same item. This is why when a friend gets a new cell phone, I want one too.

※   [21~22] Listen to the dialogue and answer the questions.

남자 예전과 다르게 요즘에는 회사 일이 끝나면 바로 퇴근하는 사람들이 많아진 것 같아요.

여자 그렇죠. 요즘은 늦게까지 회사에 남아 일한다고 해서 더 능력이 많은 사람이라고 생각하지는 않으니까요.

남자 하지만 회사의 입장에서는 늦게까지 회사를 위해서 일하는 직원을 더 좋게 평가하지 않을까요? 일하는 시간이 길어지면 그만큼 그 다음 일도 빨리 처리할 수 있고, 그러면 개인이나 회사 모두에게 좋을 것 같은데요.

여자 저 같은 경우에는 오랫동안 일을 하면 집중이 잘 되지 않아서 오히려 실수가 많아지고 일 처리도 더 늦어지더라고요. 또 늦게까지 일하는 것은 건강에도 도움이 되지 않고 일을 효율적으로 하는 것에도 방해가 되는 것 같아요.

M   Unlike before, I think there are more people who go straight home after work.

W   Right. Because these days, people don't think you have more competence if you stay late after work.

M   But wouldn't companies think more highly of employees who work late for the company? With more working hours, you'll be able to do the next task quicker, and this would be good for both you and the company.

W   In my case, if I work for long hours, my concentration level goes down and I actually make more mistakes, which leads me to start the next task even later. I think working late isn't good for your health and is a hindrance to efficient work.

21 Select the main idea

The woman doesn't think that working late means you have more competence. Also, she has a lot of experience making mistakes because her concentration level dropped due to working for too long. It's also not good for your health. Working after hours isn't good for many reasons. ① is the man's opinion.

22 Understand the details

The man thinks working until late is helpful to both the company and the individual, but the woman thinks that working long hours leads to lower concentration and therefore more mistakes and it's also not good for your health. ① can't be known through the conversation, and ③ is incorrect based on the man's first words. ④ is different from what the woman says.

※ **[23~24]** Listen to the dialogue and answer the questions.

(전화 통화)
여자 나라은행이죠? 인터넷으로 인터넷 뱅킹을 신청하려고 하는데 어떻게 하면 되나요?

남자 죄송하지만 처음 인터넷 뱅킹을 신청하실 때는 인터넷으로 하실 수가 없어요. 직접 은행에 방문하셔서 본인인지 확인한 후에 신청이 가능해요.

여자 그래요? 그럼 은행에 갈 때 무엇을 준비해서 가야 하나요?

남자 신분증과 통장이 필요한데, 통장은 본인 이름으로 된 것이어야 해요.

여자 제 이름으로 된 통장이 없는데 어떡하죠?

남자 그러면 은행에 오셔서 통장부터 만드셔야 해요. 신청서는 홈페이지에도 있고 은행에도 준비되어 있으니까 시간 되실 때 오시면 됩니다.

(phone conversation)
W Is this Nara Bank? I want to make an online application for online banking. What do I have to do?

M I'm sorry but when you apply first time for online banking, you can't do it online. You have to visit to confirm your identity, then apply.

W Really? Then what do I need to take to the bank?

M You need your ID and bankbook, but your bankbook has to be in your name.

W I don't have a bankbook, what should I do?

M Then you have to come to the bank and make that first. The application form is on the website and at the bank, so come by when you have time.

23 Select the statement that describes what the woman is doing.

Understand the woman's action

The woman wants to apply for online banking, but at first she must visit the bank. When she goes to the bank, she needs her ID, a bankbook in her name, and the application form.

24 Select the work the woman should do

As the woman doesn't have a bankbook in her name, she needs to go to the bank and make one. Then she will be able to apply for online banking.

※ **[25~26]** Listen to the dialogue and answer the questions.

남자 20년 전 이 병원은 대학 병원으로서는 처음으로 진료 예약제를 시작하셨는데 왜 그렇게 하시게 된 것인가요?

여자 그때만 해도 대학 병원은 질병만 잘 치료해 주면 그만일 뿐, 환자들의 서비스에는 큰 관심이 없었습니다. 그러다 보니 환자들은 아침 일찍 병원에 도착해서 무작정 기다리는 것밖에는 방법이 없었습니다. 몸도 불편한 환자들이 몇 시간씩 기다리는 것을 보고 '이건 아니다'라는 생각을 했습니다. 그길로 외국 의료계에서 시행하고 있던 진료 예약제를 도입한 것입니다. 물론 이 제도가 지금처럼 활발하게 시행될 때까지 조금 어려운 면도 있었지만 지금은 어느 병원이든 환자들이 원하는 시간과 날짜에 진료를 받을 수 있어서 다행이라고 생각합니다.

M Twenty years ago, this hospital was the first university hospital to start treatment on a subscription basis. Why did you do that?

W Even back then, university hospitals only needed to be good at treating patients, they weren't particularly interested in the services for patients. So patients had no other option but to come to the hospital early in the morning and just wait. Seeing the patients who aren't well waiting for hours, I thought this wasn't right. This led me to apply the system directly that's already being practiced in the medical sectors abroad. Of course there were some difficulties before this system really took off as now, but I'm relieved that now patients in any hospital can receive treatment at the time and date that they want.

25 Select the main idea

The woman says the reason for applying the treatment on a subscription basis for the first time out of university hospitals was because she saw patients come early and wait for hours and thought it wasn't right.

26 Understand the details

Now, 20 years into the application of the treatment by subscription system, patients can receive treatment at their desired time and date in any hospital. As the woman said that patients came to the hospital early in the morning, ① is incorrect. There is no mention in the woman's words about hospital treatments starting in the morning, so ② is incorrect. '지금처럼 활발하게 시행될 때' in the last sentence of the woman's words mean that the system is being practiced actively. Thus, ④ is incorrect.

※ (27~28) Listen to the dialogue and answer the questions.

남자 너 작년에 국가에서 주는 장학금을 받은 적이 있지?

여자 응, 작년 1년 동안 받았는데 등록금은 물론이고, 많지 않지만 생활비도 나와서 좋더라고. 또 장학금을 받은 후에 학교에서 좋은 성적을 유지하면 다시 신청할 수 있는 기회도 있어.

남자 정말? 1년으로 끝나는 게 아니라? 학비 때문에 아르바이트를 안 해도 되고, 다시 받을 수도 있으니까 좋네. 근데 좋은 성적을 받는 게 어렵지 않을까?

여자 너 정도 성적이면 충분할 것 같은데? 신청해 봐.

남자 안 그래도 신청할까 해. 어떻게 신청하면 되는데?

여자 보통은 방학 중에만 신청할 수 있는데 올해부터는 기간을 더 늘려서 개강 후 한 달까지 신청을 받는대.

M   You received a scholarship from the country last year, didn't you?

W   Yes, I received it for a year last year. On top of the tuition fee, though it wasn't much, I received living expenses, so it was good. Also, after receiving the scholarship, if I maintain good grades at school, I have the chance to apply again.

M   Really. It's not just for one year? That's good because then you don't have to do part-time jobs for your tuition, and you can receive it again. But wouldn't it be hard to get good grades?

W   I think yours will be fine. You should apply.

M   I was actually thinking I should. How do you apply?

W   Usually, you can only do it during vacation, but from this year the period has been extended for up to a month after school starts.

27 **Understand the reason**

The man asks the woman if she has received a scholarship before as well as questions about the way to apply. Furthermore, from the words '안 그래도 신청할까 해.' it can be known that the man is going to apply for the scholarship.

28 **Understand the details**

The woman says that if you receive the scholarship from the country, you get a certain amount of living expenses along with the tuition fee. From the woman's last words, it can be known that the scholarship application is usually made during the vacation, but from this year the period has been extended. Thus, ① that states you can only apply during vacation this year is incorrect. Moreover, whether the woman is working a part-time job isn't mentioned, and the person who has received the scholarship before is the woman, not the man. Therefore, ③ and ④ are incorrect.

※ (29~30) Listen to the dialogue and answer the questions.

남자 보통 달걀은 손으로 살짝만 만져도 노른자가 터지는데 이 달걀은 그렇지 않네요. 이게 어떻게 가능한 건가요?

여자 닭들에게 건강한 환경을 제공하기 때문입니다. 보통 다른 농장에서는 많은 닭을 좁은 공간에서 한꺼번에 키우기 때문에 닭들이 건강하지 않습니다. 이렇게 키우면 전염병이 많아지기 때문에 사료에 약품을 많이 섞어서 먹이기도 하지요. 어떻게 하면 좋은 달걀을 생산할 수 있을까 고민한 끝에 닭이 건강해야 좋은 달걀이 나온다는 생각으로 닭을 키웠습니다. 닭들이 자연 속에서 마음대로 먹고, 돌아다니다 보니 자연히 항생제 같은 약을 먹일 필요도 없고 결과적으로 좋은 달걀을 낳게 됐습니다.

M   Normally, even if you poke the egg yolk slightly, it bursts, but not with this egg. How is this possible?

W   It's because we provide a healthy environment to the hens. Normally on other farms, many hens are bred together in a small space, so the hens aren't healthy. If you breed them this way, there will be many contagious diseases, so the hens are fed grain with a lot of medicine in them. After thinking a lot about how to produce good eggs, I came to the idea that good eggs will come from healthy hens. This is the mind I breed the hens with. When the hens eat and run around freely in nature, they naturally don't need to eat antibiotics, and ultimately lay good eggs.

29 **Find the woman's vocation**

The woman thought a lot about how to produce good eggs, and says she bred hens freely. For someone who breeds hens, an owner who breeds chicken in a chicken farm would be the most appropriate answer.

30 **Understand the details**

Breeding hens freely in nature leads to their good health, so you don't have to feed them medicine like antibiotics. As the woman says normally on other farms, a large number of hens are bred in a small space, ① is incorrect. Also, as contagious diseases don't mean the hens can't lay eggs, ② is also incorrect. ④ isn't mentioned by the woman, and therefore can't be the answer.

정답 및 해설

정답 및 해설   221

※ (31~32) Listen to the dialogue and answer the questions.

여자 저는 앞으로 금연 구역이 더욱 확대되어야 한다고 생각합니다. 여러 사람이 함께하는 공공장소에서 주위 사람들의 피해를 생각하지 않고 자신만을 위해 담배를 피우는 것은 이기적인 행동일 뿐이죠. 흡연 구역이 있는데도 불구하고 밖에서 담배를 피우는 사람들은 정말 이해하기가 힘들어요.

남자 네, 비흡연자들의 입장은 충분히 이해가 됩니다. 하지만 흡연자들의 입장도 조금 생각해 보시면 어떨까요? 사실 흡연자들도 흡연 구역에서 담배를 피우고 싶습니다. 그런데 흡연 구역을 찾기도 어렵고 환기도 잘 안 되는 곳이 대부분입니다. 그러다 보니 밖으로 나오게 되는 거죠. 이 문제는 흡연 구역이 깨끗해지면 해결될 겁니다.

W I think the non-smoking areas should be further expanded in the future. Smoking in public places where many people are together is only a selfish act of thinking about yourself and not the damage done to those around you. It's hard to understand people who smoke outside even though there are smoking areas.

M Yes, I fully understand the position of non-smokers. But how about thinking a little from the position of smokers? In fact, smokers also want to smoke in smoking areas. But it's hard to find smoking areas, and most of them don't have good ventilation. That's why they end up smoking outside. This problem will be solved if the smoking areas become clean.

31 Understand the man's thought

The man fully understands the position of non-smokers, and wants to use smoking areas. But he ends up avoiding smoking areas because of their poor conditions. Therefore, he thinks people will naturally use smoking areas if the smoking areas become pleasant.

32 Understand the man's attitude

The man starts by saying he understands the woman's position, but that it's also important to think about the opposite position. This is trying to make the other person understand, instead of forcing your own opinion on them.

※ (33~34) Listen to the monologue and answer the questions.

남자 최근 새로운 형태의 가족이 등장하여 관심을 모으고 있습니다. 집은 있지만 혼자 살면서 외로움을 느끼는 노인과 집을 구하지 못해서 어려움을 겪는 대학생들을 연결시켜 한집에 살도록 하는 것입니다. 이것은 양쪽 모두에게 혜택을 주는데 우선 대학생들은 주변보다 저렴한 값에 방을 구할 수 있습니다. 또한 노인에게 생활 서비스를 제공함으로써 대학교에서 봉사활동 시간도 인정받을 수 있습니다. 노인은 대학생이 청소나 설거지 같은 간단한 집안일을 해 주니까 편하고, 스마트폰 같은 전자기기의 사용법도 배울 수 있습니다. 무엇보다 함께 생활하면서 대화할 상대가 있기 때문에 불안감과 외로움을 줄일 수 있습니다. 서로에게 필요한 것을 제공해 주고 제공 받으면서 함께 사는 이러한 가족 형태는 꾸준히 증가하고 있으며 앞으로도 그럴 것입니다.

M A new form of family has emerged recently, and it is gaining attention. It's connecting the elderly who have homes but feel lonely because they live alone and college students who experience difficulties because they can't find homes. This is an advantage to both sides. First, for college students, it enables them to find rooms for a lower price than the neighborhood. Also, providing help in the daily lives of the elderly, they are recognized by their colleges as doing volunteer work. For the elderly, they can have the convenience of the college students doing the simple house chores such as cleaning or the dishes, and they can also learn to use electronic equipment such as the smartphone. Above all, by living together, they can lessen their anxiety and loneliness because they have someone to talk to. Such form of family that provides and fills one another's needs is constantly increasing and will continue to do so.

33 Grasp the theme

This is about a new form of family that connects the elderly who live alone and college students. They don't simply live together in one house, but provide for each other's needs, so it's a slightly different form of living than the existing lodging.

34 Understand the details

In exchange for finding a room at a lower cost than the neighborhood, college students do simple house chores such as cleaning, washing, etc. and offer other benefits for the elderly such as being there to talk to. The students are not providing housing for the elderly; the elderly are providing housing for the students. Thus, ① is incorrect. ② isn't mentioned in the man's words. ④ can't be verified, and an assumption can't be the answer.

여자 한동안 우리 사회에는 조기교육 열풍이 불었습니다. 아이들이 태어나자마자 영어를 가르치고 세 살만 되어도 수학에 과학까지 가르쳤습니다. 요즘은 유치원에 갈 때 한글은 모두 알고 가는 것이 기본이라고 합니다. 하지만 아직 학습 능력이 제대로 형성되지 않은 상태에서 조기교육을 무리하게 시키면 오히려 아이의 학습 효과는 떨어지게 됩니다. 뇌에 문제가 생길 수 있다는 연구 결과도 있습니다. 그래서 요즘에는 적기 교육에 관심이 많아지고 있습니다. 적기 교육이란, 결국 모든 것에는 알맞은 때가 있다는 것이지요. 아이들은 환경만 갖춰지면 본능적으로 능력을 발달시킵니다. 결국 엄마들이 해 줘야 하는 것은 무조건 빨리 가르치는 것이 아니라 아이들이 스스로 느낄 수 있고, 깨우칠 수 있는 환경을 제공해 주는 것입니다.

W For a while, early education was the trend in our society. Children were taught English as soon as they were born, and math and science when they were only three. These days, it's considered a given for children to be able to read Korean by the time they go to kindergarten. But too much early education to children who haven't fully developed the ability to learn will actually lower the learning effect of children. There is also a research result that showed problems could develop in their brains. That's why these days a new term of right-time education is gaining more interest. Right-time education means, in the end, there is a right time for everything. Given the right environment, children instinctively develop their abilities. Ultimately, what mothers need to do isn't early education that just teaches children quickly, but provide an environment in which children can explore and learn on their own.

35 Grasp the theme

The woman says early education can have a bad effect on children, and mentions that this is the reason the interest in right-time education is rising. The aim of early education and right-time education can't be known from the woman's words. And as she isn't promoting early education, but warning of its dangers, neither ① nor ③ can be the answer. Moreover, she isn't talking about the effect of right-time education on children, but giving a brief introduction of it, ④ can't be the answer either.

36 Understand the details

If they are in the right environment at the right time, children will develop their abilities even without anyone teaching them. Therefore, the mother's role is to provide that environment. These days, it's considered a given for children to know how to read Korean when they go to kindergarten. Thus, ① is incorrect. Also, ② states that the effect of children's learning increases with more early education, but the woman says too much early education lowers the effect of children's learning. Thus, ② isn't the answer.

남자 박사님, 최근 일부에서는 완전히 새로운 것이 아닌 기존의 제품을 수정한 상품이 새로운 마케팅 전략으로 나타나고 있다고 하는데요, 그 이유가 무엇입니까?

여자 네, 얼마 전까지만 해도 사람들은 지금까지 볼 수 없었던 새로운 것에 관심을 보였습니다. 하지만 계속해서 새로운 것을 개발하는 데에는 한계가 있지요. 그러다보니 기존의 제품을 수정하거나 다른 것과 결합해서 새로운 느낌으로 기획한 상품들이 늘고 있는 것입니다. 이것은 굉장히 색다른 것은 아니지만 소비자들이 필요로 하는 것을 잘 파악하여 마케팅에 반영한 결과라고 볼 수 있습니다. 한 커피의 경우, 편의점에서 쉽게 살 수 있는 커피지만 여기에 커피숍에서 직접 먹는 듯한 고급스러운 맛이라는 이미지를 입혀서 매출을 증가시켰습니다.

M Professor, in some areas, it's said that a new marketing strategy is emerging that doesn't bring something completely new but products that have been changed from existing items. What's the reason for this?

W Yes, even until recently, people showed interest in new things that had never been seen before. But there's a limit to continuously developing new things. So more and more products are coming out from changes in existing items or from combinations with others. This isn't something extremely new, but it can be viewed as the result of understanding the consumer's needs and reflecting it in the marketing. In the case of a certain coffee, it's something you can easily find in convenience stores, but the sales have increased because it's built an image as quality coffee that could be drunk in a coffee shop.

37 Select the main idea

The new marketing method that has recently emerged is slightly changing the existing item so that consumers feel it's new. The woman thinks this marketing method is because a limit has been reached in making new products.

38 Understand the details

Coffee that can easily be bought in a convenience store is something familiar to consumers. That's why people don't feel a newness to coffee sold in convenience stores. The marketing introduced in the conversation makes people feel a novelty to items that they don't feel a novelty towards. Thus, the image of 'quality coffee that could be drunk in a coffee shop' is added for consumers to recognize the item anew.

남자 네, 그렇게 길고양이들이 증가하면서 길고양이를 보호하자는 목소리와 반대로 길고양이를 도울 필요가 없다는 주장이 맞서고 있는데요. 박사님, 어떻게 하면 양쪽 모두가 만족할 결과를 얻을 수 있을까요?

여자 길고양이를 반대하는 사람들은 길고양이들이 먹이를 구하기 위해 쓰레기 봉지를 찢고, 서로 싸우면서 우는 소리를 싫어하는 것이 대부분입니다. 따라서 이러한 문제가 없어지면 어느 정도 해결될 것 같습니다. 그래서 요즘에는 주민들이 모여서 정기적으로 고양이들에게 밥을 주는 '고양이 급식소'가 운영되고 있습니다. 그 결과 고양이들이 쓰레기 봉지를 찢지 않으니 주변 환경도 깨끗해지고 자연스럽게 그 지역 주민들의 갈등도 감소하고 있습니다.

M Yes, with the increasing number of street cats, the voices that street cats need to be protected and the opposite that street cats don't need help are in conflict. Professor, how could we achieve a result that will satisfy everyone on both sides?

W Most people who oppose street cats don't like it that street cats tear up garbage bags to find food and make crying sounds when they fight each other. So if these problems are solved, this issue will somewhat be resolved. That's why these days neighbors are gathering regularly and operating 'cat food services' to feed cats. As a result, cats aren't tearing up garbage bags, which leads to a cleaner environment. This, in turn, is naturally leading to the reduction of conflicts among neighbors.

39 Understand the previous content

The answer can be found in the first words of the man. The man says that with the increasing number of street cats, two opinions are in conflict. Then the previous content would have been about the reason for the increasing number of street cats.

40 Understand the details

Street cats that don't have homes must find their own food. They find food in the garbage bags that people put outside. As a result, the environment became dirty, and the voices of the people opposing street cats increased.

여자 세계 어느 나라에나 예전부터 전해 내려오는 신들의 이야기들 즉, 신화가 존재합니다. 이 신화들을 가만히 살펴보면 숫자 3이 단골손님처럼 등장하는데요, 그리스 신화에서는 제우스가 신들의 왕이 되고 나서 세계를 하늘, 지하 세계, 바다로 나누어 다스렸습니다. 또한 한국의 신화에도 숫자 3이 나오는데 단군 신화를 보면 환인, 환웅, 단군 세 명의 신이 나오고, 환웅이 땅으로 내려올 때 구름, 비, 바람 세 명의 신과 함께 내려왔습니다. 그렇다면 왜 세계 신화는 숫자 3을 즐겨 사용했을까요? 그것은 고대인의 달 숭배 사상과 깊은 관계가 있습니다. 고대인들은 해보다 달을 더 숭배했는데 달은 크게 초승달, 보름달, 그믐달 등 세 가지의 모습으로 변합니다. 고대인들은 달을 여신으로 모시면서 복을 빌었습니다. 그때의 사상이 아직까지도 우리에게 영향을 주는 것입니다. 하다못해 우리가 하는 '가위바위보' 놀이도 세 가지가 아닙니까?

W In any country in the world, there are stories of gods passed down from long ago, otherwise known as myths. If you take some time to look at these myths, the number 3 appears like a patron. In Greek mythology, after *Zeus* became the king of the gods, he ruled the world by dividing it into sky, underworld, and sea. Moreover, the number 3 appears commonly in Korean mythology, too. If you look at *Dangun* mythology, the three gods, *Hwanin*, *Hwanwoong*, and *Dangun* appear, and when *Dangun* descended to the earth he came down with three gods - cloud, rain, and wind. Then why did world mythology enjoy the use of the number 3? This is related to the ancient practice of moon worship. More than the sun, the ancient civilization worshipped the moon, which changes in three main phases: crescent, full, and old. Ancient civilizations served the moon as a goddess and sought blessings. This kind of philosophy is what is still impacting us today. Even the game of 'rock-paper-scissors' involves three items, does it not?

41 Understand the details

It's easy to find the number 3 in Greek mythology, Korea's *Dangun* mythology, and other western and eastern mythologies. The number 3 isn't related to the philosophy of sun worship but to moon worship, and so ② is incorrect. Also, the woman doesn't say that paper-rock-scissors appears in mythology. ④ says that Greek mythology and *Dangun* mythology are completely different stories, however because of the common use of the number 3, you could think that they have common ground. But the woman didn't talk about the storyline, and an assumed statement can't be the answer.

42 Understand the woman's thinking

The woman thinks that from myths to common games around us like paper-rock-scissors, the reason the number 3 can be found around us is because whether we know it or not, the number 3 has affected us from long ago.

여자 우리가 과자를 사면 과자 봉지가 빵빵하게 부풀어 있죠? 그 안에는 과자와 함께 질소가 들어 있는데 과자 봉지 안에 질소를 넣는 이유는 크게 두 가지가 있습니다. 우선 과자의 특성상 이동 중에 충격을 받으면 과자가 쉽게 부서지게 되는데 질소를 넣음으로써 부서지는 것을 막을 수 있습니다. 또한 과자 봉지나 음료수의 남은 공간에 질소를 넣으면 산소와 만나는 것을 피할 수 있으므로 내용물이 상하는 것도 늦출 수 있습니다. 그러면서 제품의 유통 기한을 어느 정도 늘릴 수 있게 되는 것입니다. 그렇다면 왜 질소를 사용하는 걸까요? 다른 기체는 사용할 수 없을까요? 대량 생산을 하는 과자 봉지에 넣을 기체는 너무 가볍지 않고 상태가 안정적이며 값이 싸야 합니다. 질소는 공기보다 무겁고, 상태가 안정적이어서 쉽게 변하지 않습니다. 또한 공기의 약 78%를 차지할 정도로 흔한 기체입니다. 이 외에도 질소는 우리 생활 곳곳에서 유용하게 사용되기 때문에 우리 생활에 도움을 준다고 할 수 있습니다.

W When we buy chips, the bag is tightly inflated, right? With the chips, there is nitrogen in the bag, and there are two main reasons nitrogen is put into the bag of chips. First, chips can easily be crushed with friction, so by putting nitrogen in the bag it will prevent this from happening. Also, by putting nitrogen in the leftover space within a bag of chips or beverage bottle, it will prevent the contents from meeting with oxygen and decaying. This allows the lengthening of the expiration date. Then why is nitrogen used? Can no other gases be used? A gas that is put into mass produced bags of chips can't be too light; its condition has to be stable and it needs to be cheap. Nitrogen is heavier than oxygen, and it doesn't change easily because its condition is stable. Further, it's a common gas that makes up 78% of the air. Besides, nitrogen is used effectively in different parts of our lives, and so it can be said that it's helpful to our lives.

43 Understand the reason

By filling the inside of a bag of chips with nitrogen, it prevents contact with oxygen and prevents the product from decaying.

44 Select the main idea

Using nitrogen in bags of chips, beverages, etc. can prevent food from changing and can allow its expiration date to be extended. Also, because it's cheap and common, nitrogen has many benefits. Furthermore, since the woman says how nitrogen is effectively used in different parts of our lives, ③ is the answer.

여자 사극이라고 하는 것은 말 그대로 '역사'를 기본 바탕으로 해서 만들어지는 작품입니다. 최근 한국에서는 이러한 사극의 인기가 아주 높습니다. 그런데 사극은 역사적 사건을 다루고 있기 때문에 역사적 사실을 충분히 증명하는 것이 필수적입니다. 물론 드라마라는 특수성 때문에 역사에 작가의 상상력을 더해 새롭게 만들 자유는 있습니다. 그렇지만 그렇게 만들어진 작품이나 작품 속에서 오해의 위험성이 있는 장면에는 자막으로 '이 장면은 역사적 사실과 다릅니다.'라는 식의 표현을 해 줄 필요가 있습니다. 그래야만 드라마를 보는 시청자들이 드라마 속에서 보이는 것을 '사실'로 받아들이지 않기 때문입니다. 그런데 한국 사극에서는 이런 모습이 보이지 않습니다. 심지어 젊은 사람들의 취향에 맞는 사극을 만들기 위해서 역사적 사실을 많이 바꾸고 있습니다. 역사적 사실을 왜곡하고 이로 인해 시청자들에게 혼란을 준다면 그것은 정당화될 수 없습니다.

W Just as its name implies, a historical drama is a piece of work that is created based on 'history.' Lately, these kinds of historical dramas are highly popular in Korea. However, because historical dramas deal with historical events, it's necessary to adequately prove those historical facts. Of course, there is freedom to recreate history with the imagination of the writers because of the nature of drama. However, scenes that are recreated that way or are in danger of confusing viewers should be subtitled with 'this scene is different from historical fact,' or something to that effect. That's the only way viewers watching the drama won't think what they see in the scenes to be 'fact.' However, this is unseen in Korean dramas. They even change historical facts to suit the tastes of young people. Twisting historical facts and confusing the viewers as a result is unjustifiable.

45 Understand the details

It's important to adequately prove the historical facts in a historical drama, but the woman says that in Korean dramas, it's common to change the facts according to suit the viewers tastes.

46 Understand the woman's attitude

The woman says that although she understands changing certain contents according to the writer's imagination, in that case it's necessary to add subtitles informing the viewers that it's different from historical fact. With this, she says at the end that twisting historical facts and confusing viewers is unjustifiable.

※ 〔47~48〕 The following is a talk. Listen carefully and answer the questions.

남자 현재 학교 폭력의 심각성은 날로 심해져가고 있습니다. 이러한 가운데 학교 폭력을 저지른 학생의 폭력 사실을 학생 생활기록부에 써야 한다는 의견이 있는데 대표님께서는 어떻게 생각하십니까?

여자 아주 정확한 판단이라고 생각합니다. 앞에서 말씀하셨다시피 학교 폭력의 수위가 어느 정도인지는 굳이 다시 말씀 드리지 않아도 될 것이라 생각합니다. 수많은 학생들이 학교 폭력에 시달리고 있으며 심지어는 이를 견디다 못해 자살을 하는 경우도 있습니다. 피해를 준 학생보다 피해를 받은 학생을 보호하는 일이 먼저라고 생각합니다. 따라서 학교 폭력 기록이 학생 생활기록부에 남겨진다면 학생들도 폭력에 대해서 조심하게 될 것이고, 학교에서도 같은 일이 재발되지 않도록 주의를 기울일 수 있을 것이라고 생각합니다.

M At present, the seriousness of school violence is getting worse by the day. Amid this trend, there is opinion that the violence needs to be recorded in the student progress report of students that commit acts of violence. What are your thoughts on this?

W I think that's an accurate judgment. As you mentioned, I don't think it's necessary to reiterate the degree of school violence right now. Numerous students fall prey to school violence, and cases of suicide has become commonplace for those who can't handle it. I think the priority is to protect the victimized students before dealing with the perpetrating students. Therefore, if school violence is recorded in the student's progress report, students will be more careful about violence, and the school will also be able to pay careful attention so that the same thing doesn't happen again.

47 Understand the details

The woman is saying how many students are falling prey to school violence and that students are even committing suicide as a result. Accordingly, she says that it's more important to protect victimized students before dealing with perpetrating students.

48 Understand the woman's attitude

When the man first asks about the suggestion that students that commit violence need to have records of violence in their student progress report, the woman shows a response of proactive agreement, saying that it's an accurate judgment.

※ 〔49~50〕 The following is a lecture. Listen carefully and answer the questions.

남자 오늘 강의에서는 국민참여재판에 대해 살펴보겠습니다. 우선 국민참여재판은 재판에 무작위로 선발된 배심원들이 함께 참여하여 유죄, 무죄의 평결을 내리는 것입니다. 그런데 최근 여러 문제로 국민참여재판 폐지론이 나오고 있습니다. 하지만 어떤 제도도 완전할 수는 없습니다. 그래서 우리는 성급하게 폐지를 결정할 것이 아니라 이것을 기회로 삼아 좀 더 나은 제도로 발전시켜야 할 것입니다. 그렇다면 어떤 점들을 개선해야 할까요? 먼저, 현재 배심원들의 관결은 재판 결과에 구속력을 가져야 합니다. 국민참여재판은 일반 국민의 상식을 관결 과정에 적용하기 위해 도입되었습니다. 그럼에도 구속력이 없다는 것은 그 목적에 맞지 않는 것입니다. 둘째, 배심원단을 뽑을 때 더욱 다양한 사람들을 뽑아야 합니다. 지역적인 정치색이 강한 한국 사회에서 지금처럼 한 지역의 거주자들로 배심원을 선발한다면 문제가 될 수 있습니다. 앞으로 꾸준한 노력을 기울여야 할 것입니다.

M In today's lecture we will explore civic participation trials. First, a civic participation trial is when a jury selected indiscriminately will participate in the trial and make a decision of guilty or not guilty. However, due to recent problems, there has been talk of abolishing civic participation trials. However, no system can be perfect. Therefore, instead of deciding to abolish, we need to take this as an opportunity to develop the system into a better one. In that case, what needs improvement? First, the current jury decisions need to have binding power on the judgment of the trial. The civic participation trial was introduced in order to apply the ordinary common sense of citizens in the judgment process. But for it to have no binding power doesn't serve the purpose. Second, when selecting a jury, a more diverse range of people need to be selected. In Korean society where regional political tendencies are particularly strong, it can be problematic to select a jury comprised entirely of residents of one region. There needs to be consistent effort in the future.

Understand the details

The man says that although the civic participation trial system was originally introduced with the purpose of applying the ordinary common sense of people in the judgment process, because it lacks binding power there needs to be improvement. Because the man is saying that there is no perfect system, ① is incorrect information. From the man's words, '지금처럼 한 지역의 거주자들로 배심원을 선발한다면' near the end, it can be known that a jury is comprised of residents of one region, and therefore ② can't be the answer. Also, that the jury's decision has no binding power means they don't have much influence on the judgment, and therefore, the absoluteness stated in ③ is incorrect.

50 **Understand the man's attitude**

The man states that because there are problems with the system, they need to be fixed. With this, he gives three problems and also suggests solutions to fix them.

※ **(51~52) Read the text and fill in each (　) with one sentence.**

51

> Dear Mr. John,
> I saw the school notice board, and it says there will be a field trip to *Gyeongju* on March 20. Because the school is taking care of everything else, we just have to (㉠) comfortable clothes and water. I told Ms. Susan, but she said (㉡) with Mr. John.
> If you can join us, please contact me.
>
> From Kim Youngho

Write a sentence appropriate to the context

㉠: Since the text is relaying the information seen on the notice board, you will receive a high score if you write a sentence in the passive voice.

㉡: Since the text is relaying Ms. Susan's words, you will receive a high score if you write a sentence in the passive voice.

Words 게시판 a notice board   현장 학습 field trip

52

> The Olympic Games is the world's biggest sports competition that is held every four years. The significance of the Olympic Games is not victory but (㉠) in the Olympic Games. We earnestly congratulate the winner of the marathon. However, we give a louder applause to the athlete who may have arrived last at the finish line, but did not give up to the end. Through the Olympic Games, people (㉡) is more important than success for humans.

Write a sentence appropriate to the context

㉠: The expression '~은/는 ~는 것이 아니라 ~는 것이다' is used. You can receive a high score if you use vocabulary like '노력하다, 최선을 다하다' (to try, to do one's best), which reflect the theme of the text, and '참가하다' (to participate).

㉡: This sentence is a complex sentence. The sentence '인간에게 중요한 것은 성공보다 노력이다.' (hard work is more important than success for humans) becomes the object, and then there needs to be a predicate that responds to the subject of the whole sentence, '사람들은' (people) and adverbial phrase '올림픽을 통해' (Through the Olympic Games).

Words 올림픽 the Olympic Games   의의 significance   승리 victory   마라톤 marathon

※ **(53) Look at the chart and write about the pros and cons of early education, then write about what needs to be done for a proper education. Write 200~300 characters.**

53

> Pros and cons of cell phones
> - Pros of cell phones
> ① Convenient because they can be used anywhere.
> ② Necessary for maintaining relationships with people.
>
> - Cons of cell phones
> ① Conversations with people are severed.
> ② Costs a lot and danger of addiction.

Write with the given information

Write an outline

- Introduction: reality of young people's use of cell phones
- Body: pros and cons of cell phones
- Conclusion: correct ways for young people to use cell phones

In the introduction, start the writing briefly discussing the problems of cell phone usage among young people, like the reality of cell phone usage by young people, etc. Then in the body, logically connect the content presented in the chart. In the conclusion, based on the cons of cell phones, suggest two correct ways to use them.

54
> Recently, families that educate their children at home through 'homeschooling' instead of sending them to school are increasing. Write your opinion about the ideal form of education by comparing school and homeschooling, based on the following content.
>
> - Is school absolutely necessary for students?
> - What is the reason school education is necessary or unnecessary?
> - What is the ideal form of education for students?

Write in accordance with the theme

Write an outline

- Introduction: reason homeschooling families are increasing
- Body: reasons school education is necessary or unnecessary
- Conclusion: an ideal form of education

Write based on the given assignment, but if you are writing from the perspective that school education is important, present in the introduction why homeschooling is increasing. Then write in the body why school education is more necessary than homeschooling. Complete the body by stating why school education is important, emphasizing the pros. Based on the assertions made in the body, conclude your writing by briefly organizing your thoughts about what a desirable and ideal form of education looks like.

If you are writing from the perspective that school education is unnecessary, present in the introduction why families choose homeschooling instead of school education based on the reasons homeschooling families are increasing. In the body, focus on explaining what kind of pros homeschooling has over school education. In the conclusion, likewise, finish your writing by briefly organizing your thoughts about what a desirable and ideal form of education looks like.

	우	리	는		거	리	에	서	,		지	하	철	에	서		청	소	년	20
들	이		휴	대		전	화	에		집	중	하	고		있	는		모	습	40
을		자	주		본	다	.		그	들	은		주	변	의		어	떤		60
것	에	도		관	심	이		없	어		보	인	다	.						80
	휴	대		전	화	는		언	제		어	디	서	나		사	용	할		100
수		있	어	서		편	리	하	고	,		다	른		사	람	과	의		120
관	계		유	지	를		위	해	서	도		필	요	하	다	.		하	지	140
만		휴	대		전	화	는		대	화	를		단	절	시	키	고	,		160
비	용	이		많	이		들	며	,		중	독	의		위	험	이		따	180
르	는		단	점	도		있	다	.											200
	따	라	서		청	소	년	들	은		휴	대		전	화		사	용	을	220
줄	이	고		다	른		사	람	과		직	접		대	화	하	고		소	240
통	하	는		기	회	를		많	이		가	져	야		한	다	.		그	260
리	고		휴	대		전	화	에		중	독	되	지		않	도	록		스	280
스	로		자	제	하	는		힘	을		길	러	야		한	다	.			300
																			320
																			340
																			360
																			380
																			400

	현	대		사	회	에	서	는		국	민		전	체	의		학	습		20
활	동	을		제	도	적	으	로		관	리	하	는		것	이		보	편	40
적		현	상	이	다	.			즉		학	교	를		제	대	로		수	립	60
해		놓	고	,		일	정		연	령	에		도	달	한		모	든		80
국	민	을		의	무	적	으	로		취	학	시	켜	서		정	해		놓	100
은		지	식	,		사	회	,		규	범	,		가	치	를		배	우	120
게		한	다	.		그	런	데		최	근		기	존		공	교	육	에	140
서		이	탈	하	는		사	람	들	이		늘	고		있	다	.		획	160
일	적	인		학	교		교	육	을		벗	어	나		자	녀	의		상	180
황	에		맞	는		맞	춤	형		교	육	을		하	고	자		홈	스	200
쿨	링	을		선	택	하	는		것	이	다	.		이	는		경	쟁	을	220
부	추	기	는		입	시		위	주	의		학	교		교	육	에		대	240
한		반	작	용	의		결	과	이	기	도		하	다	.					260
	홈	스	쿨	링	을		하	면		개	인	에		맞	게		학	습		280
진	도	를		조	절	할		수		있	으	며		시	간	을		효	율	300
적	으	로		활	용	할		수		있	다	.		또	한		자	기		320
주	도	적		학	습	,		흥	미	와		적	성	에		맞	는		교	340
육	이		가	능	한		장	점	도		있	다	.							360
	하	지	만		홈	스	쿨	링	은		'	사	회	성		발	달	'	이	380
라	는		학	교	의		중	요	한		기	능	을		대	신	할		수	400
없	다	.		현	대		사	회	에	서		가	장		광	범	위	한		420
또	래		집	단	을		만	날		수		있	는		곳	이		학	교	440
이	며		성	장		과	정	에	서		또	래		집	단	과	의		교	460
류	는		무	엇	보	다		중	요	하	다	.		아	이	들	은		또	480
래	,		선	후	배	와	의		대	화	와		놀	이	를		통	해		500
감	정	을		교	류	하	는		법	을		배	우	고		이	러	한		520
인	간	관	계	를		통	해		성	숙	해		간	다	.					540
	시	대	가		아	무	리		변	해	도		인	간	적		상	호		560
교	류	의		가	치	가		퇴	색	하	지	는		않	는	다	.		그	580
러	므	로		학	교		교	육	은		꼭		필	요	하	다	.		그	600
러	나		공	교	육		제	도	는		변	해	야		한	다	.		학	620
습	자	의		수	준	과		적	성	을		고	려	한		다	양	한		640
교	육	과	정	을		개	발	하	고	,		입	시		위	주	의		주	660
입	식		교	육	에	서		탈	피	하	여		다	양	한		방	면	의	680
인	재	를		배	출	할		수		있	도	록		학	교		교	육	의	700
단	점	을		보	완	해	야		한	다	.									720

※ **(1~2) Select the most appropriate phrase for ( ).**

1

> My legs hurt today because yesterday I ( ) for the
> first time in a long while.

Select the appropriate vocabulary & grammar

As the reason the writer's legs hurt must be explained,
vocabulary and connective words that describe the reason
or cause are necessary. '달리다, 뛰다, 걷다' are all actions
that require leg movement.

> **Note** −더니: Used when describing something that
> follows a fact or situation that happened in the
> past.
> **Ex** 밥을 많이 먹었더니 배가 부르다.
>
> −(으)ㄹ까 봐: Used when worried or afraid that
> the previous words will become the described
> situation.
> **Ex** 기차를 놓칠까 봐 허겁지겁 뛰어갔다.
>
> −(으)ㄹ 테니: Used to describe a condition to the
> following words, the strong assumption of the
> speaker.
> **Ex** 곧 취업이 될 테니 너무 걱정하지 마.
> 음식을 만드느라 힘들었을 테니 주말에는 푹 쉬어.
>
> −(으)ㄴ 후에야: Used to describe that one
> situation is possible only after a situation or
> action is completed first.
> **Ex** 우리가 모두 집에 들어온 후에야 어머니는 항상 마음
> 편히 쉬신다.

2

> I re-read a book I'd read before, and I think that book
> moves me ( ).

Select the appropriate vocabulary & grammar

The answer can be inferred from the first part of the
sentence '예전에 읽은 책을 다시 봤는데,' and '−(으)ㄹ수록' is
used to describe that the following content will intensify if
the previous content intensifies.

> **Ex** 산이 높을수록 공기가 상쾌하다./ 혼자일수록 건강에 더 주
> 의해야 한다.

> **Note** −(으)려니: Used when the purpose of an action
> is described and given as the premise for the
> following content.
> **Ex** 책을 읽으려니 머리가 아프네.
>
> −길래: The colloquial expression of '−기에', used
> to describe the cause or basis for the following
> words.
> **Ex** 아침부터 날씨가 흐리길래 우산을 챙겨왔다.
>
> −는데도: Used when the following situation
> occurs regardless of the previous situation.
> **Ex** 비가 오는데도 사람들이 많다.

※ **(3~4) Select the phrase that has the closest
meaning to the underlined.**

3

> <u>As soon as</u> the teacher <u>finished speaking</u>, the students
> picked up their bags and ran out.

Select the expression closest in meaning

−자마자 : Used to express that the event described in the
following words occurs immediately after the previous
situation. Thus, ④ is the closest expression.

> **Ex** 나는 너무 피곤해서 침대에 눕자마자 잠이 들었다.
> 어머니가 입원하셨다는 소식을 듣자마자 병원으로 달려갔다.

4

> When I see children enjoying violent games, I <u>can't help
> but worry</u>.

Select the expression closest in meaning

'걱정하지 않을 수 없다' means '걱정해야 한다,' '−할 수밖에 없
다,' so '매우 걱정이 된다' is closest in meaning.

※ **(5~8) Select what the text is about.**

5

> Big Interest Installment Savings
> Exclusive product with prime rate based on trade
> performance

Select the subject matter

'이자' means the set rate of money paid for borrowing
money from someone else.
'적금' means the receipt of a lump-sum of money accrued
by saving a certain amount for a certain time at a bank, etc.
As words like interest, installment savings, performance,
interest rate are related to money and saving, the most
appropriate answer is '은행.'

> **Words** 우대하다 give preference to 부동산 real estate

6

> New release notice: *Her Time*
> A continuation from *A sequel to Fall for Coffee* that
> was a sensation last year, the second story has come
> out after a year of hard work and care. *Her Time* will
> describe her small extravagances with coffee in an
> everyday, light way.
> To be found in bookstores across the country after the
> Thanksgiving season.

Select the subject matter

The text discusses a new book release, and introduces a
book titled *Her Time* through the '신간 예고.'

> **Words** 일상적이다 everyday, ordinary 담백하게 light, clean

7

<Precautions>
- Check the weather information.
- Plan around the people with weaker stamina.
- Complete the descent 2 hours before sunset.

Select the subject matter

'하산' means coming down the mountain.
As the precautions state to check the weather and come down from the mountain 2 hours before sunset, the text is about hiking.

Words 체력이 약하다 weak stamina

8

Move to the *Gangnam* area today!
Generous special lotting-out + acquisition tax reduction
- Directly connected to the subway station
- Close to central commercial district, elementary, middle and high schools nearby
- Largest fauna eco park in metropolitan area, View of *River Ha*n

Visit consultations : 1577 - 1234

Select the subject matter

'입주' means moving into a newly built house or building, and '세금 감면' means reducing a certain rate or amount of tax. From the words '분양' or '입주,' etc. it can be known that the text is about ④ apartments (아파트).

Words 분양 lotting-out 취득세 acquisition tax

※ **[9~12] Select the answer with the same content as the text or chart.**

Notice on Delivery Service for the New Year
1. Only persons who have completed their payment by 12p.m., February 5 (Tue.) will have their payments sent on the day (before 6pm).
2. Orders made after 12p.m., February 5 (Tue.) will be sent in sequential order from February 12 (Tue.) after the New Year.
3. For persons who must receive their items before the New Year, please place your orders before February 5 (Tue.).

Thank you. Have a Happy New Year.

9 Understand the details

The text is announcing to the customers that items won't be delivered during the New Year holiday.
① states that items for which the payment has been completed by 12p.m. will be sent before 6p.m. It can be known that the employees will be working until at least after 12p.m.
② states that the employees will send the items ordered after 12p.m., February 5 (Tue.) in sequential order from February 12 (Tue.).
③ states that items ordered after February 5 (Tue.) can be received after the New Year.

10 Understand the details

① The place with the highest temperature in August is Busan.
③ The average temperature difference in August between Seoul and Busan is increasing.
④ In 2011, the average temperature in August decreased in Busan, Seoul, and Gangneung.

11

I love to cook. Cooking eases my tension and makes me and my children happy. For someone who didn't find anything apart from work interesting, cooking is a fun and enjoyable thing for me. When I see my family happy eating the food I made with care, it makes me happy, too. To cook tasty and healthy food, I go to learn how to cook twice a week.

Understand the details

① Learning to cook, the speaker finds cooking enjoyable and fun.
② The speaker wasn't interested in anything other than work.
④ When the speaker sees his/her family happy when eating his/her food, he/she is also becomes happy.

12

Dieting has become a trend among people in their 40~50s recently. But trying too hard to lose weight in mid-life will lead to sagging skin. Our skin slowly starts to age from our mid-20s, and in our mid-life we get wrinkles or sagging skin around our eyes, lips, forehead, etc. So dieting too much in a short period of time could lead to a more aged appearance as wrinkles increase with the loss of facial fat.

Understand the details

① Dieting too much in a short period of time could result in a more aged appearance due to the loss of facial fat.
② Dieting too much in a short period of time could result in a more aged appearance due to the loss of facial fat. Therefore, a short-term diet isn't good for those in their 40~50s.
④ Our skin slowly starts to age from our mid-20s, and in our mid-life we get wrinkles or sagging skin around our eyes and mouth.

※ **[13~15] Select the answer with the correct order.**

13

(가) You need to pay the most attention to your health when visiting a travel destination.
(나) And you mustn't drink or eat unboiled water, undercooked food, etc.
(다) For healthy traveling, you must first wipe your hands often.
(라) Finally, take some basic first-aid medicine for emergency cases.

Put the sentences in the correct order

Look carefully at link words like '그리고' or '끝으로' to see if the context of the sentences is correct. (가) states that at a travel destination, you must be most watchful of your health. Then (나) and (다) explain what to be cautious about to protect your health. '끝으로' is used to wrap up the writing.

14

> (가) Even just hearing the word cassette tape makes me nostalgic.
>
> (나) That's why even now I sometimes listen to music on cassette tapes.
>
> (다) It's because I listened to most of the music in my childhood through cassette tapes.
>
> (라) The cassette tape has its own charm that can't be felt by today's MP3 generation.

Put the sentences in the correct order

The text is about how the word '카세트테이프' makes the writer nostalgic. Therefore, it's most natural to start the writing with (가). Then the reason for feeling the nostalgia through '카세트테이프' (다), and the charm of '카세트테이프' (라) are explained. At the end should come the explanation that this is the reason the writer sometimes listens to cassette tapes.

15

> (가) This system reports the current location to a transmitter of an ambulance through GPS.
>
> (나) For this, an automatic control system for traffic lights is implemented when the ambulance starts.
>
> (다) To minimize the injury in an emergency situation, the dispatch time of the ambulance is within 5 minutes.
>
> (라) Then the receiver on the traffic lights turn green at the appropriate time.

Put the sentences in the correct order

The text is about the automatic control system that is used to control traffic lights for the ambulance to avoid traffic and arrive quickly. '이를 위해' in (나) is the premise for the following sentence to fulfill the condition of the previous sentence. Thus, the reason the automatic control system for traffic lights is implemented when the ambulance starts in (나) is found in (다), where it's to make the dispatch time of the ambulance within 5 minutes. To enable this, the automatic control system is operated in the order of (가) and (라). Therefore, ① is the most appropriate order.

※ **[16~18] Read the text and select the most appropriate phrase for (　).**

16

> Most parents of students think drinking a lot of fruit juice is good for the health. But the advantages of drinking fruit juice can't be compared to the advantages gained when eating the fruit fresh. In fact, fruit juice contains as much sugar as soft drinks, so (　).

Select the appropriate content for the context

Unlike fresh fruit, fruit juice contains a lot of sugar like soft drinks and is high in calories, and thus is the cause of child obesity. '오히려' is used when the content is completely different from or the opposite of the previous situation.

17

> One of the country's relief teams, Hope Volunteer Group, annually visits disaster areas and provides various relief operations such as fixing homes, washing contaminated clothes and quilts, etc. for free, and providing temporary homes for people who have lost their place of shelter because their houses have been destroyed. But they are experiencing difficulties in what should be smooth relief activities (　). Anyone who wishes to participate in Hope Volunteer Group and help the relief activities can apply via phone.

Select the appropriate content for the context

The last sentence is explaining the way to participate in the volunteer group. Therefore, the phrase that there is a lack of volunteer members is the correct answer.

18

> An eco-friendly house is also called a green house, literally meaning house (　). Let's find out the basic requisites for an eco-friendly house. First, to prevent energy loss, it is necessary to use outstanding insulation made of natural ingredients and eco-friendly substances such as mud or straw. Second, a system must be provided where energy is self-produced or only the minimum amount used. Last is the recycling of water, with a facility that will reuse water such as rain water or rice water to clean, for the bathroom, etc.

Select the appropriate content for the context

The text is explaining that the basic requisite for an eco-friendly house is to be built to use the minimum amount of natural resources. From this, it can be known that an eco-friendly house doesn't harm nature.

The characteristic of bedding sold these days is that it is possible to use throughout all the seasons. But as the entire bedroom changes just by changing the bedding, using bedding with the right material and color for the season will change the atmosphere and provide a more pleasant sleeping environment. The ideal material for summer bedding is cotton that absorbs sweat and airs out well. (   ) soft and warm materials are used for winter bedding, and recently a new material called tencel fiber, which as the strength of cotton, linen and silk, is also used.

19 Select the appropriate content for the context

After the explanation about summer bedding comes the explanation about winter bedding. Therefore, the conjunctive adverb '반면' that will continue that content in contrast to summer bedding is appropriate.

20 Understand the details

② For a more pleasant sleeping environment, as the atmosphere of the bedroom changes just by changing the bedding, it's good to change it according to the season.
③ It's stated that the atmosphere of the bedroom changes even just by changing the bedding.
④ In recent winters, a new material called tencel fiber, which has the strength of linen and silk, is used.

※ 【21~22】 Read the text and answer the questions.

There are over 2,000 regional festivals held across the country in a year. So there are many festivals that have similar themes. The popularity of the trout festival has led to the emergence of similar festivals in different areas under the theme of winter fishing, and rape flower festivals are being held in places regardless of their regional features. As festivals have become a source of income for regions, the controversy of copying continues, but there are many regional government associations that (   ) and pretend they don't know. It is also being pointed out that good and bad festivals need to be distinguished as the flood of regional festivals is leading to budget waste.

21 Select the appropriate content for the context

① 귀를 기울이다 – listen attentively
② 시치미를 떼다 – pretend not to know or not to have done it
③ 발 벗고 나서다 – participate actively
④ 허리띠를 졸라매다 – really save and conserve

22 Select the main idea

Easily copying popular themes for the visible profit instead of self-developing distinct regional festivals leads to budget waste and easily causes regional conflict. Thus, it's necessary to organize the flood of regional festivals.

※ 【23~24】 Read the text and answer the questions.

Trying to stay awake because adults told me if you sleep your eyebrows will become white, I fell asleep an instant and when I woke up it was a bright New Year's Day. Memories of changing into a new Hanbok, doing the ancestral ritual, then bowing to the village adults feel new like they were yesterday. The words of the song, "The magpie's new year was yesterday, our new year is today." resound in my ears. And I can see clearly how I used to play boisterous games of Yut and jump on the seesaw with relatives. Today's generation doesn't like to gather with their relatives on holidays, and holiday gatherings even become causes of conflict. For this reason, it is actually the trend for people to go traveling in the holiday season.

23 Grasp the writer's feelings

Playing the boisterous game of Yut with relatives is describing an image of relatives gathered together, talking and playing Yut. Thus, it can be thought that they are gathered for the holiday and having a good time.

24 Select the answer with the same content.

Understand the details

② Today's generation doesn't like to gather with relatives during the holiday season.
③ On New Year's Day, the writer played Yut and on the seesaw with relatives.
④ In the past, the writer used to wear a Hanbok and go around bowing to the village adults.

※ 【25~27】 The text is the title of a newspaper article. Select the answer that best explains it.

25

A lot of snow on eastern coast throughout tonight... Fine dust to leave Seoul

Grasp the content by the title

'밤새 - All night, 큰 눈 - A lot of snow, 물러가 – Disappears as it moves. So it means a lot of snow will fall in the eastern coast, and the amount of fine dust will decrease in Seoul.

26

Cigarettes are the enemy of health! Government launches war on cigarettes.

Grasp the content by the title

The reason '담배를 없애는 방법을 개발할 것이다.' in ③ is inappropriate is because cigarettes are a consumption preference, and as it's interfering with the autonomy of the production companies, it's not right to get rid of cigarettes until they are categorized as drugs or hazardous substances and impose legal restrictions. But because of the aspect that cigarettes are harmful to the human body, it's necessary to advise people to reduce their amount of smoking or to establish regulations so that they don't cause harm to others. Thus, ④ is most appropriate as the answer.

27

'Wisdom of ancestors' scientifically proven... Eating nuts prevents cancer · heart disease

Grasp the content by the title

The idea that 'nuts are good for your health' that has been passed down through the ages has been scientifically proven to be true.

※ (28~31) Read the text and select the most appropriate phrase for (　).

28

The Dutch venture company 'Mars One' is pushing a project to build a village that people can inhabit Mars. Of the 20,000 people around the world who signed up to live on Mars, 1,058 passed the first round. Mars One will ultimately select 24 people, and plans to send them to Mars starting in 10 years. But Mars has a barren environment with cold weather of 55 degrees below zero, no water, and mostly carbon dioxide in the air. As such, most view (　　).

Select the appropriate content for the context

After the explanation about the project comes the information about the present condition of Mars, which is a barren environment of cold weather of 55 degrees below zero, no water, and no oxygen. From this, it can be inferred that most people think the project will be impossible.

29

Art therapy is a type of psychological treatment that uses the activity of art to express feelings or thoughts that are hard to describe in words and thereby ease emotional stress. For children who find it difficult to express their emotions or experience (　　). Children who have received psychological shock can not only gain emotional stability by drawing or making something, but also specifically convey and process their experience. Expressing their thoughts and experience in this way can ease the psychological shock of children.

Select the appropriate content for the context

As children are limited in the ability to express their experience in words, they can express their emotions through art activities such as drawing and making things to ease psychological shock.

30

When they hear 'World Cup' most people think of the soccer competition organized by the Fédération Internationale de Football Association. But the world cup refers to all sports matches (　　). There is actually the women's world cup soccer competition, and men/women's world cup volleyball competition organized by the Fédération Internationale de Volleyball. In golf, the competition played by countries where two professional golf players form one group; in ski, the general game played by countries; and in hockey, the competition organized by the International Hockey Federation are all referred to as world cup.

Select the appropriate content for the context

'Most people think the world cup is a 'soccer competition,' but the world cup also means the competitions of different sports other than soccer such as volleyball, golf, ski, and hockey. Also, as there is no mention of the qualifications to be a player, and all of them are held on an international scale, the answer is ④.

31

In Ganghwado, there is a road for bicycles beside the road following the coast, so it is possible to ride a bike by the sea and actually feel the sea. If you go at the right time, you can see the sea water coming into the foreshore, and feel the season thanks to the flowers by the road. The author Arthur Conan Doyle said, "When hope hardly seems worth having, just mount a bicycle and go out for a spin down the road, without thought on anything but the ride you are taking." Here (　　).

Select the appropriate content for the context

Ganghwado is a good place to feel the sea because there is a separate road for bicycles. Thus, the explanation that this is a really good place to remember Arthur Conan Doyle's words, '자전거를 타고 나가 그저 달리고 있다,' is most appropriate.

※ (32~34) Read the text and select the answer with the same content.

32

Einstein said in the past that if honey bees become extinct, man will also become extinct within 4 years. This is because more than 80% of the food that man eats requires the power of honey bees. The actual start of the extinction of honey bees in the US and Europe from 2006 is spreading to all of Asia and Africa, and causing concern. If the number of honey bees that help the reproduction of fruits and vegetables decreases, man will experience the difficulty of food shortage.

Understand the details

The reason the extinction of honey bees causes the extinction of man is because honey bees directly influence the reproduction of fruits and vegetables.

① The extinction of honey bees started in the US and Europe.
③ More than 80% of food requires the power and help of honey bees.
④ It says that if honey bees become extinct, man will become extinct within 4 years.

33

The national pension system is a social security system carried out by the country; it is a public pension system for the people apart from workers of specialized jobs. Therefore, membership is mandatory by law. It is an income security system of insurance payment through income from activity that is accrued and then given to the people to enable them to maintain their basic livelihood, by providing them or their remaining family with a pension when they are old or need to stop their activities for income due to a sudden accident or illness.

Understand the details

① The national pension system is a public pension system.
② All the people other than workers of specialized jobs must become members of the national pension system.
④ The pension is given to the person or the remaining family once the income from activity is stopped due to old age or an accident, etc.

34

A true hero who saves the company isn't outwardly revealed. A true hero thinks and decides without a sound and leads the group to success; he is a quiet leader. A quiet leader has unique virtues, namely self-control, humility, and persistence. These three are all quiet and general virtues. None of these suit what we consider to be leadership. But their ordinariness is the fundamental reason these three virtues have value. They are virtues that enable the person to approach people in a familiar and natural way.

Understand the details

A quiet leader doesn't show on the surface, but leads the group to success. The qualities that make the leader unique are self-control, humility, and persistence. They are the virtues that enable the leader to approach people in a familiar and natural way.

※ **[35~38] Select the answer that is most appropriate as the theme of the text.**

35

Pears are cool and sweet because they contain a lot of water. Pears can be eaten after they are peeled and cut, consumed as juice, or eaten cooked. Pears also help when you have a cold because they get rid of coughs, phlegm, bronchial trouble, etc. Recently, methods of producing fiber supplements that help constipation improvement, exfoliants, toothpaste, etc. made of pear scraps have been developed.

Grasp the main idea

Pears are tasty eaten as fruit, are good for your health, and the scraps after juicing pears help ease constipation. Thus, the theme of the text can be that it's a useful fruit with nothing to waste.

36

Stone walls can be seen wherever there are stones. But the stone walls of Jeju are different from the stone walls of other regions. The stone walls of *Jejudo* have random holes between the tightly stacked stones, so they are called 'Wind nets.' The gaps were thought up to prevent the stone walls from collapsing from the strong wind; they are a glimpse into the wisdom of the people of *Jejudo*. When stacking up stone walls, if one side shakes the entire wall can collapse, so the villagers must work together to stack them up. As such, the stone walls also show the team spirit of the people of *Jejudo*.

Grasp the main idea

Unlike other stone walls, the stone walls of *Jejudo* have purposely made holes between stones so that the strong wind of *Jejduo* can blow through them. As the stone walls couldn't be built alone, it required the teamwork of the villagers.

37

The butterfly effect means the phenomenon of a small change such as the small flutter of a butterfly inducing a huge change like a storm. An American meteorologist discovered during a test using a computer that a tiny difference in the initially inputted value becomes incredibly amplified and draws a complicated orbit. The shape of a butterfly's flutter was being drawn endlessly in a given range without intersection or repetition, and while this looked chaotic, it meant there was an inherent order within the chaos.

Grasp the main idea

The butterfly effect means the phenomenon of a small change leading to a big change. The big change that resulted from the small change could appear to have no relation, but as it began from the small change, it can be known that all things are connected and influence one another. Moreover, the outcome of the change alone looks extremely chaotic, but there is a certain regular order inherent to it. Thus, the main idea of the text is that things that appear to have no relation are actually all connected, and what appears to be chaotic actually has an inherent rule to it. In the case of ①, the phrase '복잡하고 규칙적인 궤도의 존재 자체' ('the very existence of the complicated and regular orbit') is only a part of the main idea of the text that '여러 현상의 연관성과 혼란 속 규칙의 내재' ('inherent rules that exist in the chaos and relation of many different phenomena') and so is inappropriate as the answer.

Words 유발하다 induce 미세한 tiny 증폭되다 amplify
혼돈 chaos 내재 inherent

38

Free school meals mean providing free lunches to students by using tax. In many cases it is applied to the low-income bracket and social minorities, but in some parts it is applied to all students. People who agree with free lunches for everyone base their view on, 'If only some children eat free lunches, this is feeding them food they can't eat comfortably.' On the other hand, people who are against it state that if a large budget goes out for the free lunches, there will be lack of money provided for the poor. They therefore argue that instead of supporting the meal fee of the upper-middle class, the finance should first be used to raise the standard of welfare for the poor.

Grasp the main idea

The text is explaining the terms for free school meals and also introducing the views for and against free lunches for everyone. Therefore, the main idea of the text isn't the argument about carrying out the free lunches for all, but the introduction of the views for and against it.

※ **〔39~41〕 Find the most appropriate place for the given sentence in the text.**

39

Using the air conditioner in the hot weather of summertime leads to a burdensome electricity bill. (㉠) If curtains are hung up on windows, they reduce the heat absorption and lower the indoor temperature. (㉡) When it is hot indoors, setting the air conditioner at 25℃ and turning on the fan at low speed will reduce electricity consumption. (㉢) Also, wearing thin clothes that allow a lot of air will lower the temperature of the body and make it cool.(㉣)

Here, it is effective to turn on the fan about 1~2m from the window.

Find the sentence location

The text is explaining the ways to reduce air-conditioning cost in summertime. As the sentence is explaining the way to turn on the fan, it's appropriate to come after ㉢ that states how using the air-conditioner and fan together can reduce electricity consumption.

40

Low-cost flights mean flights that are cheaper than the flight costs of airlines in general. (㉠) The flight cost includes the cost of physical and human service provided by the airline. (㉡) Low-cost flights have reduced the fee by minimizing these services. (㉢) There is a big difference in the price depending on the time of reservation, time of flight, and duration of travel. (㉣) Therefore, travelers who have a lot of information and make a strategic approach can obtain cheap flights.

But low-cost flights aren't all cheap.

Find the sentence location

Low-cost flights are flights that are low in cost. But there is a big price difference in the flight depending on the time of reservation, time of flight, and duration of travel. Thus, the sentence goes in ㉢ where the contents before and after it change.

41

In the latter half of the movie *The Face Reader*, the distinct concept of Korea, *Han* can be felt. (㉠) If you want to explain to a foreigner about Korea's unique feeling of *Han*, you should show them the climax of the latter part and the sorrow and resign of the two protagonists in the closing part of *The Face Reader*. (㉡) It is because the movie *The Face Reader* is a movie that captures the internal emotions of the characters and shows the 'universality' of man and the 'uniqueness' of Korean culture at the same time. (㉢) Even for this alone, *The Face Reader* can be called a masterpiece. (㉣)

The word *Han* can be described as sadness or tragedy in a foreign language, but it's difficult to explain its meaning.

Find the sentence location

The reason the sentence following ㉠ states '외국인에게 '한'이라는 한국만의 독특한 감정을 설명하고 싶다면' ('If you want to explain to a foreigner about Korea's unique feeling of *Han*) is because the word *Han* is difficult to explain to a foreigner. Therefore, it's most appropriate to place the sentence in ㉠.

Today was a lucky day for the rickshaw puller of Dongsomoon, Kim Cheomji. After nearly ten days of seeing no money, customers started pouring in since the first blow of the morning's wind, and 10 jeon nickels kept piling up until he made 80 jeon. This money was enough to buy one bowl of Seolleongtang for his bedridden wife and a cup of Makgeolli. [text omitted] His wife had been coughing for over a month or so. Barely able to eat meals, a pack of medicine was unheard of. Moreover, ten days ago, she ate boiled rice with millet, which caused indigestion and made her condition more critical.

Even so, she had been crying hoarse for one bowl of Seolleongtang. Just as he was thinking of going home with a full feeling, and because it was raining anyway, he heard a student calling him. The student asked for a ride to the station urgently. Ceasing this golden opportunity, Kim Cheomji said that he would only go for a sum of 50 jeon, and thus was able to rake in an unthinkably large sum of money.

[text omitted] A fully drunken Kim Cheonji bought home a bowl of Seolleongtang even in his drunkenness. But as he entered the front door, he could feel a scary stillness pressing on him. As Kim Cheonji entered the room, he put the Seolleontang in one corner and roared. "Every day and night you just like to lie there! You can't get up even if your husband comes in." Hearing no reply, Kim Cheonji kicked his wife's leg. It felt like a tree stump had been kicked. Kim Cheonji then looked into his dead wife's face with tears like chicken poop rolling down his face and began to pour out his complaint. "I bought Seolleontang for you but why can't you eat it....... It was strange today I had good luck......."

42 Grasp the feelings

Although Kim Cheomji is saying that it was a 'lucky day.' the day he thought he had the most luck turned out to be the most painful one. This is because he went about without knowing that his wife had died. Therefore, when he realizes that his wife has died, '애통하다' is the most appropriate word for Kim Cheonji's feelings.

> **Words** 애통하다 to grieve
> 𝐄𝐱 대통령은 전쟁에서 전사한 군인들의 소식을 듣고 애통해하였다.
>
> 우울하다 to be depressed
> 𝐄𝐱 수미는 중요한 시험에 떨어져서 우울해 했다.
>
> 의아스럽다 to be dubious
> 𝐄𝐱 나는 왜 평일에 은행 문이 닫혔는지 이유를 알 수 없어서 의아스럽기만 했다.
>
> 불만스럽다 to be discontented
> 𝐄𝐱 나는 어제 묵은 호텔이 깨끗하지도 않고 냄새도 많이 나서 매우 불만스러웠다.

43 Understand the details

To say that he didn't see money for ten days means that he couldn't make any money.
② Kim Cheomji's wife ate boiled rice with millet and had bad indigestion.
③ Unlike usual days, Kim Cheomji made a lot of money today.
④ Kim Cheomji was completely drunk but bought home Seolleongtang.

Women relieve stress through human relationships, but men relieve stress by solving the problem. So when the counterpart is depressed and stressed, men try to advise the counterpart on ways to solve the problem; on the contrary, women have conversation and try to comfort the other's feelings by empathizing with even the minor events. Because of this difference, men and women constantly experience conflict. Then why do these differences occur? This is related to the brain function called 'precommissure' that connects the left brain and the right brain. The woman's precommissure is thicker than the man's and so the exchange of information between the left brain and right brain is very lively, leading to a large amount of information regarding emotion. That's why women react (   ) than men.

44 Grasp the main idea

Men and women have different ways of relieving stress, and the text explains that the reason is because men and women have different brain structures.

45 Select the appropriate content for the context

The text explains that the information exchange between the left brain and right brain is much more lively in women than in men and therefore there is a large amount of information regarding emotion. As a result, the content that follows is that women react more emotionally than men.

Do animals communicate with each other? Don't animals just make sounds according to their natural instincts? (㉠) If that is the case, cats all over the world can only cry 'Meow,' and birds must only make their distinctive sounds according to their species. (㉡) In the past 30 years, a study that recorded and compared the song of Savannah Sparrows revealed that as time passed, the song composition evolved little by little. (㉢)

The Savannah Sparrows of Kent Island only make one sound that consists of four segments: the introductory, the middle, the buzz, and the trill. However, during the 30 years, a short and strong staccato has been included in the 'middle' segment, and the last 'trill' segment has changed into a low and short sound. (㉣) Just as people's way of speech and accents change according to the era, cultural evolution is also occurring in the song of birds.

> But new facts were discovered while studying the birds of Kent Island.

46 Find the sentence location

Because the sentence is talking about how new facts were discovered that were different from existing knowledge, look for the part where the latter information reflects a change from the previous information.

47 Understand the details

②, ③ After studies conducted on the birds of Kent Island, it was revealed that the same living things don't all have the same sound.

④ The Savannah Sparrows of Kent Island make only one sound that consists of four segments.

With the increased use of internet these days, although the document keeping and searching for necessary information has become quite convenient, the danger of personal information leakage to others has increased from the past. For those who are good with computers and want to use that knowledge intentionally, information stored on the internet is an easy target. Let's think about how to protect information exposed indiscreetly. First, there needs to be restrictive laws that distinguish personal information that can be stored as opposed to those that can't be stored depending on the type of government organization or corporation that stores personal information. Second, in the event core personal information has to be saved, the information must be password protected in case of information leakage, and its scope needs to be enlarged. Third, the governmental organization or corporation that has saved personal information (   ) making this mandatory so that there are legal consequences when it is violated. Lastly, the sharing of personal information among affiliated corporations needs to be restricted.

48 Grasp the purpose

The text is asserting that in order to protect personal information, there needs to be regulations regarding the indiscreet gathering and management of personal information, as well as the expiration date of the information.

49 Select the appropriate content for the context

Find the content that explains how to block information leakage apart from password protecting most information and minimizing the sharing of that information.

50 Grasp the writer's attitude

This text presents the problem of the increased danger of information leakage to others on the internet, and ways to protect personal information.

실전 모의고사 ❸회 Actual Practice Test 3

듣기 [1~30]

1. ③	2. ②	3. ①	4. ③	5. ①	6. ③	7. ④	8. ①	9. ③	10. ④
11. ③	12. ②	13. ②	14. ①	15. ④	16. ①	17. ③	18. ②	19. ①	20. ④
21. ①	22. ④	23. ④	24. ③	25. ①	26. ④	27. ①	28. ②	29. ①	30. ②
31. ②	32. ③	33. ③	34. ②	35. ①	36. ③	37. ④	38. ②	39. ①	40. ③
41. ④	42. ④	43. ②	44. ③	45. ②	46. ④	47. ④	48. ②	49. ④	50. ④

쓰기 [51~52]

51. ㉠ 5점 도서관 이용증 미소지자는 도서관 이용(도서관 출입)이 불가합니다. /
도서관 이용증이 없으면 도서관 이용(도서관 출입)이 불가합니다. /
도서관 이용증이 없으면 도서관을 이용할 수 없습니다.
3점 도서관 이용증이 없으면 도서관에 들어갈 수 없습니다. / 도서관 이용증이 있어야 합니다.

㉡ 5점 2층 열람실 자료를 제외하고 대출과 복사가 가능합니다.
2층 열람실 자료를 제외하고 대출과 복사를 할 수 있습니다.
3점 대출과 복사가 가능합니다. / 대출과 복사를 할 수 있습니다.

52. ㉠ 5점 식물에 따라(식물마다) 다르게 취급해야 한다. /
식물에 따라(식물마다) 키우는 방법이 다르다.
3점 다르다. / 같지 않다.

㉡ 5점 교육 방법이 달라져야 한다. / 교육 방법이 달라야 한다. / 교육해야 한다.
3점 교육 방법이 다르다. / 교육한다.

★ [53~54] Model responses are given with explanations.

읽기 [1~50]

1. ② 2. ③ 3. ③ 4. ② 5. ④ 6. ③ 7. ④ 8. ① 9. ③ 10. ④

11. ① 12. ④ 13. ③ 14. ③ 15. ③ 16. ④ 17. ① 18. ① 19. ② 20. ③

21. ② 22. ② 23. ① 24. ② 25. ③ 26. ② 27. ④ 28. ④ 29. ① 30. ①

31. ④ 32. ① 33. ① 34. ② 35. ③ 36. ③ 37. ④ 38. ① 39. ① 40. ②

41. ③ 42. ③ 43. ④ 44. ① 45. ① 46. ③ 47. ④ 48. ③ 49. ① 50. ④

듣기 | Listening

※ **(1~3) Listen to the dialogue and select the appropriate picture.**

1

여자 환자분, 여기는 어떠세요? 여기도 아파요?

남자 아얏! 네, 스키를 타다가 오른쪽으로 넘어져서 그런지 오른쪽 무릎하고 발목이 다 아파요.

여자 그래요? 그럼 일단 엑스레이를 찍어 봅시다.

W　Sir, how does it feel here? Does it hurt here, too?

M　Ouch! Yes, maybe it's because I fell to my right while skiing. My right knee and ankle both hurt.

W　Really? Then let's take an x-ray first.

Select the dialogue-related picture

As it is evident the woman is talking to a patient, the dialogue is taking place in a hospital. Therefore, ② is incorrect. The woman asks, "Does it hurt here, too?" touching a certain place, to which the man says it does hurt and says his right knee and ankle hurt. Thus, ① is also incorrect. Furthermore, as the man said that his right knee and ankle hurt, ④ is also incorrect.

2

남자 여기 창문 청소 다 했는데. 다음은 뭘 하면 되지?

여자 정말 고마워. 이제 바닥에 있는 책만 남았네. 번호 순서대로 정리해서 책장에 좀 넣어 줘.

남자 그래, 그런 것쯤이야 어렵지 않지. 그런데 책 번호 순서보다 주제별로 정리하는 게 좋을 것 같은데.

M　I've finished cleaning the windows here. What should I do next?

W　Thanks so much. Now we only have the books on the floor left. Put them in numerical order, then place them on the shelf.

M　Okay, that's not hard. But I think it would be better to organize the books by genre than numerical order.

Select the dialogue-related picture

The man asks what he should do next after he finished cleaning the windows. The woman asked if he could organize the books on the floor into numerical order. So the picture where the man is vacuuming in ① is incorrect. Also, because the man and woman are not at the bookstore, ③ is incorrect. Finally, since the man and woman are organizing books and not looking for them, ④ is also incorrect.

3

남자 한국 청소년들의 방학 중 온라인 게임 중독이 심각한 수준입니다. 중, 고등학생 1000명을 대상으로 조사한 결과 방학 동안 하루 평균 온라인 게임을 하는 시간이 6시간으로 나타났습니다. 시간별로 살펴보면 하루에 9시간 이상이 426명으로 가장 많았고, 3시간 이상이 201명, 6시간 이상이 129명, 기타 24명의 순서로 나타났습니다. 청소년들이 다른 건강한 취미를 가질 수 있도록 환경을 만들어야겠습니다.

M　Korean youth's level of addiction to online games during vacation is serious. A survey of 1,000 middle and high school students showed that during vacation, they spend an average of 6 hours a day playing online games. Looking at the specific times, more than 9 hours was the highest with 426 people, then more than 3 hours with 201 people, then more than 6 hours with 129, followed by 24 people with other lengths of time. An environment should be created for the youth to have other healthy hobbies.

Select the dialogue-related picture

It is important to listen to the first part of the man's words. The man talks about the addiction of young people to online games, and mentions the result of a survey on the average time per day that young people spend playing online games during vacation. Of the given graphs, the titles of ① and ③ are related to time. But as ③ is the average time spent playing games per year, it isn't the answer. Therefore, the answer to this question is ①, the graph that shows the number of young people who play games by the given time.

※ **(4~8) Listen to the conversation and select the dialogue that could follow.**

4

남자 우와, 저것 좀 봐. 진짜 재미있겠다!

여자 재미있어 보여? 난 보기만 해도 무서운데. 내가 타기에는 저거보다는 그 옆에 있는 놀이기구가 낫겠어.

남자 _____

M　Wow, look at that. It looks really fun.

W　Does it look fun? I'm scared just looking at it. I think the ride next to that one would be better for me.

M　_____

Select the following phrase

The man and the woman are looking at a ride and talking. The man says a certain ride looks fun, to which the woman replies that she's scared just by looking at it. This can be interpreted to mean that she won't go on the ride. Then, the woman says the ride next to it would be better for her. To this, the man's appropriate answer would be ③.

5

남자 이번 학기에 최 교수님 수업 어땠어요? 저는 교수님 수업이 아주 좋아서 다음 학기에 또 들으려고 하는데 같이 들을래요?

여자 좋아요. 최 교수님 수업은 과제가 좀 힘들기는 했지만 정말 재미있었어요.

남자 _____.

M How was Professor Choi's class this semester? I liked his class so much, I'm going to take it again next semester. Do you want to take it together?

W Sure. Professor Choi's class had tough assignments, but it was really fun.

M _____.

Select the following phrase

It is known from the conversation that the man and woman both think positively about Professor Choi's class. To the man's suggestion that they take the class together, the woman answers that the assignments were hard but fun. Therefore, the most natural answer would be ①. As the man likes Professor Choi's class, a negative expression like '글쎄요' doesn't fit the context. As the woman already mentioned that the assignment was hard, a question like '과제가 너무 어렵지 않았어요?' that seeks a response to an opinion is inappropriate.

6

남자 주말인데 약속도 없고 심심하지 않아? 영화 보러 갈까?

여자 영화? 보다시피 난 지금 일이 많아. 하지만 청소를 좀 도와주면 빨리 끝내고 갈 수 있을 것 같은데.

남자 _____.

M Aren't you bored without plans for the weekend? Do you want to go watch a movie?

W A Movie? As you can see, I have a lot of work right now. But if you help out with the cleaning, we'll be able to finish early and go.

M _____.

Select the following phrase

The man suggests to the woman that they go watch a movie, but the woman says she can't because she has a lot of work. But since the woman says that they could go if he helps her with the cleaning, in this case the man must either help with the cleaning or give up going to the movies. As ③ means the man will help with the cleaning, it is the appropriate response.

7

남자 어제 유나하고 심하게 싸웠다면서? 둘이 친한 줄 알았는데 왜 싸운 거야?

여자 아니, 안 싸웠는데? 유나하고 나는 어렸을 때부터 같은 동네에 살아서 아주 친해. 가끔 의견이 안 맞으면 큰 소리로 이야기하기는 하지만 금방 풀려. 친구들이 잘못 듣고 오해했나 보네.

남자 _____.

M I heard you guys fought particularly hard yesterday. I thought you were close, why did you fight?

W No, we didn't fight. Yuna and I have lived in the same neighborhood since we were young, so we're very close. Sometimes we talk loudly when we don't agree on something, but it doesn't last long. The person who heard that from must have misunderstood.

M _____.

Select the following phrase

The man heard that the woman fought with Yuna, and asks her the reason for the fight. But the woman explains that there must have been a misunderstanding. As the woman didn't fight with Yuna, ④ is appropriate as the man's answer.

8

여자 우리 오늘 회의가 몇 시라고 했죠? 아직 회의 자료 준비가 다 안 돼서 바로 시작하기 힘들 것 같은데.

남자 회의는 점심시간 끝나고 1시 반쯤 하기로 했는데요. 저라도 자료 준비를 좀 도와 드릴까요?

여자 _____.

W What time did we say our meeting was today? The meeting material isn't ready yet, so it will be difficult to start right away.

M The meeting will be after lunch, around 1:30. Shall I help you prepare the material?

W _____.

Select the following phrase

The man and the woman decide to have a meeting after lunch. But as the woman hasn't prepared the meeting material, the man says he would help. The woman has to either prepare with the man or refuse his help. The case of ① where the woman refuses the man's help but asks for the meeting time to change instead is the most appropriate answer. Since the material is for the meeting, saying that the material can be prepared after the meeting in ③ is inappropriate.

9

남자 세상에. 내일 면접에 그 옷을 입고 가려고?

여자 응, 내가 보기에는 괜찮은 것 같은데. 이제 봄이니까 좀 밝게 입어도 될 것 같아서. 왜? 이상해 보여?

남자 예쁘기는 한데 면접에 입을만한 옷은 아닌 것 같아서. 다른 옷은 없어?

여자 알았어. 그럼 갈아입고 나올게.

M   My goodness, are you going to wear that to the interview tomorrow?

W   Yes, it looks fine to me. I thought it would be okay to wear bright clothes now that it's spring. Why? Does it look weird?

M   It's pretty, but I don't think it's something to wear to an interview. Don't you have anything else?

W   All right. I'll change and be right back.

Select the following action

The man says the woman's clothes are inappropriate for an interview. When the man asks if there are other clothes, the woman says she will change. '갈아입다' can be used for clothes, so the woman will change her clothes after the conversation.

10

여자 저, 이 운동을 배워 보려고 하는데 여자도 배울 수 있죠?

남자 그럼요. 여자도 얼마든지 배울 수 있어요. 일단 여기 회원가입 신청서를 작성해 주세요. 모든 항목을 다 써 주셔야 해요.

여사 네. (잠시 후) 여기 있습니다.

남자 저, 신청서를 봤는데 시력이 안 쓰여 있네요? 이 운동은 시력이 중요하거든요.

여자 그래요? 정확한 시력은 잘 모르는데……. 그럼 근처 안과에서 검사하고 다시 올게요.

W   Um, I'd like to learn this sport. Women can learn it too, right?

M   Of course. Women can learn it for sure. First fill out this membership application form. Please fill out every part.

W   Okay. (after a while) Here you go.

M   Um, I looked at the form, but you've left the vision section blank. Your vision is important for this sport.

W   Really? I don't know my exact vision. Then I'll come back after getting my vision tested at the optometrist.

Select the following action

The man says that every part of the membership request form must be filled out. But the woman left out her vision because she doesn't know her exact vision. To this, the man says she must fill out this part because her vision is important in learning the sport. The woman says she will come back after getting a test at the optometrist.
It is important to know what '안과' and '검사' mean.

11

남자 이거 분리수거 하려고 모아 놓은 거예요? 그런데 이 비닐봉지는 재활용이 안 되는 거예요. 저 비닐봉지는 재활용할 수 있고요.

여자 아 그래요? 비닐봉지가 재활용할 수 있는 것도 있고 할 수 없는 것도 있어요? 몰랐어요. 그럼 이것도 안 돼요?

남자 네, 물건을 산 후에 담아주는 일반 비닐봉지는 안 돼요. 비닐봉지에 재활용 표시가 있는 것만 할 수 있어요.

여자 아, 그럼 재활용 표시부터 확인해야겠네요.

M   Did you keep all this to separate them for recycling? But this plastic bag can't be recycled. That plastic bag can be recycled.

W   Oh, really? There are plastic bags you can recycle and those you can't? I didn't know. Then can't I recycle this one?

M   No, you can't recycle the normal plastic bag they give you for your groceries. You can only recycle the plastic bags that have the recycle sign on them.

W   Oh, then I should check for the sign first.

Select the following action

There are plastic bags that can be recycled and those that can't. The man explains this to the woman, and tells her only plastic bags with the recycle sign can be recycled. The woman says she should first check for the sign. Thus, it would be most natural for the woman, after the conversation, to check for the plastic bags with the recycle sign.

12

남자 이 대리. 결과 보고 준비 됐죠?

여자 네, 너무 긴장돼요.

남자 괜찮아요. 긴장하지 말아요. 안에 들어가면 사장님하고 부장님이 계실 거예요. 발표에 쓸 컴퓨터는 모두 준비되어 있고요. 발표를 시작하면 우선 동영상부터 보여 드리세요. 그 후에 결과 보고하고, 질문하시면 잘 대답하면 돼요.

여자 네, 감사합니다.

남자 아, 그런데 사장님하고 부장님께 드릴 보고서 아직 복사 안 했지요? 나한테 주면 복사해다 줄게요.

M   Ms. Lee, are you ready to report on the result?

W   Yes, I'm so nervous.

M   It's okay. Don't be nervous. When you go inside, the president and the department head will be there. The computer to be used for the presentation is ready. Once you start the presentation, first show the video clip. Then give the report on the result. If they ask questions, just answer them well.

W   Okay, thank you.

M   Oh, but you haven't made copies of the report to give to the president and the department head, have you? If you give them to me, I'll make the copies.

Select the following action

It's important to listen to the last sentence. To the woman who is about to make a result report, the man gives the order of the presentation. The man then asks if the woman has made copies of the report, and says he would make the copies if she hasn't. Therefore, after the conversation, the woman must give the man the report as in ②. The man will make the copies, so ① where the woman goes to make copies can't be the answer.

※ 〔13~16〕 Listen to the dialogue and select the corresponding answer.

13
남자 보일러가 꺼져 있네? 아까 외출할 때 끄고 나간거야?

여자 응, 외출할 때 보일러를 끄고 나가야 난방비를 절약할 수 있으니까.

남자 사람들이 흔히 그렇게들 생각하지만 아니야. 그렇게 껐다 켰다하면 난방비가 더 나올 수도 있어.

여자 난방비가 더 나온다고? 그게 무슨 소리야?

남자 다시 보일러를 켜면 따뜻해질 때까지 순간적으로 더 많은 에너지를 사용하게 돼서 난방비가 많이 나와. 그러니까 일정한 온도를 유지하는 게 오히려 난방비를 절약하는 방법이야.

M   The heating's turned off. Did you turn it off when you left the house?

W   Yes, to save on gas, you should turn off the heating.

M   That's what people normally think, but it's not true. Turning the heating on and off like that could actually increase the bill.

W   Increase the heating bill? What are you saying?

M   If you turn the heating on again, more energy will be used instantly until it becomes warm, This causes the heating bill to go up. So it's actually more economical to keep the temperature constant at a certain level.

Understand the details

The man says that to save on the heating bill, it's better to keep the temperature constant at a certain level. As turning the heating on and off doesn't save on heating, answers ①, ③, ④ are incorrect.

14
여자 자, 여러분 이번 시간에는 신입생들을 대상으로 도서관 이용 방법에 대해서 말씀드리겠습니다. 여기 화면에서 보시다시피 우리 학교 도서관은 총 4층으로, 지하 1층과 지상 1, 2층에 여러분이 이용할 수 있는 열람실이 있습니다. 도서 대출은 지하 1층 자료 열람실에서 할 수 있는데 이곳을 이용할 때에는 반드시 학생증을 가지고 가야 합니다. 도서 대출은 1인당 5권까지 가능하며 대출 기간은 1주, 연체했을 시 책 1권에 하루 200원의 연체료를 내게 됩니다.

W   Now everyone, this is the time to explain to the freshmen about how to use the library. As you can see on this screen, our school library has a total of four floors. On B1 and the first and second floors are the reading rooms that you can use. You can take out books at the reading room of B1, but you must have your student ID when you go there. Each person can take out up to five books for a period of two weeks. For each overdue book, the fee is 200 won per day.

Understand the details

Books can be taken out from the reading room on the B1 floor. The library has up to four floors, but reading rooms only on the B1, first and second floors. Therefore, ② is incorrect. Moreover, as a student ID is necessary to borrow books, ③ is also incorrect. For each overdue book, 200 won, not 100 won must be paid per day. Thus, ④ can't be the answer either.

15
남자 지난 29일 오후 2시쯤, 김 모 씨가 몰던 차량이 강에 빠지는 사고가 발생했습니다. 또 지난 2일에도 고속도로를 달리던 박 모 씨의 차량이 앞 차와 충돌하는 사고가 있었습니다. 이 두 사고의 원인은 모두 졸음운전인 것으로 밝혀졌습니다. 최근 따뜻해진 기온으로 봄철 졸음운전 사고가 증가하고 있는 가운데 졸음운전 사고는 오후 2시에서 4시 사이에 가장 많이 발생하는 것으로 나타났습니다. 이 시간에는 무리하게 운전하는 것보다 휴식을 취하고, 간단한 체조를 통해서 졸음을 쫓는 것이 중요하겠습니다.

M   Around 2p.m. on the 29th, there was an accident in which the car driven by a Mr. Kim drowned in the river. Also, on the 2nd, there was an accident on the highway where a car driven by a Mr. Park collided with the car in front. With the warmer weather, the number of accidents caused by springtime drowsy driving is increasing. Drowsy driving accidents appear to be most common between 2p.m. to 4p.m.. At this time, it is important to take a rest rather than to drive, and to get rid of drowsiness through light exercise.

Understand the details

The cause for the accidents that occurred on the 29th and the 2nd is springtime drowsy driving. As drowsy driving occurs a lot in the afternoon, the report says it's important to take a rest rather than driving at this time. Furthermore, it is good to get rid of drowsiness through light exercise. The information of ④ that states it is prohibited to drive from 2p.m. can't be verified from the text.

16

여자 면접시험에서 성공할 수 있는 방법은 무엇입니까?

남자 가장 중요한 것은 자신감을 가지고 자기의 이야기를 당당하게 하는 것입니다. 그리고 또 한 가지 알아야 할 것은 면접 자리에서 지나친 자기 자랑은 피해야 한다는 것입니다. 대부분 회사에서 진행하는 일들은 팀으로 이루어집니다. 그래서 면접관들은 이 사람이 단체 생활을 할 때 어떤 성향을 가지고 있는지를 크게 평가합니다. 저 역시 직원을 뽑을 때 그 점을 주의 깊게 보는데 결국 회사 입장에서도 능력이 아무리 뛰어나도 단체 생활을 제대로 해내지 못할 사람이라면 그다지 반기지 않게 됩니다.

W What is the way to have a successful job interview?

M The most important thing is having self-confidence and speaking with confidence. It's also important to avoid too much boasting in an interview. Most of the work in companies is done in teams, so interviewers largely evaluate the qualities a person has in a group setting. This is also something I look at closely when hiring employees. In the end, even if people have great talent, if they can't work properly in a group setting, they won't be welcomed much by companies.

Understand the details

As an answer to how to have a successful job interview, the man says to have confidence. He also says to avoid boasting because this is a standard for evaluation to see if a person fits in a company that works in a group setting. Therefore, ② that says more boasting will lead to more points is incorrect. The man says the ability to work in a team is evaluated higher than individual capability. Thus, ① is the answer. As there is no information that companies welcome people with confidence, ④ is incorrect.

※ 〔17~20〕 Listen to the conversation and select the main idea of the man.

17

여자 어제 책을 한 권 읽었는데 서로 친구가 된다는 것은 서로의 비밀을 아는 거래. 나의 감추고 싶은 부분을 보여주는 것으로 우정을 만드는 거지.

남자 정말 그게 우정이라면 우정을 지키는 일은 아주 어려운 일이겠구나. 난 비밀이 입 밖으로 나오는 순간 비밀이 아니라고 생각해. '너만 알고 있어야 해.'라고 하면서 자기의 비밀을 꼭 한 명에게는 말을 하게 되는 것이 사람 심리잖아. 그런데 그러다 보면 결국에는 주변 사람들이 다 알게 되고 더 이상 비밀이 아닌 게 되지.

W I read a book yesterday that said being friends is knowing one another's secrets. Friendship is built when you share what you want to hide.

M If that really is friendship, it will be hard to keep friendships. I think the moment a secret is spoken out, it's no longer a secret. It's in the human psychology to tell one person a secret saying, 'Keep this to yourself.' But eventually, the "secret" ends up going around, and it's no longer a secret.

Select the main idea

The man thinks the moment a secret is spoken out, it's no longer a secret. But people tell their secrets to one person, and the one person becomes two until the number of people who knows increases and the secret is no longer a secret. In the end, as in ③, the man thinks it's almost impossible to keep a secret.

18

남자 어제 열심히 인터넷을 하는 것 같더니 쇼핑했나 봐?

여자 응, 오랜만에 이것저것 많이 샀지. 이렇게 많이 사도 백화점에서 사는 것의 반값 밖에 인 되니까 결국 돈을 많이 절약한 거 아니겠어?

남자 그런데 인터넷으로 산 물건을 오래 사용하니? 특히 옷 같은 건 인터넷으로 사면 아무래도 품질이 좀 떨어져서 오래 못 입고 버리잖아. 그리고 다시 사고. 좀 비싸도 직접 눈으로 확인하고 사는 게 나은 것 같아.

M You seemed to be surfing the internet really fervently yesterday. Were you shopping?

W Yes, it has been quite awhile since I've bought this and that. I bought all this and still only spent half as much as I would in a department store. So I've ultimately saved money, wouldn't you say?

M But how long do you use the things you buy online? Especially clothes bought online are lower in quality and so you throw them out after a while. Then you buy again. I think it's better to buy after directly checking the item, even though it's a little more expensive.

The man's last words are that it's better to actually check things with your eyes before buying them. Also, he thinks clothes bought online are lower in quality. Therefore, ① isn't the man's thoughts, and ③, which states that you can save money if you buy online is the woman's thoughts.

19

여자 민수 씨는 토요일마다 아이들을 위한 봉사활동을 하지요?

남자 네, 한 5년 정도 된 것 같은데요.

여자 다른 봉사활동을 해 볼 생각은 없어요?

남자 없어요. 제가 봉사활동을 하는 곳은 어린 아이들이 많은 곳인데 자원봉사자가 매번 바뀌니까 아이들이 상처를 받더라고요. 친구라고 생각한 사람들이 어느 순간부터 오지 않으니까요. 다양한 봉사 경험도 좋지만 꾸준하게 하는 것이 더 좋은 것 같아요.

W Minsu, you do volunteer work for children every Saturday, right?

M Yes, I think it's been around five years. Now I've become so close with the children, I can't imagine quitting.

W I'm sure. Haven't you thought about doing other kinds of volunteer work?

M Not really. I volunteer for a place with many children. But because the volunteers change often, the children get hurt. It's because people they thought were their friends suddenly don't come anymore. Having diverse volunteer experience is good, but I think doing one consistently is better.

Select the main idea

In the conversation, the man doesn't have many thoughts about changing his volunteer work, and he says it's good to do one volunteer work consistently. Therefore, ① is appropriate as the man's idea. He has been working in the same organization for five years because the children get hurt if the volunteers keep changing. Thus, ③ is inappropriate as the answer.

20

여자 요즘 성인 여성은 물론 청소년들까지 다이어트 열풍인데요. 오히려 무리한 운동으로 건강을 해치는 경우도 있습니다. 어떻게 생각하십니까?

남자 규칙적인 운동은 신체 건강과 정신 건강에 좋은 영향을 줍니다. 그러나 주의하지 않고 무리하게 운동을 하다가는 운동을 안 하니만 못한 위험한 상황을 초래할 수도 있습니다. 따라서 자신의 몸 상태에 따라서 운동 전, 중, 후로 구분하여 각 단계의 주의사항을 잘 지켜야 건강을 지킬 수 있습니다.

W These days, diet is a trend not only among adult women but also among youth. Too much exercise can actually ruin your health. What do you think?

M Regular exercise has a very good effect on the health of the body and the mind. But if you work out too much without being careful, this could lead to dangerous consequences that are worse than when not exercising. So to protect your health, you must keep to the precautions for each step before, during, and after exercise.

Select the main idea

The man says that regular exercise is good, but you shouldn't do too much exercise. To protect your health, you must adhere to the precautions of each step before, during, and after exercising. Therefore, ④ is appropriate as the man's thought. ② is only a part of what the man said. As it's not the main opinion of what the man wants to say, it's incorrect.

※ **[21~22] Listen to the dialogue and answer the questions.**

여자 요즘은 기본 월급은 적어지고 능력에 따른 월급은 늘어난 것 같아요.

남자 그렇죠. 일의 성과에 따라 월급을 받게 되면 직원들이 열심히 일을 할 테니까요.

여자 그렇기는 하지만 회사 일이라는 것이 항상 자기 마음대로 되는 것은 아니잖아요? 또 하는 일에 따라서는 특별한 능력을 보여주지 못하는 일도 있을 텐데 그런 사람들에게는 안 좋은 것 같아요.

남자 저 같은 경우에는 좀 달라요. 똑같이 월급을 받을 때는 일을 열심히 안 했던 것 같아요. 어차피 다른 사람과 똑같이 월급을 받으니까요. 하지만 일을 하는 만큼 돈을 받게 된 후부터는 나 자신을 위해서도 더 일에 집중하게 됐어요.

W I think these days companies are decreasing the base salary and increasing the ability-based salary.

M That's right. It's because if employees are paid based on how well they work, they will work harder.

W That's true, but your work doesn't always turn out the way you want it to. Also, there may be types of work where you can't necessarily show your abilities, so it's not good for people like that.

M In my case, when I was paid the same, I didn't work hard because I was paid the same anyway. But since getting paid based on the amount of work I do, I'm more focused on my work even for myself.

21 Select the main idea

The man says that he didn't work hard when he was paid the same as others, but focused more on his work when he was paid based on his abilities. Ultimately, the man thinks it's better to be paid based on your abilities.

22 Understand the details

It's not possible to know how much salary the woman gets paid at present. The person who gets the ability-based salary is the man. The woman says that companies these days are decreasing the base salary. Therefore, ② is incorrect.

※ [23~24] Listen to the dialogue and answer the questions.

> 남자 지난주에 구입한 물건을 교환하려고 하는데, 그쪽 회사로 다시 물건을 보내면 되는 거죠?
>
> 여자 네, 저희 회사 홈페이지에서 교환 신청서를 쓰신 후에 상자에 택배비와 함께 물건을 보내 주시면 됩니다. 물건만 보내시면 교환이 불가능하니까 주의해 주세요.
>
> 남자 네? 택배비를 제가 부담해야 하는 건가요?
>
> 여자 네, 반품의 경우에는 택배비를 저희가 부담하지만 교환은 고객님께서 부담하셔야 합니다.
>
> 남자 아, 그렇군요. 택배비는 5,000원이지요? 우체국 택배로 보내면 되나요?
>
> 여자 네, 우체국 택배로 보내셔도 되고 다른 택배로 보내셔도 되는데요, 구입 후 2주 이내로 보내 주셔야 합니다. 저희가 물건을 받으면 바로 교환 처리가 됩니다.

> M   I want to exchange the item I bought last week. Do I have to send the item back to your company?
>
> W   Yes, first fill out the exchange request form on our company's website, then send us the item with the delivery fee. Keep in mind that you can't make an exchange if you only send the item.
>
> M   What? I have to pay the delivery fee?
>
> W   Yes, if you're returning the item, we pay the parcel fee. But in the case of an exchange, the customer has to pay it.
>
> M   Oh, I see. The delivery fee is 5,000 won, right? Do I send it via the post office?
>
> W   Yes, you can send it via the post office or by other means. You must send it to us within two weeks of purchase. We will exchange the item as soon as we receive it.

23 Understand the man's action

If you listen to the man's first words, you can know that he wants to exchange an item. He is asking questions about whether he can send the item, who will pay the parcel fee, if he can send it via the post office, etc. In other words, he is double-checking the method of making an exchange.

24 Select the work the man should do

Checking the received item and making the exchange is what the woman's company should do, not the man. Furthermore, you can only write the exchange request form online. It's not possible to know whether the item arrived safely in the conversation.

※ [25~26] Listen to the dialogue and answer the questions.

> 여자 최근 몇 년 사이에 제작하신 영화 중에는 흥행 소설을 원작으로 한 영화가 많던데 특별한 이유가 있으신가요?
>
> 남자 영화를 제작하는 데 있어 가장 중요한 것 중에 하나는 대본입니다. 그런데 영화 제작을 위해 좋은 대본을 구하는 것이 쉽지 않은 일이었습니다. 그러다가 문득 소설을 떠올리게 되었습니다. 일단 흥행한 소설의 경우, 이야기의 내용이나 구성에 대해서는 의심할 필요가 없습니다. 어느 정도 검증이 된 상태니까요. 이것이 가장 중요한 이유였습니다. 또한 이미 사람들에게 많이 알려져 있기 때문에 영화를 홍보하는 데 있어서도 유리한 점이 많았습니다. 관객을 모으기가 훨씬 수월하지요. 그래서 앞으로도 좋은 소설을 계속 영화로 제작할 계획을 가지고 있습니다.

> W   Of the films you've produced in recent years, many of them are based on popular novels. Is there a special reason for this?
>
> M   One of the most important things in producing a film is the script. But it's not easy to find a good script for a film production. Then I thought of novels. In the case of popular novels, there's no need to doubt the content or structure. They've been verified to a certain degree. This was the most important reason. Also, because they're already well known among people, this was an asset to promoting the films. It's much easier to attract audiences. That's why I plan to continue producing good novels into films.

25 Select the main idea

The most important reason the man produces films based on novels is because the content or structure has been verified. Moreover, since they're already known to people, this helps in the promotion. The man is talking about the positive aspects of making films out of novels, and ① contains this information.

26 Understand the details

The man has produced films based on popular novels. It's not possible to check whether he wrote novels to promote the films as in ①. Finally, because he said he would continue producing films based on good novels, ② is also incorrect.

여자 너 고등학교 졸업하고 외국으로 유학 다녀온 적 있지?

남자 응, 5년 정도 외국에서 공부했지. 내가 공부했던 대학은 입학하려는 학생들이 모두 어학연수 기간을 1년 정도 거친 후에야 정식으로 입학할 수 있는 곳이 었어. 시험도 봐야 하고.

여자 정말? 지금 유학 중인 친구가 있는 곳은 어학연수 기간이 필요 없고, 입학시험만 잘 보면 바로 입학할 수 있다고 하더라고. 어디가 좋을까?

남자 언어를 확실히 해 두는 게 공부할 때 더 수월할 것 같은데?

여자 그렇긴 하지. 공부하면서 좋은 점은 없었어?

남자 아, 내가 공부했던 대학은 성적 장학금은 물론이고, 유학생 장학금이 따로 있어서 등록금 걱정을 덜 했어.

W You've studied abroad after graduating from high school, haven't you?

M Yes, I studied abroad for about five years. At the college I studied, all the students could only enroll officially after going through a language study period for about one year. We also took a test.

W Really? Another friend who's studying abroad didn't need a language study period, but could directly enroll after taking the entrance exam. Which would be better?

M Wouldn't it be easier to study after you improve the language?

W That's true. What were the good points about your study?

M Oh, the college I studied at not only had scholarships for good grades, but also a separate scholarship for foreign students. So I didn't have to worry about my tuition as much.

27 Understand the reason

The woman's second question is about which school would be better, the one the man studied at or the one the woman's friend is attending. Therefore, ① is the correct answer. As there is no mention about the scholarship system of the woman's friend's school, ② is incorrect. Since the time of her study can't be known through the conversation, ④ is also incorrect. The difference between the two schools mentioned in the conversation is about the existence of a language study period not the cons of a language study period. Thus, ③ is also incorrect.

28 Understand the details

The person who has studied abroad for about five years is the man, not the woman. Students can only enroll in the school that the man studied at after about a year of language study. How the woman will study the language can't be known through the conversation. Therefore, ② is the correct answer.

여자 최근 '아름다운 예술가의 발' 1위에 선정되셨는데요. 피나는 노력의 결과라는 평가에 대해서 어떻게 생각하십니까?

남자 저에 대해서 그렇게 말씀해 주시니 영광입니다. 사실 저는 다른 사람들에 비해 현대 무용을 늦게 시작한 편입니다. 그리고 유연성도 좀 부족했고요. 그래서 처음에는 남들보다 뛰어나게 무용을 잘 거라고는 생각하지 못했습니다. 남들만큼만 해도 좋겠다고 생각했지요. 그래서 잠을 자는 시간을 제외하고는 항상 연습실에 있었습니다. 아침에 일어나서 몸이 아프지 않으면 '아, 내가 연습을 게을리 했구나.'라고 생각하면서 더 이를 악물고 연습을 했습니다.

W You recently came first place in 'The most beautiful feet of an artist.' What do you think of the comment that your ability is the result of painstaking effort?

M It's an honor to be spoken of in that way. Actually, compared to other people, I was late in starting modern dance. And I also lacked flexibility. So at first I didn't think I'd dance much better than others. I thought it would be good to do at least as well as others. I only slept for five hours a day, and was always in the practice room when I was awake. Whenever I woke up in the morning and my body didn't hurt, I'd think, 'Oh, I was lazy in my practice.' and practiced harder with determination.

29 Find the man's vocation

The man says that he started dancing late compared to other people. In the interview, the man is talking about how he practiced since starting to dance. Thus, the answer is ① modern dancer.

30 Understand the details

The man said that he only slept for five hours a day, and spent the rest of the time in the practice room. Because he lacked flexibility, he thought he would be happy just doing as well as others. He also said that he started modern dance late compared to other people. Therefore, all the answers apart from ② can't be correct.

※ (31~32) Listen to the dialogue and answer the questions.

남자 배우가 되기 위해서 서울에 온 사람이 있었는데 50번이 넘게 오디션을 봤지만 모두 떨어졌다고 합니다. 같이 배우를 꿈꾸던 사람들이 꿈을 포기하는 모습을 보니 마음이 흔들린다고 합니다. 그래서 꿈을 포기하고 돈을 벌어야 할지, 아니면 계속 꿈을 위해 노력해야 할지 고민이라고 했습니다. 저는 당연히 꿈을 포기하지 말고 끝까지 노력해야 한다고 했습니다.

여자 글쎄요. 그 사람은 정말 배우가 되고 싶은 것이 맞나요? 자기의 꿈을 좇는 데 다른 사람들이 무슨 상관이죠? 그저 화려하게 성공한 사람의 모습만 본 것 아닌가요? 진짜 배우가 되고 싶다면 대학로의 작은 연극 무대부터 시작할 수도 있는데 왜 거기에는 가지 않나요? 진정 자신이 원하는 꿈이 맞는지부터 철저히 고민하는 게 필요해요.

M There was a person who came to Seoul to become an actor and went to more than 50 auditions but failed all of them. Seeing the people around that person who also dreamed of acting giving up their dreams, the person is wondering whether to give up the dream and make money or continue working for the dream. I think the person should definitely keep the dream and try to the end.

W I'm not sure. Does that person really want to become an actor? What do other people matter when you're pursuing your own dream? Maybe the person only looked at the people who achieved glamorous success. If you really want to become an actor, you could start from a small theater stage in Daehakro, but why doesn't the person go there? I think the person should first really think about whether this is really the dream the person is pursuing.

31 Understand the woman's thought

The woman says at the end that the person should think hard about whether this is really the dream the person wants. Because if this really is the dream he is pursuing, he should at least go to a small theater stage and practice. Therefore, ② is appropriate as the answer.

32 Understand the woman's attitude

The woman is continuously asking whether the person really wants to be an actor, whether he only looked at the glamorous side of acting, and why he doesn't go to a small theater stage. These questions aren't asked to get answers from the man, but are a way of expressing her own thoughts.

※ (33~34) Listen to the statement and answer the questions.

여자 우리는 대개 대화를 하다보면 무의식적으로 나를 방어하고 상대방을 탓하는 방식으로 대화를 이어갈 때가 많습니다. '네가 이렇게 해서 내가 이렇게 하는 것이다.' 혹은 '너 때문에 화가 난다.'는 식으로 말이죠. 하지만 이런 식의 대화는 상대방의 감정을 다치게 하므로 오히려 역효과만 불러일으키게 됩니다. 그렇기 때문에 대화를 이끌어 갈 때는 나의 현재 상태를 담담한 어조로 상대방에게 전달하는 것이 중요합니다. '너 때문'이 아니라 '내가 지금 어떻다'는 것을 알리는 것입니다. 상대방이 나로부터 존중을 받고 있다는 느낌을 받을 수 있도록 말이죠. 나를 중심으로 말하면 상대방이 예민해지지 않기 때문에 문제 자체에 집중할 수 있게 됩니다. 가까운 사이일수록 이러한 대화 방법이 더 큰 효과를 나타낼 것입니다.

W Generally, when we have a conversation we tend to carry out the conversation by protecting ourselves and blaming the other person. It's like saying, 'I'm doing this because you did that.' or 'I'm upset because of you.' That's why when we have a conversation, it's important to convey our situation to the other person in a calm tone. We're saying, 'This is how I am' not 'Because of you.' It's to ensure that the other person feels respected. As our words are centered on us, the other person doesn't have to be defensive, and we can focus on the problem itself. The closer people are, the more effective this method of talking will be.

33 Grasp the theme

The woman says that when talking to another person, don't say, 'Because of you' but 'This is how I am,' and to center one's words on oneself. In this way, the other person won't be aggressive, and the focus will be on the problem itself.

34 Understand the details

If you use the 'I'-centered conversation method, the other person won't be defensive and you'll be able to focus on the problem itself. The closer you are, the more effective this will be, but this doesn't mean that the closer you are the more you have to focus on the problem, as in ①. Moreover, as the woman says that it's not good to blame others in a conversation, ③ is also inappropriate. Also, she says that if you feel respected by the other person, you won't become defensive.

남자 예습은 바로 다음에 배울 것을 미리 공부하는 것이지만 선행 학습은 몇 주, 몇 달 크게는 몇 년을 앞서 공부하는 것을 말합니다. 한국 사회의 사교육 시장에서는 선행 학습이 크게 유행하고 있고, 이제는 아주 당연하게 생각되고 있습니다. 아이들은 경쟁 속에서 지쳐가고 학교 공교육은 그 힘을 잃어가고 있습니다. 또 많은 선행 학습으로 사교육 시장이 비정상적으로 커지고 있습니다. 사교육은 부모의 경제력에 좌지우지되기 때문에 그 차이로 인해서 학생들 사이에 문제가 발생하기도 합니다. 따라서 우리는 이제 선행 학습 금지법을 통해 공교육을 지키고 진정한 교육의 의미를 되찾아야 합니다. 무분별한 선행 학습으로 인해 병들어 있는 아이들에게 마음껏 상상하고 꿈을 찾을 수 있는 기회를 줘야 합니다.

M Preparatory study means studying what you will learn next time in advance. But prerequisite learning means studying a few weeks or months, even years in advance. In Korean society, prerequisite learning is a huge trend in the private education market, and now it's considered to be natural. Also, a lot of prerequisite learning is leading to an abnormally large private education market. Private education is determined on the parents' economic abilities, so the gap between students is leading to many problems. As such, through the prohibition on prerequisite learning, we need to protect public education and regain the true meaning of education. We need to give the children who are suffering from indiscriminate prerequisite learning the chance to imagine and find their dreams.

35 Grasp the theme

The man talked about the many problems of prerequisite learning. He said that to solve this problem, it is necessary to prohibit prerequisite learning. Thus, ① is the appropriate answer. '역설하다' in ① means emphatically speaking about what one means.

36 Understand the details

Preparatory study means studying in advance what one will learn next time. The man said that as private education is influenced by the parents' economic abilities, consequently the gap between students is exacerbating. That students compete in public education as stated in ④ can't be known through the man's statement.

여자 얼마 전 올림픽이 끝나고 스포츠 선수들이 기업의 광고 모델로 발탁되는 사례들이 부쩍 많아졌는데요. 그 이유가 뭐라고 생각하십니까?

남자 요즘 기업에서는 소비자들에게 긍정적인 기업의 이미지를 심어주기 위해 노력하고 있습니다. 그러한 이미지를 심어주기에 스포츠 선수만한 모델이 없다는 것이 관계자들의 시각입니다. 스포츠 선수들이 대중들에게 주는 이미지는 연예인들이 가지고 있는 것과는 다릅니다. 높은 인지도는 물론이고 진취적이고 활기찬데다가 뛰어난 능력으로 이룬 우승 경력과 좌중을 압도하는 존재감이 있기 때문입니다. 소비자들은 선수의 이미지와 기업의 이미지를 동일하게 느끼게 됩니다. 이를 통해 기업들은 기업의 이미지를 개선하거나 유지할 수 있습니다.

W Since the Olympics that recently ended, there has been an increase in the number of athletes getting picked up to star in commercials. What do you think the reason is?

M Corporations these days are trying hard to give a good impression to customers. So it's considered that no model can accomplish that image as well as athletes. The image athletes give to the public is different from the image of celebrities. On top of being well known, they are adventurous and active, have experience winning with their exceptional talents, and have a presence that overpowers the audience. Consumers feel that the athlete's image and the corporation's image are the same. Through this, corporations can improve or maintain their image.

07 Select the main idea

The image athletes give to the public is positive. When corporations use athletes as their commercial models, consumers will feel that the athlete's image and the corporation's image are the same. Therefore, the corporation's image will be changed into a positive one. These are the man's thoughts, and thus ④ is the correct answer.

38 Understand the details

The man's explanation that athletes are well known and have an adventurous and active image helps to find the answer. Athletes may have an image of making endless effort as in ①, but the man doesn't express this.

※ 〔39~40〕 The following is a talk. Listen carefully and answer the questions.

여자 그렇다면, 조금 전에 말씀하신대로 키워진 동물 즉, 본래 지니고 있는 습성에 최대한 가깝게 키워진 동물들은 그렇지 않은 동물들과 다르다는 것인가요? 조금 더 구체적으로 말씀해 주시죠.

남자 현재 우리가 소비하는 많은 고기들은 공장에서 대량으로 키운 가축들에게서 얻은 것입니다. 여기서는 정해진 면적 안에 많은 동물을 가두어 키웁니다. 움직임도 자유롭지 못하고 청결하지도 않은 환경 속에서 병에 걸리지 않게 하기 위해 각종 항생제를 투여합니다. 그럼 당연히 동물들은 엄청난 스트레스를 받게 되고 그 스트레스는 고스란히 몸 안에 쌓이게 됩니다. 그렇게 키운 동물의 고기가 사람의 식탁 위에 오르게 되는 것입니다. 당연히 앞의 방식과는 차이가 있을 수밖에 없습니다.

W Then, as you just said, do you mean that animals that have been bred, as in animals that have been bred closest to their natural tendencies are different from animals that haven't? Could you elaborate?

M At present, much of the meat that we consume is from animals that have been bred in masses in factories. Here, the animals are kept in a fixed amount of space. They can't move freely and are given various antibiotic shots to prevent them from getting sick in the unsanitary conditions. Naturally, the animals are going to get a lot of stress, and this stress is going to build up inside their bodies. The meat of such animals is put on our tables. Of course there's going to be a difference from the method mentioned earlier.

39 Understand the previous content

The woman uses the expressions '조금 전에 말씀하신 대로 ~' and '즉' to talk about the previous content again. As it can be known that the man and woman talked about '본래 지니고 있는 습성에 최대한 가깝게 키워진 동물' that follows '즉,' the correct answer is ①.

40 Understand the details

The cause and effect of ① can't be known, and the content of ② isn't mentioned in the talk either. The man says the antibiotics are given to prevent illnesses and the animals bred in masses in factories can't move freely because of the small space. Therefore, ③ is the correct answer. Furthermore, as most of the meat consumed by people comes from the animals bred in factories, ④ is incorrect.

※ 〔41~42〕 The following is a lecture on vegetarianism. Listen carefully and answer the questions.

남자 최근 의과대학 공동 연구팀이 성인 1,320명을 대상으로 건강 관련 실험을 한 결과 채식주의자들이 육식주의자보다 삶의 질이 더 낮은 것으로 나타났습니다. 이 연구팀은 참가자들을 채식주의 집단, 과일과 채소를 많이 먹으면서 육식을 하는 집단, 육류를 적게 먹는 집단, 육류를 많이 먹는 집단 이렇게 4개의 집단으로 나누어 실험을 진행했는데요. 이를 토대로 총 18개의 만성 질환에 대해서 검사한 결과 14개 질환에서 채식주의자들이 육류를 많이 먹는 사람보다 질병을 더 많이 앓고 있는 것으로 나타났다고 합니다. 정신 질환의 경우에도 불안장애나 우울증이 2배 더 높았고요. 흔히 채식주의가 건강을 지키는 가장 좋은 방법이라고 알고 실천하는 사람들이 많지만 반드시 그런 것만은 아니라는 것이 제 생각입니다. 사람의 몸은 모든 영양소를 골고루 섭취할 때 비로소 건강한 신체와 건강한 정신을 가질 수 있습니다.

M I recently saw a research result of a medical school joint research team that conducted a health-related test on 1,320 adults and found that vegetarians have a lower quality of life than people who eat meat. The team divided the people into four groups of vegetarians, meat-eaters who eat a lot of fruits and vegetables, people who don't eat a lot of meat, and people who eat a lot of meat. Based on this, they conducted tests on 18 chronic illnesses and found that for 14 illnesses, there were more vegetarians suffering from the illness than meat-eaters. In the case of mental illness as well, there were twice as many people suffering from anxiety disorders or depression. There are many people who think vegetarianism is the best way of preserving health, but I don't necessarily think so. The human body and mind can be healthy when we have a balanced intake of all the nutrients.

41 Understand the details

The test checked a total of 18 chronic diseases, and the results showed that vegetarians suffer from more illnesses than people who eat a lot of meat. The man also said that in the case of mental illness, vegetarians suffer more anxiety disorders and depression. Thus, ④ is the answer.

42 Understand the man's thinking

The man talked about a test result that vegetarianism isn't as helpful to our health as it's thought to be. At the end, he also stated that a balanced intake of all nutrients is necessary to preserve your health. As the man thinks that a vegetarian diet won't provide a balanced intake of all nutrients, ④ is most appropriate as the man's thoughts.

254 Test Guide to the NEW TOPIK II

※ 〔43~44〕 The following is a documentary. Listen carefully and answer the questions.

남자 계면활성제는 한 분자에 물을 좋아하는 성질과 기름을 좋아하는 성질이 모두 있기 때문에 물과 기름을 섞일 수 있게 해 주는 물질입니다. 이 계면활성제는 식품, 화장품, 세제, 치약 등 사용되지 않는 곳을 찾기가 어려울 정도로 용도가 다양합니다. 특히 세제에 많이 사용되는데 이는 오염된 부분을 깨끗하게 세척할 수 있으면서도 값이 저렴하기 때문입니다. 그럼에도 불구하고 최근 계면활성제는 피부병, 환경 오염, 기형아 출산 등의 주범으로 인식되어 그 위험성이 끊임없이 제기되고 있습니다. 물론 그 이야기가 모두 틀린 것은 아닙니다. 자연에서 추출한 것이 아닌 사람이 인공적으로 합성한 계면활성제는 잘못 사용할 경우 위험이 따를 수 있습니다. 그러나 이것은 단순히 계면활성제만의 문제는 아닙니다. 다른 화학물질과 마찬가지로 계면활성제도 적절한 양을 필요한 곳에 사용하면 문제될 것이 없습니다. 독버섯을 보고 놀라서 모든 버섯을 독버섯으로 생각하는 것은 옳은 생각이 아닙니다.

M As surfactants have properties that like water and properties that like oil, they enable water and oil to mix together. Surfactants are so versatile in their use, such as food, cosmetics, detergent, and toothpaste, that it's difficult to find a place they're not used. They're especially used a lot in detergents. It's because they can clean dirty parts and are also low in price. Nevertheless, recently surfactants are mentioned endlessly for their dangers as they are regarded as the main cause of problems such as skin disease, environmental pollution, and the birth of disabled babies. Of course this position isn't entirely wrong. Surfactants don't come from nature, but are manmade and therefore may cause danger if not used properly. But this isn't only a problem with surfactants. As with other chemicals, if surfactants are used in the right amounts at the right places, there won't be any problems. It's not right to think that because you're surprised by a poisonous mushroom, all mushrooms are poisonous.

43 Understand the reason

The man says that the reason surfactants are used a lot in detergents is because they clean dirty parts and are also low in price. '세척력' in ② means the ability to wash and clean the surface of an object; '우수하다' means especially good and outstanding.

44 Select the main idea

The man says that surfactants are used in many ways in our lives. He thinks that surfactants can be dangerous if used excessively, but there is no danger if they're used in the right amounts at the right places. The answer that is closest to these ideas is ③.

※ 〔45~46〕 The following is a lecture. Listen carefully and answer the questions.

남자 20세기 유명한 화가하면 누가 떠오르시나요? 빈센트 반 고흐? 피카소? 마티스? 수많은 화가와 작품들이 있습니다. 현대 미술에서 야수파와 입체파는 그 특징이 아주 뚜렷합니다. 마티스와 뭉크로 대표되는 야수파는 새로운 실험 정신을 가진 작가들이 많았습니다. 강렬한 색체와 빠르고 힘찬 붓놀림을 강조하는 화법으로 그림을 그렸습니다. 주로 자연의 생생함과 활기를 직접적으로 표현하려고 했습니다. 이런 야수파의 영향을 일부 받아 만들어진 것이 입체파입니다. 입체파의 대표적인 화가로는 우리가 잘 알고 있는 피카소가 있습니다. 피카소의 그림을 떠올리면 알 수 있듯이 입체파는 기존의 미술을 거부하고 새로운 형태의 그림을 그렸습니다. 그 기존의 미술이란 눈에 보이는 것을 사실적으로 그리는 그림을 말합니다. 입체파는 그것을 거부하고 그림의 대상을 형태와 기호로 분석하여 그 요소들을 다시 조직하고 겹쳐서 표현함으로써 대상을 여러 각도에서 동시에 보여주고자 했던 것입니다.

M When you think of a famous artist of the 20th century, who comes to mind? Vincent Van Gogh? Picasso? Matisse? There are numerous artists and works. In modern art, Fauvism and Cubism have extremely distinct characteristics. Fauvism, which is represented by Matisse and Munch, included many artists with new experimental minds. They painted pictures using techniques that emphasize vivid colors and quick and strong brush strokes. They mainly wanted to literally express the vividness and vibrance of nature. Cubism was influenced in part by Fauvism. The representative artist of Cubism is the well-known Picasso. As you will know when you think of Picasso's works, Cubism rejected the existing art and drew new forms of art. The existing art meant realistic drawing of what was visible to the eye. Cubism rejected this and interpreted the object of drawing as shapes and signs, then re-organized the factors and made them overlap with one another to show the object from many angles all at once.

45 Understand the details

It was Cubism, not Fauvism, that rejected the existing art of realistically drawing what could be seen. Cubism also tried to show the object from many angles. On the contrary, Fauvism used vivid colors for drawing. Therefore, ② is the appropriate answer.

46 Understand the man's attitude

The man explains the representative schools of modern art, Fauvism and Cubism, and gave Matisse, the representative artist of Fauvism, and Picasso, the representative artist of Cubism, as examples. He introduced the characteristics of each school of art, but didn't mention an era.

여자 지방 중소 도시의 경제력을 끌어올리는 것은 단기간에 이룰 수 있는 쉬운 일이 아닐 것입니다. 이번에 발표하신 경제 발전 계획을 보고 실현 가능성이 적다는 의견도 있는데 이 의견에 대해 어떻게 생각하십니까?

남자 물론 중소 도시의 경제력을 단기간에 끌어올리는 것은 쉬운 일이 아닙니다. 하지만 그렇다고 불가능한 것도 아닙니다. 저는 대도시에 있다가 고향으로 돌아와 지방 의원으로 지내면서 여러 가지 일을 했습니다. 건물의 외벽과 도로를 재정비하고 하천을 자연에 가까운 상태로 되돌리는 일을 했습니다. 또 지역의 특징을 살린 축제도 만들었습니다. 자연 환경이 살아나고 마을의 모습이 변해 가면서 점점 외부 사람들이 찾는 관광지로 발전했습니다. 그 결과 지금은 어느 도시 부럽지 않은 경제력을 갖추게 되었습니다.

W   Increasing the competitiveness of a local mid-sized city in a short period of time won't be an easy task. There are views that the economic development plan you presented has a low possibility of being realized. What do you think of these views?

M   Of course it won't be easy to increase the competitiveness of a mid-sized city in a short period of time. But that doesn't mean it's impossible. After living in a large city, I returned to my hometown and did a lot of work as a local congressman. I refurbished outer walls of buildings and roads, and returned the river to its more natural state. I also created a festival that shows the characteristics of the region. As the natural environment came alive and the village changed, more and more people visited this place as a tourist destination. Now, our city has as much competitiveness as any other.

47 Understand the details

The man didn't refurbish the buildings or roads to create the festival, but created the festival and refurbished the buildings and roads for the city to have more competitiveness. Also, the man turned the local mid-sized city, his hometown, into a city that has as much competitiveness as any other. Thus ③ is incorrect, and ④ is the correct answer.

48 Understand the man's attitude

The man explains the actual work he did as a local congressman, and argued that it's not impossible to increase the competitiveness of a local mid-sized city.

여자 정부 보조금이란 정부 또는 지방자치단체가 특정 목적에 의해 운영 자금 일부를 관련 업체나 단체에 무상으로 주는 지원금을 의미합니다. 그런데 이 정부 보조금에 대한 도덕적 해이 현상이 심각합니다. 얼마 전 어린이 집과 유치원에서 원아 및 교사를 허위로 등록하여 국가 보조금을 받은 일이 적발된 적이 있습니다. 또한 지방의 한 봉사단체에서는 세금 계산서를 허위로 작성하여 공사 비용을 부풀린 뒤 정부 보조금을 횡령한 사건도 있었습니다. 모 버스 회사는 주유소와 결탁하여 기름 사용량을 부풀리는 방법으로 정부 보조금을 횡령하기도 했습니다. 이렇듯 지금 현대 사회의 많은 영역에서는 나라의 돈을 우습게 여기며, 범죄 행위로 인식하지 못하는 이런 일들이 비일비재하게 일어납니다. 국민의 세금으로 이루어진 정부 보조금을 빼내는 것은 매우 파렴치한 행동입니다. 이들에게는 엄중한 법의 심판이 내려져야 합니다. 그래서 더 이상은 국민의 세금이 엉뚱한 곳에 이용되지 않도록 해야 합니다.

W   Government subsidy means a part of the government or local autonomous entity's operating fund given in gratuity to a relevant business or organization as support fund for a specific purpose. But the moral laxity regarding this government subsidy is serious. Recently, a day care center and a kindergarten were caught for false registration of pupils and teachers to receive national subsidies. There was also a case where a local volunteer organization increased their construction cost by falsely filling out the tax invoice and embezzling the government subsidy. A certain bus company also embezzled government subsidy by conspiring with a gas station and increasing the amount of used gas. As such, in many areas of modern society, it's common to consider the country's money lightly and not view such acts as crimes. Drawing out the government's subsidies, which is made up of the people's taxes, is an extremely despicable act. People who do this should be sentenced heavily by law. That's why I think we should no longer leave the situation for the people's taxes to be used in the wrong places.

49 Understand the details

The woman says that it's common to consider the country's money lightly and not view such acts as crimes. '비일비재하다' means the same phenomenon occurs often. In other words, there are many people who embezzle the government subsidies but don't realize it's a crime. Thus, ① is incorrect. Also, as it can't be known from the statement whether the places that receive government subsidies is limited to day care centers and kindergartens, ② is incorrect. The woman gives not only day care centers and kindergartens, but also a bus company as an example of places receiving government subsidies. Therefore, ③ is also incorrect.

50 Understand the woman's attitude

The woman says that the moral laxity on government subsidy is serious, and explains by giving day care centers, kindergartens, bus companies, volunteer organizations, etc. as examples of cases of embezzling government subsidies.

※ **(51~52) Read the text and fill in each ( ) with one sentence each.**

51

> Notice using the library
> When entering the library, show your library card. (㉠). Therefore, please have your library card ready. Resources in the reading room (㉡). Resources in the 2nd floor reading room are not for lending or to be copied.

Write a sentence appropriate to the context

㉠: There are expressions often used on bulletin boards and in advertisements, notices, etc. The text is a library notice, so you will receive a high score if you use expressions often used in library notices, such as '도서관 이용증 미소지자는 도서관 이용이 불가합니다' (people without a library card cannot use the library).

㉡: There is a clue in the sentence after ㉡. The meaning becomes clear with the expression '2층 열람실 자료를 제외하고' (apart from the resources on the 2nd floor).

(Words) 열람실 reading room 대출 lending books

52

> (㉠) when growing plants indoors. Some need to be watered every day, some once every two days, and some once a week. Moreover, basking a lot in the sun isn't good for all plants. The right amount of basking in the sun is necessary depending on the plant. This is the same for education. (㉡) depending on the personality and characteristics of the child.

Write a sentence appropriate to the context

㉠: The sentence after ㉠ shows that there is a different way to grow each plant. Also, as this text is ultimately talking about how the education method should be different depending on the personality and characteristics of the child, expressions like '식물마다,' '식물에 따라' ('for each plant,' 'depending on the plant') make the meaning clear.

㉡: This sentence is the theme of the text. As the way to grow plants is different for each plant, the education method should be different for each child depending on the child's personality and characteristics. Since this is an opinion writing, it's good to use grammatical expressions '-아/어/해야 하다' that describe appropriateness, obligation, and necessity.

(Words) 햇볕을 쬐다 bask in the sun

※ **(53) Look at the chart and write about the pros and cons of a zoo, then write your opinion about what a future zoo should look like. Write 200~300 characters.**

53

> Pros and cons of a zoo
> - Pros of a zoo
> ① Can protect endangered animals.
> ② It is possible to see different animals from around the world.
> - Cons of a zoo
> ① Animals leave their habitats because of humans.
> ② The animals could lose their nature because they live in artificially-made areas.

Write with the given information

Write an outline

- Introduction: experience going to a zoo
- Body: pros and cons of a zoo
- Conclusion: image of a zoo in the future

Start the writing naturally by mentioning your personal experience at a zoo, etc. in the introduction. In the body, logically connect the pros and cons of a zoo that are stated in the ⟨보기⟩. In the conclusion, write a short summary of your opinion about what a zoo in the future that has remedied the cons should look like.

※ **(54) Write your thoughts on the given theme using 600~700 characters.**

54

> Natural resources that are important throughout the world are disappearing. Of the disappearing resources, choose one that must be preserved and write about the way to preserve it, based on the following content.
> • What kind of natural resources are disappearing?
> • Choose one natural resource that is disappearing and explain the reason it should be preserved.
> • What is the way it could be preserved?

Write in accordance with the theme

Write an outline

- Introduction: disappearing natural resources (trees, coal, oil, water.......)
- Body: reason natural resources (clean water) must be preserved and the way to preserve natural resources (clean water)
- Conclusion: re-emphasize the value of natural resources (clean water)

In the introduction, introduce the different kinds of natural resources that are disappearing, and mention the gravity of the situation. In the body, choose one of them and write about three reasons why it must be preserved. Also, write specifically about the way to preserve it. In the conclusion, end by re-emphasizing the value of the chosen resource.

대부분의 사람들이 동물원에 가 본 적이 있을 것이다. 나도 가끔 동물원을 찾는데 그때마다 무기력해 보이는 동물들을 보면서 미안한 생각이 들었다. 동물원은 멸종 위기 동물을 보호할 수 있고, 한곳에서 세계의 다양한 동물들을 구경할 수 있다는 장점이 있다. 반면 동물들이 인간에 의해 살던 곳을 떠나 인위적인 공간에서 살면서 본성을 잃게 된다는 단점 또한 있다, 동물들이 원래 살던 서식지를 보호하여 자연상태의 동물원을 만들자. 동물들이 본성대로 살게 하면서 멸종 위기 동물들을 보호하는 것, 그것이 동물원의 바람직한 미래의 모습이다.

정답 및 해설

과학이 발달하고 우리 생활이 문명화되면서 인간 생활이 편리해졌지만 인간의 이기심에 의한 무분별한 개발은 생태계 파괴와 자연 자원의 고갈을 초래했다. 나무, 석탄, 석유, 깨끗한 물, 각종 동식물 등 자연 자원의 고갈과 멸종은 인간의 생존을 위협한다.

자연 자원 중 꼭 보존해야 할 한 가지를 선택하라면 나는 물을 선택할 것이다. 물은 생명의 근원이다, 지구상의 모든 생물이 생존을 위해 물을 필요로 한다. 따라서 우리는 물 부족을 방지하고 깨끗한 물을 보호함으로써 다른 자원들도 함께 보호하게 되는 것이다. 물 보호는 또한 안전한 먹거리 재배를 가능케 하고, 수자원 개발 비용과 정수 비용 절감으로 이어져 국가 경제에도 도움을 준다.

깨끗한 물을 보호하기 위해 개발을 제한하고 숲을 조성해야 한다. 산림 보호 구역과 수지원 보호 구역 설정과 생활 하수 정화를 위한 기술 개발 또한 시급하다. 정부 차원의 체계적인 수자원 관리와 더불어 물을 절약하고, 친환경적인 제품을 사용하려는 개인적인 노력도 수반되어야 한다. 물 오염원의 칠십 퍼센트가 생활 하수라는 통계 결과는 우리에게 시사하는 바가 크다.

물 부족과 물의 오염은 인류가 직면하고 있는 가장 큰 환경 재앙이다. 물이 없으면 인류뿐만 아니라 어떤 생명체도 생존할 수 없다. 물 오염 방지와 물 절약 방안을 모색하고 실천해야 하는 이유가 여기에 있다.

20 40 60 80 100 120 140 160 180 200 220 240 260 280 300 320 340 360 380 400 420 440 460 480 500 520 540 560 580 600 620 640 660 680 700 720

※ (1~2) Select the most appropriate phrase for (　).

1

> The child, for a long time (　　) and then stopped crying.

Select the appropriate vocabulary & grammar

The text is talking about how the child stopped crying after a certain time (→ 한참/A long time), so '운 후에야' is correct.

> **Note** ─(으)ㄹ 테니: A condition to the following words, it describes the strong assumption of the speaker.
> **Ex** 밥은 내가 할 테니 너는 청소를 좀 해 줘.
> 오후에 비가 올 테니 우산을 가지고 가도록 해.
>
> ─(으)ㄴ 후에야: Used to emphasize the passage of a certain amount of time.
>
> ─(으)ㄹ까 봐: Used to describe an assumption or will.
> **Ex** 혹시 아기가 아플까 봐 약을 준비했어요.
>
> ─더니: Used when describing a situation or fact that follows a fact experienced in the past.
> **Ex** 오전에 날씨가 흐리더니 비가 오는구나.

2

> My younger sibling must have been thirsty, (　　) the house, he/she opened the refrigerator door and drank water.

Select the appropriate vocabulary & grammar

The text is talking about how the younger sibling must have been thirsty because he/she opened the refrigerator door and drank water as soon as he/she came into the house. Since opening the refrigerator door occurred immediately after coming into the house, '들어오자마자' is correct.

Ex 산이 높을수록 공기가 상쾌하다. / 혼자일수록 건강에 더 주의해야 한다.

> **Note** 는데: Used to express a situation that serves as the reason, a basis, or a contrast.
> **Ex** 부탁이 있는데 좀 들어주시겠어요?
> 눈도 많이 왔는데 전철을 타고 가자.
> 공부를 열심히 했는데 시험을 못 봤다.
>
> ─아서야/어서야: Used to describe that one situation is possible only after another situation is completed first.
> **Ex** 아이들은 밤새 이야기를 나누다가 새벽이 되어서야 잠이 들었다.
>
> ─자마자: Used to express that the event described occur immediately after the previous situation.
> **Ex** 일이 끝나자마자 병원에 가도록 해.
>
> ─느라고: Used to describe an action's reason, cause, or purpose.
> **Ex** 영화를 보느라고 시간 가는 줄 몰랐어요.
> 아들의 학비를 대느라고 아버지는 시골 땅을 다 팔았다.

※ (3~4) Select the phrase that has the closest meaning to the underlined.

3

> I bought the computer because <u>not only did it have a pretty</u> shape, but it had a lot of new functions.

Select the expression closest in meaning

'─뿐만 아니라' is used when there is something more besides what's been mentioned. '뿐만 아니라' can be used in both positive and negative expressions. Therefore, look for the meaning that says there are other new functions besides being pretty.

> **Note** ─길래: The colloquial expression of '─기에.' It's used to describe the cause or basis for something.
> **Ex** 날씨가 덥길래 창문을 열었다.
>
> ─기 때문에: Used to describe the reason or cause of something. It can't be used in imperative or propositive phrases.
> **Ex** 어제 몸이 아팠기 때문에 병원에 갔다.
>
> ─데다가: Used when something is added to the current condition or action.
> **Ex** 열이 많이 나는데다가 기침도 많이 해요.
>
> ─기는 하지만: Used when the following sentence is in contrary to the previous sentence.

4

> Seeing that he/she is drinking a lot until late tonight when he/she has an important meeting tomorrow, <u>it is plain to see that he/she will make a mistake</u> tomorrow.

Select the expression closest in meaning

'불 보듯 뻔하다' means that what will happen in the future is clear without any room for doubt. Therefore, ② is closest in meaning.

※ (5~8) Select what the text is about.

5

> Korean treasure boasted in America...Korean Art Exhibition! Coming soon.

Select the subject matter

The Korean Art Exhibition means a display of Korean artwork. Therefore, 전시회 (exhibition) is the most appropriate answer.

> **Words** 미술대전 art exhibition 뽐내다 to boast

6

Our friends who were once small and young have now matured and the approaching their graduation. To think that we have to part with our friends who have become such reliable big brothers and sisters brings feelings of sadness as well as excitement. Please grace us with your presence by coming and blessing together in the celebration of their first step to a new start.

Date and time: 10:30a.m., Tuesday, February 21

Place: Happy Kindergarten main hall

＊Please prepare flower bouquets and cameras for our friends to shine even more.

Select the subject matter

From the expressions, '졸업을 앞두고 있다,' '이제 헤어진다고 하니,' etc. it can be inferred that this is a graduation ceremony notice. You could think this is a convocation notice because of the expression '새로운 출발' in the last sentence. However, this is used to signify a new start that comes after graduation, so don't be confused.

Words	졸업 graduation
	졸업식 graduation ceremony
	졸업생 graduates
	어린이집 kindergarten (a facility that takes care of children under the age of 7)
	의젓하게 mature
	아쉬움 sadness/regret
	보람 excitement/fulfillment

7

<Precautions>

Clothes with long tassels or necklaces could get tangled so please be careful.

Children under 8 years old or shorter than 130 cm in height are not allowed to go on.

Put your glasses, hats, and other items in danger of falling in your bags.

Put on the safety belt, if there is anything wrong, please notify a safety guard.

Select the subject matter

From the expressions like '타다,' '안전띠를 해야 한다,' etc. it can be inferred that this is talking about something you can ride on. Further, from the expressions like '끈이 달린 물건이 걸릴 수 있다,' '키가 작거나 나이가 어린 아이는 탑승할 수 없다,' '안전 요원,' etc. it can be inferred that it is a ride at a theme park, not something like a boat, train, or car.

Words	타다 to ride
	Ex 아침에 늦어서 택시를 탔다.
	안전띠 (=안전벨트) safety belt (=seat belt)
	탑승하다 to board (to ride on a train, airplane, car, etc.)
	안전 요원 safety guard

8

<Applications are welcome>

Trade position: at least college degree, under 35 years of age, experience in trade business preferred

Production position: no education requirements, experience preferred

Documents for submission: resume, self-introduction letter, reference letter

Submission method: email, post

Inquiries: 02-1234-3456

Select the subject matter

From the expressions '지원 바라다,' '제출 서류,' '제출 방법,' etc. it can be inferred that they are recruiting for employees who can work in positions of trade and production. Therefore, it is most appropriate to see this as a text for '구인' (hiring).

Words	지원 application
	Ex 군대에 지원하기로 결정했다.
	제출 submit
	Ex 보고서를 과장님께 제출했다.
	그는 비자 발급을 위한 서류를 대사관에 제출했다.

※ 〔9~12〕 **Select the answer with the same content as the text or chart.**

<A cultural experience for the whole family>

Duration: February ~ June 2014, 2p.m. of every fourth Saturday of the month

Place: Happy Library auditorium (2F)

Target audience: Infants and preschoolers, elementary school students, and parents

Content: Puppet show, music concert, magic show

9 Understand the details

① Infants and preschoolers, elementary school students, and parents are all allowed to enter.

② Number tickets may be received from 11a.m. of the day of the performance.

③ Since the event is held every fourth Saturday of the month from February to June.

④ The performance tickets are distributed on the day of the performance, and seats are not assigned.

10 Understand the details

① Korea's birthrate is dropping continuously, while Sweden and England's rates are fluctuating.

② In 1980, Korea had the largest decrease. on the chart.

③ Since the chart is revealing the percentage of the aging population, it's not possible to know the actual number of the aging population.

11

Because I have to go to work throughout the week, on the weekends I have a desperate desire to rest at home. Although I am tired from work, the weekend is the only time I can spend with the family. Therefore, at least twice a month, I go to a local festival close by or visit the museum nearby, etc. to spend time with my family.

Understand the details

Since the writer explained that he/she has to work throughout the week and only has time on the weekends to spend with family, ① is correct.
② The writer says he/she is tired because of work.
③ The writer says that because he/she only has time to spend with the family on the weekends, they travel together or go to the museum.
④ Not every week, but around twice a month.

12

From some point in time, the digital camera market suddenly grew so that it became hard to find film cameras. The reason people prefer digital cameras is because they can check the picture as soon as it is taken and either erase it if they don't like it or take it again. Further, since the wide spread of the internet, pictures taken with the digital camera can be shared easily, and only the wanted pictures can be developed easily through an online photo studio or printer.

Understand the details

① Since it's explaining that film cameras are hard to find because of the rapid growth of the digital camera market, it can be inferred that more digital cameras are sold than film cameras.
② This content is about the strengths of digital cameras.
③ With the dissemination of the internet, the use of digital cameras has become more convenient.

※ **[13~15] Select the answer with the correct order.**

13

(가) In my case, I have good memories about Jajangmyeon.
(나) It seems that everyone has good memories about food.
(다) I don't know how happy I was eating Jajangmyeon once a month.
(라) In my childhood, on Dad's payday, Mom would take me out and buy me Jajangmyeon.

Put the sentences in the correct order

'나만 해도' is used to either agree or sympathize with the previous content, therefore it should come after another sentence. Since (가) and (나) both include the expressions '추억,' '누구나,' and '나만 해도,' the order of the sentences should be (나) followed by (가). (다) and (라) are both about Jajangmyeon, but (라) is about eating Jajangmyeon and (다) is about how happy he/she was while eating the Jajangmyeon, so (다) should come after (라). Therefore, the order in ③ is most appropriate.

14

(가) Therefore, the number of people who tend a small garden plot in their yards has increased.
(나) Fruits and vegetables grown at home are fresh and healthy.
(다) This is because the amount of fruits and vegetables is small, and so there is no need to use pesticides, like on a farm.
(라) A garden plot refers to one part of the yard covered in soil for growing vegetables and fruit.

Put the sentences in the correct order

(나) is about the pros of eating the fruits and vegetables grown at home, (다) is about the reasons. Therefore, (가) is about how consequently, there are more people tending garden plots to grow them, and (라) is explaining what this garden plot is. Thus, the order in ③ is most appropriate.

15

(가) There are people who like to collect items as a hobby.
(나) The items collected are diverse, such as coins, stamps, pictures, and pottery.
(다) It is because their value increases as they become rarer with time.
(라) Of these collected items, some are successfully sold for a high price at famous auction markets.

Put the sentences in the correct order

(가) is about people who collect items for a hobby, and (나) is the example of different items collected. (라) states that of the collected items, some are successfully sold for a high price, and (다) explains the reason. Therefore, ④ has the most appropriate order.

※ **[10~10] Read the text and select the most appropriate phrase for (   ).**

16

If you have been told you look older than your age, you should find out what's wrong in your daily life. Based on expert advice (   ). The first reason for aging skin is ultraviolet rays. Ultraviolet rays affect the skin even on cloudy or rainy days. Damage to the skin occurs more in everyday life than when you are on holiday at the beach. So experts advise using sunscreen every day.

Select the appropriate content for the context

As the text is about the cause of aging skin and the way to cope with it, ④ is the most appropriate answer.

17

A preview is an opportunity to show a movie or commercial either during production or post-production for the purpose of observing the reaction of the audience before releasing it to the general public. Among the previews, there is a press preview that is geared towards journalists, which is followed by an interview with the director, main actors, supporting actors, etc. For publicity, it is important to be exposed to various media sources both on and offline, so among the many previews, (   ). A stage appearance premier is referring to the premier with a stage appearance by the stars of the production and is open to the general public.

Select the appropriate content for the context

Since journalist premiers need to be exposed to various media sources early, it is contextually appropriate to say they need to occur first. There is no mention of general premiers, and stage appearance premiers are open to the general public, thus different from journalist premiers.

18

'New house syndrome' refers to symptoms and suffering of headache, fatigue, breathing problems, asthma, allergic rhinitis, skin infection, etc. felt by residents of newly built buildings. On the contrary, there is such a thing as 'old house syndrome.' Also known as 'infirm house syndrome,' it is when (   ) leaves a bad impact on the health of the people who live in that house. Because mold that appears in highly humid places cause respiratory infections, asthma or allergies, etc. it is necessary to install ventilation systems to eliminate humidity.

Select the appropriate content for the context

As seen in the names, '헌집증후군' (old house syndrome) and '병든집증후군' (infirm house syndrome) these phrases refer to problems that occur in old buildings and not those new buildings. '신축' means newly constructed. ② and ④ are about 'new house syndrome.' The reason ③ can't be the answer is because 'old house syndrome' occurs in old buildings due to the mold created from the humidity and not because the building was built in a humid place.

※ **[19~20] Read the text and answer the questions.**

The *Hanbok* is Korea's traditional clothing and has a few distinct features from clothing of other countries. Basically, it is made to fit Koreans' physique of long torso and short legs, and because it values activity, it is not tightly fitted and even those who are heavy set can look beautiful according to how they dress up. (   ) the fabric itself is straight, but when worn it has the aesthetic characteristics of making the lines come to life, which is because the *Hanbok* has no pockets.

19 Select the appropriate content for the context

In the previous sentence, it says that the Hanbok can look beautiful even if the person is heavy set. In the following sentence, it explains how when worn it has the aesthetic characteristics of making the lines come to life. From the relationship of the two sentences, it can be seen that the explanation of the beauty of Hanbok has been added. Therefore, '또한' is most appropriate.

> [Note] 반면: Used when the following sentence is in contrast to the previous sentence.
> **Ex** 그는 공부는 못한다. 반면 운동은 잘한다.
>
> 그러나: Used when the following sentence is in contrast to the previous sentence.
> **Ex** 나는 가난하다. 그러나 행복하다.
>
> 사실: Used to mean 'in reality'.
> **Ex** 한 번도 말한 적이 없다. 그러나 사실 나는 그를 별로 좋아하지 않는다.

20 Understand the details

① It says that even heavy set people can look beautiful in a Hanbok depending on how they dress up.
② It explains that although the fabric of the Hanbok is straight, when worn on the body it has the aesthetic characteristics of making the lines come to life.
④ It explains that the Hanbok has both active and aesthetic characteristics, so this is incorrect.

※ **[21~22] Read the text and answer the questions.**

One part of our society is now comprised of singles who consider marriage not as a necessity but a choice. This means that the older generation's outlook on marriage that it is 'for social status and security,' 'to have children,' and 'because one is at a marrying age' aren't agreed with anymore. These people consider their life goals to be more important than marriage or (   ) to only marry if they meet the right person for them instead of feeling restricted by previous notions of an optimal age. This outlook on marriage is not only expanding within singles but creating other forms of couples such as contracted marriages, premarital cohabitation, and non-marriage.

21 Select the appropriate content for the context

The most appropriate text is the one that has the same meaning as '결혼을 하겠다고 결심하는 것이다' (to resolve to get married) so ② is the most suitable answer.

> [Note] 마음에 들다: To be well received in one's heart.
> **Ex** 마음에 드는 사람이 있으면 적극적으로 나설 생각이다.
>
> 마음을 먹다: To decide upon something.
> **Ex** 다음 모임에는 꼭 참석하기로 마음을 먹었다.
>
> 마음을 놓다: To rest assured.
> **Ex** 그 일이 무사히 잘 끝났으니 마음을 놓아도 돼요.
>
> 마음을 붙이다: To set one's heart or concentrate on something.
> **Ex** 외국에서 아는 사람 없이 혼자 지내다보니 마음을 붙일 곳이 없다.

22 Select the main idea

In this text, unlike the values of the older generation that thinks marriage is a necessity, the modern generation considers marriage as a choice, and attaches more importance to one's work or life instead of choosing marriage for social perception and security. In this text, it says that as a result, there is an increasing number of singles who prefer to live alone. Also, it explains how these kinds of values result in the emergence of new types of couples such as contracted marriages, premarital cohabitation, etc. Therefore, the main idea of this text can be the modern generation's changing values about marriage, which are different from the older generation.

※ **(23~24)** Read the text and answer the questions.

> 2000 to 1. This is the average competition rate to be an anchor in Korea. According to the '2014 Broadcast Industry Reality Survey Report' co-published by the Korea Communications Commission and the Ministry of Science, ICT and Future Planning, there is an estimate of 784 anchors in Korea as of 2013. Close to three times the number of the country's anchors are applying to each entrance exam. The reason thousands of applicants are driven to these recruitments is because there is a notion that anchoring can be done only by those who possess both beauty and intelligence. However, countless anchor academies these days focus only on physical appearance and test scores and neglect education on philosophy and ethics.

23 Grasp the writer's feelings

The underlined phrase is emphasizing that anchor applicants care only about outward appearances. As a result, the speaker thinks the reality that things pertaining to the internal, such as philosophy and ethics, are being neglected is a shame.

24 Understand the details

① 800 people or more means there are over 800 people, however since the text says there are 784 people, this is incorrect. This would be correct correct if it said fewer than 800 people.

③ It's explaining that there is a notion that anchoring can be done only by people who possess both intelligence and a good outward appearance.

④ The text is wary about academies that focus only on appearance and test scores instead of philosophy and ethics.

※ **(25~27)** The text is the title of a newspaper article. Select the answer that best explains it.

25
> Ministry of Education puts all energy into expanding voluntary donation culture

Grasp the content by the title

'온힘' means doing something by putting all of one's energy or effort into it.
The Ministry of Education is making an effort to expand the voluntary donation culture.

26
> Seoul blackout, no electricity for 40,000 households in Jongno-gu... recovered in 40 minutes

Grasp the content by the title

The title shows that the article is about how 40,000 households lost electricity as a result of a blackout in Jongno-gu, Seoul, and it took around 40 minutes to recover everything back to normal.

Words 정전 blackout 복구 recovery/restoration

27
> Movement of population decreased by 4.7% in January... partly 'moving' from Seoul to Gyeonggi-do.

Grasp the content by the title

The movement of population in January decreased by 4.7%, and a part of the movement was from Seoul to Gyeonggi-do.

Words 감소하다(=줄어들다) Decrease (=Lessen)

※ **(28~31)** Read the text and select the most appropriate phrase for ( ).

28
> These days, there are so many special days that require gifts. On top of holidays like like lunar New Year's Day and Chuseok and designated national holidays like Children's Day and Parents' Day, there are days that can't be overlooked by couples and young people, such as Valentines Day, White Day and Pepero Day. This is because if for any reason one forgets the date and fails to prepare a gift, it could have a lasting negative impact. ( ) Out of the many special days, it is hard to find the origin for most, and since some are related to the specific names of products, it can be thought that some are the result of marketing schemes.

Select the appropriate content for the context

In the latter sentence, it is saying that in many cases it's hard to find the origin or basis of the special days, and that the names of the special days that are related to certain products are suspected to be the result of marketing schemes. Therefore, questions that ask the origin of these special days, or that ask the reason such special days have increased should go in the ( ).

29

These days, there are many who travel abroad with family. Although going to another country and experiencing a new environment and culture is a good thing, (   ). The cost of airfare takes up the most budget in traveling abroad. The airfare includes not only the price of the seat, but drink, food, and other services on the airplane, airport tax used at the airport, and the fuel surcharge, which is the fuel cost difference based on the appreciation of airplane fuel price. Consequently, airfare is expensive.

Select the appropriate content for the context

After '일이지만' must come content that is in contrast to the previous content. After the parenthesis, it states how airfare takes up the most budget in traveling and the reason airfare is so expensive. Therefore, ① is the most appropriate answer for the parenthesis.

30

A female model in a wheelchair grabbed the world's attention after appearing on the New York fashion runway, which is considered one the world's top four fashion runways, for the first time ever. She said, "After I thought of myself as just another model, I felt more at ease and became natural on stage. I hope all women with disabilities will be empowered after seeing me on the world's greatest fashion runway." She is not simply a fashion model, but to all those who are disabled, she will be remembered far and wide (   ).

Select the appropriate content for the context

For the first time, a disabled model appeared on a fashion runway, which was considered a place people with disabilities can't participate in. '뿐 아니라' is an expression to notify that the following incident or situation will occur in addition to the previous incident, and so it is right that an explanation about the influence this incident has on other people with disabilitieis should go in the (   ).

31

It is getting harder and harder to find a phone service that is right for you and an affordable cell phone payment plan. Although cell phone service companies offer countless payment plans that claim to support 'customer preference,' it is actually being criticised as (   ) for being so complicated and restricted. This means that companies that provide the same communication network and service create overly diverse payment plans to choose from, making it hard for consumers to choose the plan they need.

Select the appropriate content for the context

'오히려' is used to express a situation that is completely opposite or different from the general standard, expectation, assumption, or anticipation. Therefore, the cons rather than pros about the complicated and specified payment plans mentioned earlier should go in the (   ).

※ **(32~34) Read the text and select the answer with the same content.**

32

In the last 20 years, due to parents' thinking that "The earlier the better to learn English," and the increasing desire to enter prestigious schools, the number of young study-abroad students has increased and the age of students that go abroad to study is getting younger. However, living abroad is not so easy at such a young age when parental care and guidance is needed. Some young study-abroad students are swayed by the free atmosphere and deviate from their paths, while others experience language barrier, culture shock, racial discrimination, loneliness and depression caused by familial conflict, and in worst cases suffer from anxiety disorder.

Understand the details

② It is saying that the free atmosphere can be the cause for students deviating from their paths.

③ It is explaining that the cause for the increase in young study-abroad students and their younger age is because of the belief that the earlier the better it is to learn English.

④ It is saying that the number of young study-abroad students is increasing but their ages are getting younger.

33

From this coming 22nd to 26th, *Gyeongbokgung* will be open at night to the general public from 6:30p.m. to 10p.m. The *Gyeongbokgung* nighttime entry will close one hour before closing and will cost 3,000 won, the same as in the daytime. Nighttime entry tickets can be purchased at the site ticket box, and free entrance candidates such as persons with disabilities, persons of national merit, young people 18 years of age or younger, citizens 65 years or older, etc. must present the relevant ID to enter. Internet reservations of nighttime entry tickets are possible from the 15th from 9a.m. until four hours before desired entry time.

Understand the details

② There is no separate explanation about purchasing daytime entry tickets, and it's explaining how nighttime entry tickets may be purchased at the site ticket box or online.

③ Since it says four hours before desired entry time, it's possible before 2:30p.m.

④ Since the daytime and nighttime entry fee are the same, the daytime entry fee is 3,000 won.

34

Global warming refers to the phenomenon of the earth getting warmer gradually. The more global warming occurs, many regions will submerge under the ocean, and disasters caused by weather changes such as draughts, typhoons, extreme heat, etc. will occur in various parts of the world as a result of imbalances in climates. Global warming is caused by the increase of carbon dioxide in the ozone. According to a statement made by NASA in July 2000, the iceberg of Greenland have been melting as a result of global warming and so in the past 100 years, the sea level has risen approximately 23 cm.

Understand the details

① It explains that global warming is occurring as a result of increased carbon dioxide, not that carbon dioxide has increased as a result of global warming.

③ It explains that global warming is because of increased carbon dioxide in the ozone, and there is no explanation about oxygen.

④ It explains that the sea level has risen 23 cm as a result of global warming. '가량' is used when there isn't an accurate calculation of something, and giving an estimate of an approximate measure or degree.

※ **[35~38] Select the answer that is most appropriate as the theme of the text.**

35

In a family where both parents work, the greatest concern is the children's nurturing. Because there are few nurturing facilities that take on children according to working hours, outside those hours, families either solicit the help of grandparents or relatives, or hire a baby sitter separately. It is hard to even find this kinds of help for parents that need to work all night or have night shifts.

Grasp the main idea

① It explains how grandparents, relatives, and baby sitters nurture children of working parents during working hours.

② It explains how children are left with grandparents or baby sitters outside the hours in nurturing facilities.

④ It explains how families where both parents work are called '맞벌이' (both working) families.

36

Students whose goal is college entrance think everything is resolved once they enter college. However, once they engage in new activities in college, such as choosing their major, planning their career, preparing for employment, and dating, they start to be concerned deeply about what they really want. Thus, experts say that students need to establish themselves intensely from their first year of college, and rather than being a bookworm, they need to be an outstanding individual with a focus on the field, learning lots of things outside of the classroom. In order to achieve this, they advise studying life through practical experiences like extracurricular activities and internships. Further, they say that it is better to continue taking on new challenges rather than becoming complacent with reality and to continue developing your creativity.

Read and find the theme

① It's saying how although it seems like college entrance seems to solve everything, in reality students will have a lot of concerns after experiencing new things.

② It doesn't explain that you can experience these things only after entering college. Only, it explains that entering college is not the answer to everything.

④ It's saying to become a field-centered outstanding individual who learns outside of the classroom rather than being a bookworm.

37

Tea is good for your health and has such an outstanding taste and fragrance that it's attracting worldwide attention. Recently, various teas, such as puer tea, green tea, herbal tea, etc. are the trend, and there are even some stores that deal with tea professionally. However, in Korea the tea market was unable to grow because of coffee. On top of that, Korea only cares about stressing the tea's place of origin and is not interested in presenting the standard and criteria for the taste of the tea. This is one important factor that lowers the competitiveness of Korean tea.

Read and find the theme

① This is explaining how tea is popular worldwide but not in Korea.

② In the case of Korea, it talks about how the tea market couldn't grow because of coffee. Therefore, it can be inferred that the coffee market grew more than the tea market.

③ It talks about how only the place of origin is emphasized in Korea and not the standard of taste, which lowers the competitiveness of Korean tea.

38

'파벌' (faction) is a word made up of '파,' which refers to a group of people with likeminded thoughts and beliefs about religion, academia, politics, etc, and '벌,' which refers to those born in the same region or went to the same school, etc. 파벌주의 (factionalism) has the tendency of trying to expand the organization's power, establish control, and gain prestige, position, and economic profit through these personal connections, which poses a serious problem of hampering the rationality and efficiency of the whole organization.

Read and find the theme

② It's explaining how factionalism has the problem of hampering the rationality and efficiency of the organization.

③ It's explaining how factionalism is a word that combines both a group that is likeminded about religion, academia, or politics, with a group from the same region or school.

④ It's explaining how factionalism hampers the rationality and efficiency of the whole organization by using personal relationships to expand the power of their group or to gain profit.

※ 〔39~41〕 Find the most appropriate place for the given sentence in the text.

39

Cartoons are a medium that delivers relatively long information intuitively. This is why a good use of the main character in popular cartoons can create a good PR effect. (㉠) It is even a trend for local governments to use local tourism PR cartoons to vitalize the local economy. (㉡) One region in Gyeonggido made a travel information cartoon for families planning to travel around the country, and as a result, tourists to the region increased by 20%. (㉢) This is a good example of a popular cartoon character meeting PR.

Recently, there are more cases of producing a cartoon as a PR strategy for a corporation's image rather than promoting a certain product by using historical text, etc. that records the corporation's distinct mentality or the entrepreneur's life.

Find the sentence location

This is explaining the PR effect of using cartoons. The '도' used in the second sentence for '지방자치 단체의 경우도' is an expression used to explain a when a similar situation to the previous situation is repeated. The third sentence is talking about local tourism PR cartoons, and so the above sentence is most appropriate in ㉠, which is before the second sentence.

40

Each typhoon is assigned a number and a name. (㉠) The number has four digits, of which the first two represent the year of the occurrence and the second two represent the typhoon's order of occurrence in that year. (㉡) If the 14 member states of the West Pacific submit ten names each, these are divided into five groups. (㉢) One out of the five groups is chosen at random and the names are assigned in order whenever a typhoon occurs. (㉣)

The typhoon names are assigned by the Typhoon Committee.

Find the sentence location

As an explanation about the number and the name of typhoons, there is an explanation about the number in the former part. Then there is an explanation about how the names submitted by each country is divided into five groups and one group is chosen at random and the names are assigned in order. Therefore, it is appropriate to include the explanation about the typhoon in front of the third sentence, which is ㉡.

41

The Incheon Airport railroad, which was opened in 2010, runs 61 km between Seoul Station and Incheon Airport. (㉠) There is a City Airport Terminal that operates in Seoul Station, which provides airline boarding process, luggage check in, and departure immigration services at one time, making a convenient transit between flight and railway. (㉡) Further, by connecting Seoul Station and Incheon Airport in the shortest time of 43 minutes, it has the effect of bringing Incheon Airport that was once considered very far into the Seoul area. (㉢) Especially, unlike the ordinary subway in the capital, the Incheon Airport railroad carries out all three functions of an airport-linked railroad, city railroad, and tourism railroad. (㉣)

Thanks to the railroad, using Incheon Airport has become more convenient, for example, both national and international airport users can travel into Seoul city center without the inconvenience of traffic or transferring to a bus.

Find the sentence location

'덕분에' means '베풀어 준 은혜나 도움의 영향으로' (by the effect of grace or help received), and used when the previous situation is the reason or source that has helped the following situation. Therefore, look for the sentence that is the reason or source of the given sentence. The reason the inconvenience of traffic and bus transfer has disappeared is because there is a way to reach Seoul in the shortest time via the airport railroad service. Therefore, the content of the given sentence is most appropriate in ③.

※ **(42~43)** Read the text and answer the questions.

What is the husband doing in Tokyo? He is studying. What is studying? She doesn't know exactly. Also, there is no need to struggle to know. In any case, it is known to be the world's best and most precious something. It is like a magic club of a goblin in an old tale. When you ask for clothes it gives you clothes, if you ask for food it gives you food, if you ask for money it gives you money. In Tokyo, he went to ask for whatever he wanted and get anything without restriction. Although she felt deep jealousy initially when she met relatives who would come over occasionally with silk clothing and a gold ring, She would later think, 'when my husband returns...' and look at them with disdain. The husband returned. One month passed, and two months passed. It seemed like the husband's actions were somewhat at odds with what she had anticipated. <u>It wasn't any different from one who hadn't studied.</u> No. There were some differences. Others go out to make money, but on the contrary the husband spends money. At the same time, he is out and about somewhere busily. At home he reads books frantically or writes something all night.

'That must be what it truly means to make a wealthy person's club.' This was the wife's self interpretation. Another two months or so went by. The husband's actions were always the same. The only thing he did in addition was sigh deeply from time to time.

42 Grasp the feelings

Since study is like a goblin's magic club, the wife thought that when her husband returned, she would be able to have silk clothing and gold rings. It's saying that his actions are no different from those who haven't studied, and therefore it can be inferred that the wife is disappointed and dissatisfied that the husband isn't able to make money.

 Note 도깨비 방망이: '도깨비' is a type of supernatural existence believed in folk religion. The magic clubs they carry around are called 도깨비 방망이 (goblin's magic club), and it refers to an imaginary item that can fulfill anything one wishes.

43 Understand the details

① The husband is good at making and spending money like others. - it says that others makes money, but on the contrary the husband uses the household money.
② All that the wife does every day is let out deep sighs. - That is what the husband does every day.
③ The husband brought back whatever she requested from Tokyo. - The wife thought that when the husband returned from Tokyo, he would be able to bring back whatever she wanted. However, it says that 'it seemed like the husband's actions were somewhat at odds with what she had anticipated.' '배치되다' (at odds) is used to express an opinion or thought that is the opposite and isn't in agreement.

※ **(44~45)** Read the text and answer the questions.

The government policy is unable to keep up with statistics. Although households with 1~2 persons make up nearly 50% of all households, the government policies are still based on the '3~4 persons household,' and thus need improvement. According to the National Statistical Office, 1~2 persons household in 2010 took up 48.2% of all households, being about one in every two houses. However, government policies that support per household like welfare, residence, and education are still focused on 3~4 persons households. That government offices of any kind are still depicting and notifying of 4 persons households, when most are 1~2 persons households (　　　) Changes that keep in step with the time are necessary. This is because 1 person or 2 persons households will rapidly increase for various reasons such as late marriage, and the independent living of singles, divorcees, couples separated by death, as well as single parents, and moving for work due to the transfer of public offices into the province.

44 Grasp the main idea

This is arguing that the standard of support needs to change because although according to statistics, 1~2 persons households take up nearly 50% of all households, the government policies are based on 3~4 persons households. Also, it is pointing out that the increase in 1~2 persons households is because of independent singles and the increase of households of divorcees, couples separated by death, and single parents.

45 Select the appropriate content for the context

Although statistics reveal that 1~2 persons households make up nearly 50% of all households, government support policies are still based on the past 3~4 persons households. Thus, the most appropriate argument is that this needs to change '현실과 동떨어져 있으므로' (because it's different from reality).

정답 및 해설 **269**

※ (46~47) Read the text and answer the questions.

Credit rating refers to a credit rate that is represented by a number by accumulating various personal credit information. (㉠) When clients apply for a loan at the bank, finance companies rate the person's credit based on the salary, job, residential status written in the application form as well as the person's personal information that the company has collected from the client. (㉡) Likewise, anyone who uses the service of a finance company is rated, the higher the rating, the client is assessed as more outstanding. (㉢) The client with a higher credit rating can borrow more money from the bank, and are also provided with interest or commission exemption benefits, so it is important for one to raise his/her credit rating in general.

Personal credit ratings that have been decided in this way are used as reference for finance companies such as banks and card companies when deciding a client's loan possibility, limits, applicable interest rate, etc.

46 Find the sentence location

Since the sentence begins with '이렇게 정해진 신용 등급은,' it is appropriate for an explanation about the process of credit rating to be in the previous sentence. Therefore, ㉢ is correct.

47 Understand the details

① Credit ratings are credit rates represented by a number.
② It says that people dealing with finance companies already have set personal credit ratings.
③ Since you can borrow more money the higher your credit rating, you have to try hard to raise your credit rating.

※ (48~50) Read the text and answer the questions.

'Face recognition' refers to the technology that can determine a person's identity, such as name and status, just by taking a picture of the face. Recently, there are more and more cases of using face recognition technology to manage the company's security or as an advertisement and corporation marketing strategy. Face recognition technology is also used when entering a company or when operating office equipment or other machines (   ) it is much more convenient and safe than existing security cards or keys and has lower risk of counterfeits than fingerprints or eye recognition, and also because there is no chance of people's resistance to contact with machines.
This kind of face recognition technology is being used to detect law offenders and terrorists as well. However, there is also plenty of controversy surrounding the invasion of privacy because the general public's face information is being collected and used indiscreetly for the financial profit of corporations. Recently overseas, face recognition was used to analyze client statistics and for the purpose of corporations' marketing. While clients were choosing their items, a small camera hidden in the eye of a manikin was used in a customized sales strategy by recognizing faces and comprehending the client's age, gender, ethnicity, etc. and then categorically analyzing the time and day of the client's visit.

48 Grasp the purpose

This text is explaining face recognition technology and presenting examples of how it's used in company security, recognizing terrorists, corporation's marketing, etc.

49 Select the appropriate content for the context

Explanation about the technology's pros include that, compared to existing security measures, it's highly convenient and safe, has lower risk of counterfeiting, and there is low resistance to physical contact. These points are the '이 기술이 인기 있는 이유' (reasons why this technology is popular).

50 Grasp the writer's attitude

This text explains face recognition technology and presents examples of how it's used effectively in our lives. However, the latter portion explains how the technology is being used in marketing and the possibility of invasion of privacy as personal information can be collected regardless of the person's consent. This text is informing about the pros and cons of when newly developed technology is applied in our lives.

한국어능력시험 TOPIK II

1 교시 (듣기)

성 명 (Name)
한국어 (Korean)	
영 어 (English)	

수험번호

							8					
⓪	⓪	⓪	⓪	⓪	⓪			⓪	⓪	⓪	⓪	⓪
①	①	①	①	①	①			①	①	①	①	①
②	②	②	②	②	②			②	②	②	②	②
③	③	③	③	③	③			③	③	③	③	③
④	④	④	④	④	④			④	④	④	④	④
⑤	⑤	⑤	⑤	⑤	⑤			⑤	⑤	⑤	⑤	⑤
⑥	⑥	⑥	⑥	⑥	⑥			⑥	⑥	⑥	⑥	⑥
⑦	⑦	⑦	⑦	⑦	⑦			⑦	⑦	⑦	⑦	⑦
⑧	⑧	⑧	⑧	⑧	⑧		●	⑧	⑧	⑧	⑧	⑧
⑨	⑨	⑨	⑨	⑨	⑨			⑨	⑨	⑨	⑨	⑨

결 시 확인란 | 결시자의 영어 성명 및 수험번호 기재 후 표기 | ○

※ 답안지 표기 방법(Marking examples)

바른 방법(Correct) ● | 바르지 못한 방법(Incorrect) ⊘ ⊙ ⊗ ⊙

※ 위 사항을 지키지 않아 발생하는 불이익은 응시자에게 있습니다.

감독관 확 인 | 본인 및 수험번호 표기가 정확한지 확인 | (인)

번호	답 란				번호	답 란				번호	답 란			
1	①	②	③	④	21	①	②	③	④	41	①	②	③	④
2	①	②	③	④	22	①	②	③	④	42	①	②	③	④
3	①	②	③	④	23	①	②	③	④	43	①	②	③	④
4	①	②	③	④	24	①	②	③	④	44	①	②	③	④
5	①	②	③	④	25	①	②	③	④	45	①	②	③	④
6	①	②	③	④	26	①	②	③	④	46	①	②	③	④
7	①	②	③	④	27	①	②	③	④	47	①	②	③	④
8	①	②	③	④	28	①	②	③	④	48	①	②	③	④
9	①	②	③	④	29	①	②	③	④	49	①	②	③	④
10	①	②	③	④	30	①	②	③	④	50	①	②	③	④
11	①	②	③	④	31	①	②	③	④					
12	①	②	③	④	32	①	②	③	④					
13	①	②	③	④	33	①	②	③	④					
14	①	②	③	④	34	①	②	③	④					
15	①	②	③	④	35	①	②	③	④					
16	①	②	③	④	36	①	②	③	④					
17	①	②	③	④	37	①	②	③	④					
18	①	②	③	④	38	①	②	③	④					
19	①	②	③	④	39	①	②	③	④					
20	①	②	③	④	40	①	②	③	④					

절취선

절취선

한국어능력시험
TOPIK II
1 교시 (쓰기)

성 명	한국어 (Korean)
(Name)	영 어 (English)

수 험 번 호

8

※ 결 시 결시자의 영어 성명 및
확인란 수험번호 기재 후 표기

※ 답안지 표기 방법(Marking examples)

바른 방법(Correct) ●
바르지 못한 방법(Incorrect) ⊗ ⊙ ◑ ⊘ ☓

※ 위 사항을 지키지 않아 발생하는 불이익은 응시자에게 있습니다.

※ 감독관 본인 및 수험번호 표기가 (인)
확인 정확한지 확인

주관식 답안은 정해진 답란을 벗어나거나 답란을 바꿔서 쓸 경우 점수를 받을 수 없습니다.
(Answers written outside the box or in the wrong box will not be graded.)

51	㉠
	㉡

52	㉠
	㉡

53 아래 빈칸에 200자에서 300자 이내로 작문하십시오 (띄어쓰기 포함).
(Please write your answer below; your answer must be between 200 and 300 letters including spaces.)

50
100
150
200
250
300

※ 54번은 뒷면에 작성하십시오. (Please write your answer for question number 54 at the back.)

54

주 관 식 답 란 (Answer sheet for composition)

아래 빈칸에 600자에서 700자 이내로 작문하십시오 (띄어쓰기 포함).
(Please write your answer below; your answer must be between 600 and 700 letters including spaces.)

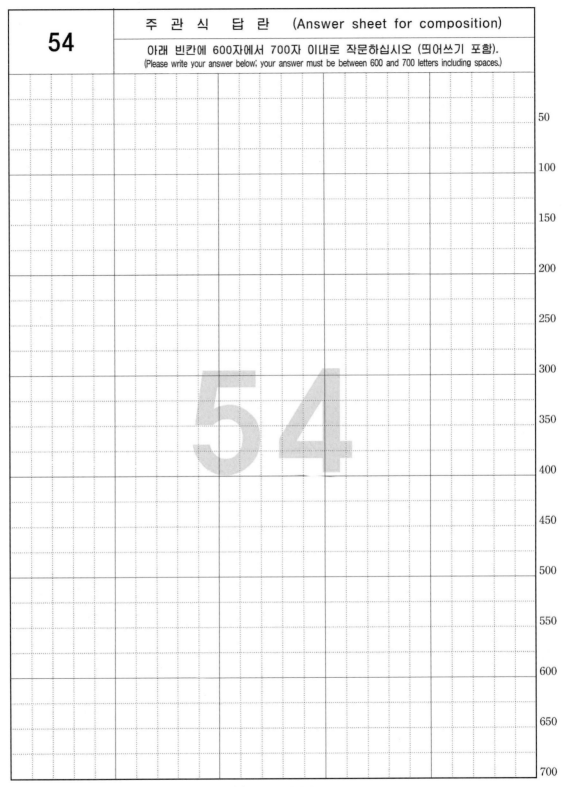

50

100

150

200

250

300

350

400

450

500

550

600

650

700

※ 주어진 답란의 방향을 바꿔서 답안을 쓰면 '0'점 처리됩니다.
(Please do not turn the answer sheet horizontally. No points will be given.)

한국어능력시험 TOPIK II

2 교시 (읽기)

| 성 명 (Name) | 한 국 어 (Korean) | |
| | 영 어 (English) | |

수 험 번 호

8											

결시 확인란 / 결시자의 영어 성명 및 수험번호 기재 후 표기

※ 답안지 표기 방법(Marking examples)
- 바른 방법(Correct) ●
- 바르지 못한 방법(Incorrect) ⊘ ⊙ ⊗ ⦸

※ 위 사항을 지키지 않아 발생하는 불이익은 응시자에게 있습니다.

감독관 확인 / 본인 및 수험번호 표기가 정확한지 확인 (인)

번호	답 란			
1	①	②	③	④
2	①	②	③	④
3	①	②	③	④
4	①	②	③	④
5	①	②	③	④
6	①	②	③	④
7	①	②	③	④
8	①	②	③	④
9	①	②	③	④
10	①	②	③	④
11	①	②	③	④
12	①	②	③	④
13	①	②	③	④
14	①	②	③	④
15	①	②	③	④
16	①	②	③	④
17	①	②	③	④
18	①	②	③	④
19	①	②	③	④
20	①	②	③	④

번호	답 란			
21	①	②	③	④
22	①	②	③	④
23	①	②	③	④
24	①	②	③	④
25	①	②	③	④
26	①	②	③	④
27	①	②	③	④
28	①	②	③	④
29	①	②	③	④
30	①	②	③	④
31	①	②	③	④
32	①	②	③	④
33	①	②	③	④
34	①	②	③	④
35	①	②	③	④
36	①	②	③	④
37	①	②	③	④
38	①	②	③	④
39	①	②	③	④
40	①	②	③	④

번호	답 란			
41	①	②	③	④
42	①	②	③	④
43	①	②	③	④
44	①	②	③	④
45	①	②	③	④
46	①	②	③	④
47	①	②	③	④
48	①	②	③	④
49	①	②	③	④
50	①	②	③	④

절취선

절취선

한국어능력시험
TOPIK II
1 교시 (듣기)

성 명 (Name)	한 국 어 (Korean)	
	영 어 (English)	

수 험 번 호

					8						
0	0	0	0	0		0	0	0	0	0	0
1	1	1	1	1		1	1	1	1	1	1
2	2	2	2	2		2	2	2	2	2	2
3	3	3	3	3		3	3	3	3	3	3
4	4	4	4	4		4	4	4	4	4	4
5	5	5	5	5		5	5	5	5	5	5
6	6	6	6	6		6	6	6	6	6	6
7	7	7	7	7		7	7	7	7	7	7
8	8	8	8	8	●	8	8	8	8	8	8
9	9	9	9	9		9	9	9	9	9	9

※결 시 확인란	결시자의 영어 성명 및 수험번호 기재 후 표기	○

※답안지 표기 방법(Marking examples)

바른 방법(Correct)	바르지 못한 방법(Incorrect)
●	✓ ⊙ ◐ ⊗ ✕

※ 위 사항을 지키지 않아 발생하는 불이익은 응시자에게 있습니다.

※감독관 확 인	본인 및 수험번호 표기가 정확한지 확인	(인)

번호	답		란	
1	①	②	③	④
2	①	②	③	④
3	①	②	③	④
4	①	②	③	④
5	①	②	③	④
6	①	②	③	④
7	①	②	③	④
8	①	②	③	④
9	①	②	③	④
10	①	②	③	④
11	①	②	③	④
12	①	②	③	④
13	①	②	③	④
14	①	②	③	④
15	①	②	③	④
16	①	②	③	④
17	①	②	③	④
18	①	②	③	④
19	①	②	③	④
20	①	②	③	④

번호	답		란	
21	①	②	③	④
22	①	②	③	④
23	①	②	③	④
24	①	②	③	④
25	①	②	③	④
26	①	②	③	④
27	①	②	③	④
28	①	②	③	④
29	①	②	③	④
30	①	②	③	④
31	①	②	③	④
32	①	②	③	④
33	①	②	③	④
34	①	②	③	④
35	①	②	③	④
36	①	②	③	④
37	①	②	③	④
38	①	②	③	④
39	①	②	③	④
40	①	②	③	④

번호	답		란	
41	①	②	③	④
42	①	②	③	④
43	①	②	③	④
44	①	②	③	④
45	①	②	③	④
46	①	②	③	④
47	①	②	③	④
48	①	②	③	④
49	①	②	③	④
50	①	②	③	④

한국어능력시험
TOPIK II

1 교시 (쓰기)

| 성 명 (Name) | 한국어 (Korean) | |
| | 영 어 (English) | |

수 험 번 호

	8										
0		0	0	0	0	0		0	0	0	0
1		1	1	1	1	1		1	1	1	1
2		2	2	2	2	2		2	2	2	2
3		3	3	3	3	3		3	3	3	3
4		4	4	4	4	4		4	4	4	4
5		5	5	5	5	5		5	5	5	5
6		6	6	6	6	6		6	6	6	6
7		7	7	7	7	7		7	7	7	7
8		8	8	●	8	8		8	8	8	8
9		9	9	9	9	9		9	9	9	9

※ 결 시 결시자의 영어 성명 및
  확인란 수험번호 기재 후 표기

○

※ 답안지 표기 방법(Marking examples)

바른 방법(Correct) ● 틀린 방법(Incorrect) ⊗ ⊙ ◐ ○ ◑

※ 위 사항을 지키지 않아 발생하는 불이익은 응시자에게 있습니다.

※ 감독관 본인 및 수험번호 표기가 (인)
  확 인 정확한지 확인

주관식 답안은 정해진 답란을 벗어나거나 답란을 바꿔서 쓸 경우 점수를 받을 수 없습니다.
(Answers written outside the box or in the wrong box will not be graded.)

51	㉠
	㉡
52	㉠
	㉡

53 아래 빈칸에 200자에서 300자 이내로 작문하십시오 (띄어쓰기 포함).
(Please write your answer below; your answer must be between 200 and 300 letters including spaces.)

	50
	100
	150
	200
	250
	300

※ 54번은 뒷면에 작성하십시오. (Please write your answer for question number 54 at the back.)

54	주 관 식 답 란 (Answer sheet for composition)
	아래 빈칸에 600자에서 700자 이내로 작문하십시오 (띄어쓰기 포함).
	(Please write your answer below; your answer must be between 600 and 700 letters including spaces.)

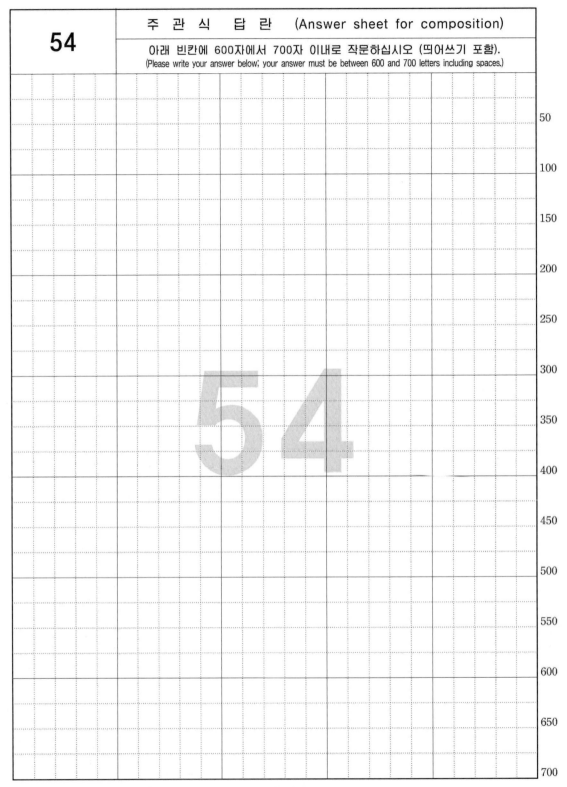

50
100
150
200
250
300
350
400
450
500
550
600
650
700

※ 주어진 답란의 방향을 바꿔서 답안을 쓰면 '0'점 처리됩니다.
(Please do not turn the answer sheet horizontally. No points will be given.)

한국어능력시험
TOPIK II
2 교시 (읽기)

성 명	한 국 어 (Korean)
(Name)	영 어 (English)

수 험 번 호

8

※ 결 시 확인란 : 결시자의 영어 성명 및 수험번호 기재 후 표기

○

※ 답안지 표기 방법(Marking examples)
바른 방법(Correct) ● 틀린 방법(Incorrect) ⊘ ⊗ ● ◉

※ 위 사항을 지키지 않아 발생하는 불이익은 응시자에게 있습니다.

감독관 확 인 : 본인 및 수험번호 표기가 정확한지 확인 (인)

번호	답 란
1	① ② ③ ④
2	① ② ③ ④
3	① ② ③ ④
4	① ② ③ ④
5	① ② ③ ④
6	① ② ③ ④
7	① ② ③ ④
8	① ② ③ ④
9	① ② ③ ④
10	① ② ③ ④
11	① ② ③ ④
12	① ② ③ ④
13	① ② ③ ④
14	① ② ③ ④
15	① ② ③ ④
16	① ② ③ ④
17	① ② ③ ④
18	① ② ③ ④
19	① ② ③ ④
20	① ② ③ ④

번호	답 란
21	① ② ③ ④
22	① ② ③ ④
23	① ② ③ ④
24	① ② ③ ④
25	① ② ③ ④
26	① ② ③ ④
27	① ② ③ ④
28	① ② ③ ④
29	① ② ③ ④
30	① ② ③ ④
31	① ② ③ ④
32	① ② ③ ④
33	① ② ③ ④
34	① ② ③ ④
35	① ② ③ ④
36	① ② ③ ④
37	① ② ③ ④
38	① ② ③ ④
39	① ② ③ ④
40	① ② ③ ④

번호	답 란
41	① ② ③ ④
42	① ② ③ ④
43	① ② ③ ④
44	① ② ③ ④
45	① ② ③ ④
46	① ② ③ ④
47	① ② ③ ④
48	① ② ③ ④
49	① ② ③ ④
50	① ② ③ ④

정착신

한국어능력시험
TOPIK II

1 교시 (듣기)

성 명 (Name)	한 국 어 (Korean)	
	영 어 (English)	

문제번호	수 험 번 호
8	

※ 결 시
확인란: 결시자의 영어 성명 및 수험번호 기재 후 표기

※ 답안지 표기 방법(Marking examples)
바른 방법(Correct) ●
틀린 방법(Incorrect) ⊗ ⊘ ◑ ○

※ 위 사항을 지키지 않아 발생하는 불이익은 응시자에게 있습니다.

※ 감독관
확 인: 본인 및 수험번호 표기가
정확한지 확인 (인)

번호	답란			
1	①	②	③	④
2	①	②	③	④
3	①	②	③	④
4	①	②	③	④
5	①	②	③	④
6	①	②	③	④
7	①	②	③	④
8	①	②	③	④
9	①	②	③	④
10	①	②	③	④
11	①	②	③	④
12	①	②	③	④
13	①	②	③	④
14	①	②	③	④
15	①	②	③	④
16	①	②	③	④
17	①	②	③	④
18	①	②	③	④
19	①	②	③	④
20	①	②	③	④

번호	답란			
21	①	②	③	④
22	①	②	③	④
23	①	②	③	④
24	①	②	③	④
25	①	②	③	④
26	①	②	③	④
27	①	②	③	④
28	①	②	③	④
29	①	②	③	④
30	①	②	③	④
31	①	②	③	④
32	①	②	③	④
33	①	②	③	④
34	①	②	③	④
35	①	②	③	④
36	①	②	③	④
37	①	②	③	④
38	①	②	③	④
39	①	②	③	④
40	①	②	③	④

번호	답란			
41	①	②	③	④
42	①	②	③	④
43	①	②	③	④
44	①	②	③	④
45	①	②	③	④
46	①	②	③	④
47	①	②	③	④
48	①	②	③	④
49	①	②	③	④
50	①	②	③	④

절취선

주관식 답안은 정해진 답란을 벗어나거나 답란을 바꿔서 쓸 경우 점수를 받을 수 없습니다.
(Answers written outside the box or in the wrong box will not be graded.)

51 ㉠ ㉡

52 ㉠ ㉡

53 아래 빈칸에 200자에서 300자 이내로 작문하십시오 (띄어쓰기 포함).
(Please write your answer below; your answer must be between 200 and 300 letters including spaces.)

50
100
150
200
250
300

※ 54번은 뒷면에 작성하십시오. (Please write your answer for question number 54 at the back.)

54	주 관 식 답 란 (Answer sheet for composition)
	아래 빈칸에 600자에서 700자 이내로 작문하십시오 (띄어쓰기 포함). (Please write your answer below; your answer must be between 600 and 700 letters including spaces.)

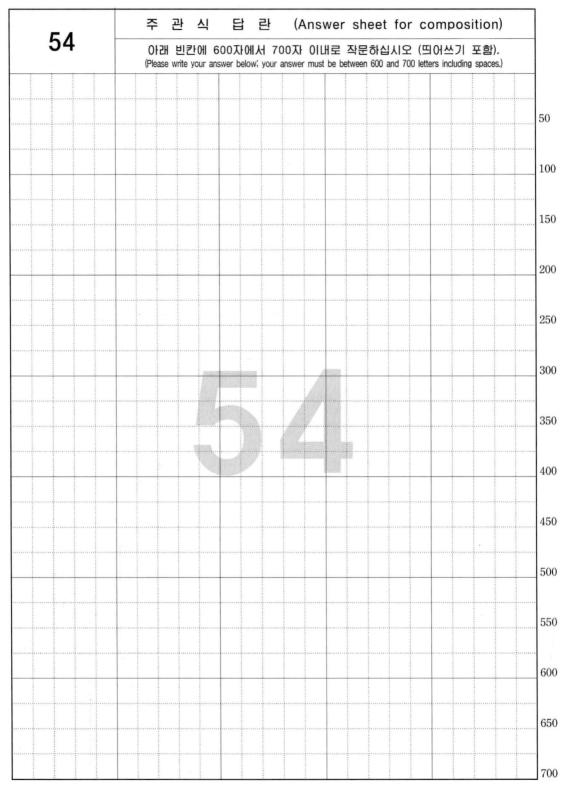

50

100

150

200

250

300

350

400

450

500

550

600

650

700

※ 주어진 답란의 방향을 바꿔서 답안을 쓰면 '0'점 처리됩니다.
(Please do not turn the answer sheet horizontally. No points will be given.)

정취선

한국어능력시험
TOPIK II
2 교시 (읽기)

성명 한국어 (Korean)
(Name) 영어 (English)

번호	답란			
1	①	②	③	④
2	①	②	③	④
3	①	②	③	④
4	①	②	③	④
5	①	②	③	④
6	①	②	③	④
7	①	②	③	④
8	①	②	③	④
9	①	②	③	④
10	①	②	③	④
11	①	②	③	④
12	①	②	③	④
13	①	②	③	④
14	①	②	③	④
15	①	②	③	④
16	①	②	③	④
17	①	②	③	④
18	①	②	③	④
19	①	②	③	④
20	①	②	③	④

번호	답란			
21	①	②	③	④
22	①	②	③	④
23	①	②	③	④
24	①	②	③	④
25	①	②	③	④
26	①	②	③	④
27	①	②	③	④
28	①	②	③	④
29	①	②	③	④
30	①	②	③	④
31	①	②	③	④
32	①	②	③	④
33	①	②	③	④
34	①	②	③	④
35	①	②	③	④
36	①	②	③	④
37	①	②	③	④
38	①	②	③	④
39	①	②	③	④
40	①	②	③	④

번호	답란			
41	①	②	③	④
42	①	②	③	④
43	①	②	③	④
44	①	②	③	④
45	①	②	③	④
46	①	②	③	④
47	①	②	③	④
48	①	②	③	④
49	①	②	③	④
50	①	②	③	④

※ 결시자의 영어 성명 및 수험번호 기재 후 표기
결시 확인란 ○

※ 답안지 표기 방법(Marking examples)
바른 방법(Correct) ● 틀린 방법(Incorrect) ⊘ ⊙ ⊗ ●

※ 위 사항을 지키지 않아 발생하는 불이익은 응시자에게 있습니다.

감독관 본인 및 수험번호 표기 (인)
확인 정확한지 확인

정치선